FRANCOPHONIES D'AMÉRIQUE

FRANCOPHONIES D'AMÉRIQUE

Automne 2012 Numéro 34

Les Presses de l'Université d'Ottawa
Centre de recherche en civilisation canadienne-française

FRANCOPHONIES D'AMÉRIQUE

Automne 2012 Numéro 34

En couverture : Rebecca Courvoisier, *Contraste*, photographie, 11 décembre 2013.

Cette revue est publiée grâce à la contribution financière des institutions suivantes :

Association des universités de la francophonie canadienne (AUFC) • CEFAN, Université Laval • CRCCF, Université d'Ottawa • CREFO, Université de Toronto • Faculté Saint-Jean, Université de l'Alberta • Université de Moncton • Université de Saint-Boniface • Université Laurentienne • Université Sainte-Anne

ISBN : 978-2-7603-0811-4
ISSN : 1183-2487 (Imprimé)
ISSN : 1710-1158 (En ligne)
Dépôt légal – Bibliothèque et Archives nationales du Québec, 2014
Dépôt légal – Bibliothèque et Archives Canada, 2014
Les Presses de l'Université d'Ottawa / Centre de recherche en civilisation canadienne-française, 2014
Imprimé au Canada

Comment communiquer avec

FRANCOPHONIES D'AMÉRIQUE

POUR LES QUESTIONS D'ABONNEMENT, DE DISTRIBUTION OU DE PROMOTION :

Martin Roy
Centre de recherche
en civilisation canadienne-française
Université d'Ottawa
65, rue Université, bureau 040
Ottawa (Ontario) K1N 6N5
Téléphone : 613 562-5800, poste 4007
Télécopieur : 613 562-5143
Courriel : Roy.Martin@uOttawa.ca
Site Internet : http://francophoniesdamerique.uottawa.ca

POUR TOUTE QUESTION RELEVANT DU SECRÉTARIAT DE RÉDACTION :

Colette Michaud
Secrétariat de rédaction, *Francophonies d'Amérique*
Centre de recherche
en civilisation canadienne-française
Université d'Ottawa
65, rue Université, bureau 040
Ottawa (Ontario) K1N 6N5
Téléphone : 613 562-5800, poste 4001
Télécopieur : 613 562-5143
Courriel : cmichaud@uOttawa.ca

Francophonies d'Amérique est disponible sur la plateforme Érudit à l'adresse suivante :
http://www.erudit.org/revue/fa/apropos.html

***Francophonies d'Amérique* est indexée dans :**

Klapp, *Bibliographie d'histoire littéraire française* (Stuttgart, Allemagne)

International Bibliography of Periodical Literature (IBZ) et *International Bibliography of Book Reviews (IBR)* (Hasbergen, Allemagne)

International Bibliography of the Social Sciences (IBSS), The London School of Economics and Political Science (Londres, Grande-Bretagne)

MLA International Bibliography (New York)

REPÈRE – Services documentaires multimédia

Table des matières

Ottawa : penser la ville

RECENSIONS

Présentation
Ottawa : penser la ville

FRANCOPHONIES D'AMÉRIQUE

Linda Cardinal, Anne Gilbert et Lucie Hotte
Université d'Ottawa

Ce n'est qu'au début du XIXe siècle que viennent s'établir les premiers Européens au confluent des rivières des Outaouais, Gatineau et Rideau, dans ce qui fut jusque-là un établissement des Odawas, une nation algonquine. La guerre de 1812 ayant dévoilé la vulnérabilité des convois qui empruntent le Saint-Laurent, le gouvernement canadien décide de construire un canal – connu aujourd'hui sous le nom de Rideau – afin d'offrir *une* route de rechange. Dès lors, la future ville d'Ottawa commençe à se développer. Le lieutenant-colonel John By, chargé des travaux, y fait construire un hôpital ainsi que plusieurs casernes militaires sur la colline boisée surplombant le canal. Il désigne également deux emplacements devant recevoir les futurs colons, l'un à l'ouest de la colline, la Haute-Ville, et l'autre à l'est de l'entrée du futur canal, la Basse-Ville. Bytown compte, en 1828, près de 1 000 habitants. C'est l'industrie forestière qui permet à la ville de prendre réellement son essor dans les décennies suivantes.

Bytown prend le nom d'Ottawa en 1855, afin que sa candidature au titre de capitale canadienne soit plus éloquente. La ville est choisie deux ans plus tard comme capitale de la Province du Canada par la reine Victoria, qui résout ainsi un conflit opposant Montréal, Toronto, Québec et Kingston. La colline surplombant la rivière offre un emplacement idéal pour la construction du siège du gouvernement, un atout qui contrebalance l'éloignement et le caractère rural d'Ottawa à l'époque. Le développement futur de la ville se fondera essentiellement sur cette fonction « capitale » qui lui donnera son caractère unique. Fort curieusement, ce rôle ne figure nulle part dans ses statuts, et Ottawa, comme toutes les autres villes du pays, est soumise à l'autorité du gouvernement provincial. Hormis la Commission de la capitale nationale (CCN), créée en 1959 par le Parlement canadien pour planifier les usages du territoire de la région mais qui n'a guère de pouvoir dans les faits, aucune structure n'existe pour gérer les dossiers d'envergure métropolitaine avec Gatineau, située sur l'autre rive de la rivière des Outaouais, dont la destinée est irrémédiablement liée à celle d'Ottawa.

Aujourd'hui quatrième ville en importance au pays, Ottawa est née de la fusion en 2001 de la région d'Ottawa-Carleton et de ses onze municipalités locales. Se retrouvent désormais sous une même administration une grande ville, de petites agglomérations de banlieue et des localités rurales. Ottawa, qui compte aujourd'hui 883 391 habitants – la population de la région métropolitaine de recensement d'Ottawa-Gatineau s'établit, pour sa part, à 1 236 324 personnes –, est ainsi devenue une ville encore plus complexe.

Depuis ses débuts, les francophones sont partie prenante de l'édification de la ville. Au tournant du XXe siècle, la fonction de capitale, notamment, attire à Ottawa une élite canadienne-française laïque et cléricale qui, en s'ajoutant à une classe ouvrière déjà présente dans l'industrie forestière, entre autres, contribuera graduellement à faire de la ville l'un des trois principaux centres intellectuels, culturels et institutionnels du Canada français, avec Québec et Montréal. Ottawa devient ainsi un lieu de vie pour de nombreux politiciens, fonctionnaires, traducteurs et journalistes. Plusieurs écrivains font aussi partie de cette élite et contribuent au développement de la vie sociale, culturelle, théâtrale et littéraire francophone – mais aussi anglophone – de la nouvelle capitale.

Ottawa, lieu de vie français, c'est à cette thématique que ce numéro de *Francophonies d'Amérique* est consacré. Les textes sont issus du Chantier Ottawa[1], un vaste projet logé au Centre de recherche en civilisation canadienne-française de l'Université d'Ottawa et destiné à mieux connaître cette capitale de la vie française au pays, sa population, ses institutions, ses réalisations, ses ambitions, notamment depuis les années 1960. C'est sur ce lieu de vie français, dont ils cherchent, à l'instar du Chantier, à construire la mémoire, que portent les textes réunis ici[2].

1 Projet collaboratif et interdisciplinaire, financé par le Conseil de recherches en sciences humaines du Canada (CRSH) que nous remercions de son soutien. Pour plus de détails, voir le site Web du CRCCF : http://www.crccf.uottawa.ca.

2 Ces textes sont issus de communications livrées au colloque *Penser la ville : Ottawa, lieu de vie français*, organisé par le CRCCF, en novembre 2011.

En effet, le lieu permet la mémoire. Il rappelle les événements qui ont ponctué l'histoire de la communauté qui l'habite au fil du temps. Il évoque les acteurs qui y ont participé, les organisations dont ils ont été les chefs de file. Il raconte leurs hauts faits. Il rappelle aussi la vie quotidienne des familles qui y ont vécu, la destinée des institutions qu'elles ont érigées. Il rappelle aussi leurs productions culturelles. Le lieu cristallise ainsi les représentations de la communauté dans tous ces sites particuliers qui jalonnent son territoire et qui, à leur tour, peuvent devenir des lieux de remémoration et d'investissement symbolique importants dans le processus de communalisation du groupe. Comment ces lieux sont-ils choisis ? Comment se construit leur valeur symbolique et politique ? Quelle mémoire francophone peut-on construire à Ottawa ? De quelles mémoires parlons-nous ? Car elles sont nombreuses et en situation de tension les unes avec les autres. C'est ce que les études réunies dans ce numéro tenteront de faire ressortir. Par exemple, nous verrons que ces mémoires sont à la fois nationales et locales. Elles font ainsi appel à un certain nombre de récits fondateurs que plusieurs textes de ce numéro tentent de mettre au jour. Ainsi, comme le montrent Michel Bock et Serge Miville dans leur contribution sur l'Association canadienne-française de l'Ontario (ACFO), le discours national sera contesté de l'intérieur, notamment à partir des années 1960. L'ACFO sera remise en question par les jeunes, mais aussi par les associations membres régionales qui souhaitent aborder d'autres questions que les enjeux nationaux et linguistiques. Tous critiquent la mainmise de l'élite ottavienne sur l'orientation de la communauté franco-ontarienne, incluant les jeunes d'Ottawa qui la trouvent conservatrice et figée. Bock et Miville étudient ces affrontements au sein de l'ACFO et montrent combien ce moment de contestation a joué un rôle déterminant dans la possibilité d'unifier l'espace franco-ontarien. Rappelons que l'ACFO a déménagé à Toronto dans les années 1990 afin de s'éloigner de l'emprise de l'élite ottavienne. Or comment interpréter son retour à Ottawa en 2005 ? Faut-il y voir la reconnaissance qu'Ottawa serait bel et bien la capitale de l'Ontario français ?

Il n'en demeure pas moins qu'on ne peut plus présumer que seule l'élite d'Ottawa donne le ton au discours franco-ontarien, pas plus que l'histoire des francophones d'Ottawa ne peut être réduite à celle de leurs organismes, fussent-ils aussi importants que l'ACFO. Hélène Beauchamp montre que cette élite, dont elle établit aussi la biographie grâce à un travail d'ethnosociologie personnelle, a fait sa marque au sein de certains quartiers. Grâce à son histoire familiale, Beauchamp nous permet de voir comment son grand-père et son père ont façonné le quartier de la Basse-Ville, toujours identifié à la francophonie d'Ottawa, même s'il a été complètement transformé depuis les années 1960. En 1965, l'on assiste à l'inauguration du pont Macdonald-Cartier. Cet événement marquait le début d'une période de rénovation majeure de la Basse-Ville, qui en viendrait à perdre son âme ! Beauchamp montre bien comment la vie locale a été subordonnée au développement de la capitale fédérale. L'élite voyait son espace de rayonnement rétrécir au profit de la majorité anglophone. Certes, des Québécois francophones viendraient s'installer dans la région pour travailler dans la fonction publique fédérale et renforcer ses rangs, mais la francophonie d'Ottawa, qui jadis dirigeait l'Ontario français, selon les dissidents de l'ACFO, perdit une part importante de ses lieux et de sa mémoire au moment où le Canada s'apprêtait à adopter la loi sur les langues officielles.

Que reste-t-il des institutions locales de la francophonie d'Ottawa depuis cette époque ? Dans leur texte, E.-Martin Meunier et Jean-François Nault étudient le diocèse d'Ottawa de 1968 à nos jours. Symbole de la catholicité canadienne-française, ce diocèse constitue une institution majeure, puisqu'il s'étend sur un vaste territoire qui va de Lanark Highlands à Hawkesbury Est. En 2011, Ottawa comprend une majorité de catholiques, soit 46 % de la population comparativement à 34 % pour l'Ontario. La catholicité chez les francophones d'Ottawa semble stable, mais Meunier et Nault montrent que le milieu catholique s'anglicise et se diversifie culturellement par l'accueil de nouveaux croyants venus des milieux de l'immigration. Les francophones, pour leur part, sont moins pratiquants. Ils semblent participer d'un phénomène similaire à ce que Meunier et Nault ont observé au Québec, soit celui d'une religion catholique de plus en plus identitaire et culturelle.

Pour leur part, Linda Cardinal et Anne Mévellec dressent un portrait d'une autre institution importante pour les francophones, mais où ils sont très minoritaires, soit le gouvernement municipal. En plus de proposer un portrait statistique des élus francophones et francophiles à la Ville d'Ottawa, elles procèdent à une typologie des quartiers où résident les francophones. Ainsi, en 2011, les données montrent qu'ils sont concentrés dans cinq quartiers, où les élus municipaux sont appelés à représenter 30 % et plus de francophones et au premier rang desquels se trouve le quartier de Cumberland comprenant 37,2 % de francophones, suivi des quartiers Rideau-Vanier (34,7 %), Innes (31,8 %), Rideau-Rockliffe (31,5 %) et Orléans (30 %). Ces quartiers sont concentrés dans l'est de la ville, où les francophones ont été historiquement plus nombreux, bien qu'ils n'aient pas toujours fait partie d'Ottawa, si l'on pense à Orléans ou à Vanier. Ils sont cependant devenus, depuis la fusion de 2001, de nouveaux lieux d'investissement de la mémoire française d'Ottawa en ce qui a trait au politique. L'attention qu'ils ont reçue lors des récents États généraux de la francophonie d'Ottawa, tenus en juin 2012, en témoigne.

Comment les écrivains et les dramaturges voient-ils ces bouleversements ? Ariane Brun del Re dresse deux portraits de la ville qui s'opposent radicalement, celui de Daniel Poliquin dans *Côte de Sable* et celui de Michel Ouellette dans *King Edward*. Poliquin, auteur de neuf romans et recueils de nouvelles mettant Ottawa en scène, fait de la ville un milieu de transition, notamment pour les étudiants et les diplomates, mais aussi un lieu d'expression de l'interculturalité. Ses personnages vivent dans une sorte de micro-cosmopolitisme, bien qu'ils aient comme espace commun le parc Strathcona. Pour sa part, Ouellette veut recréer la ville d'Ottawa, notamment la Basse-Ville comme un espace francophone, mais celui-ci n'est plus. Selon Brun del Re, Ouellette tente en vain de se représenter la ville, qui lui échappe continuellement. Les personnages de Ouellette fréquentent donc les mêmes rues que ceux de Poliquin, mais leur état d'esprit n'est pas le même.

Dans son article sur le rôle de la frontière entre Ottawa et Gatineau dans la construction de l'identité franco-ontarienne, Anne Gilbert analyse le rapport paradoxal qui unit les populations franco-ontarienne et québécoises qui, en dépit de leur proximité géographique, ne se sentent aucunement liées. Gilbert, qui a donné la parole à des francophones d'Ottawa dans le cadre de groupes de discussion, montre bien comment la frontière influence l'identité des Franco-Ontariens d'Ottawa. On voit que les préjugés envers les Québécois marquent encore fortement la représentation que ces personnes ont de leur identité. Que l'on soit d'un côté ou de l'autre de la rivière des Outaouais, le malaise que l'on ressent en présence de Québécois est grand. Les Québécois semblent être devenus pour les Franco-Ontariens ce que les Français ont été pour les premiers, soit des boucs émissaires que l'on aime détester, mais dont on souhaite ardemment la reconnaissance.

Ensemble, les différents textes publiés dans ce numéro permettent de voir qu'Ottawa détient un statut particulier dans l'imaginaire franco-ontarien. Capitale contestée durant cette période de turbulence que furent les années 1960 et 1970, Ottawa s'est vue progressivement réhabilitée dans l'imaginaire collectif grâce à la force d'attraction qu'elle exerce sur une partie importante de la population franco-ontarienne. Elle attire des centaines de migrants annuellement non seulement des quatre coins de l'Ontario, mais aussi du Québec, de l'Acadie et de l'ouest du pays, sans compter l'immigration internationale francophone dont Ottawa est devenu un foyer important. Cette population francophone diversifiée désire perdurer et se doter d'institutions sociales, éducatives et culturelles dont le rayonnement dépassera les frontières de la ville. Ainsi, les domaines national et social ne peuvent être dissociés, malgré les tensions qui caractérisent leurs relations. Se poursuit par ailleurs le mouvement de va-et-vient entre le local, le national, voire l'international, qui a marqué l'histoire d'Ottawa, lieu de vie français. Les littéraires et les artistes ont été les premiers à l'immortaliser dans les œuvres qu'ils ont consacrées à cette ville. Les autres disciplines ont commencé à emboîter le pas, comme en témoignent les contributions à ce numéro de *Francophonies d'Amérique* et l'ensemble du Chantier Ottawa.

Participation et autonomie régionale : l'ACFO et Ottawa face à la critique des régions (1969-1984)[1]

Michel Bock, Université d'Ottawa
Serge Miville, Université York

En 1969, l'Association canadienne-française d'éducation d'Ontario (ACFEO) procédait à une refonte sans précédent de son mandat et de sa structure. L'initiative, on peut le dire sans risque d'exagération, découlait d'une volonté de refonder l'organisme qui, devenu l'Association canadienne-française de l'Ontario (ACFO), tâcherait désormais de démocratiser ses structures et son fonctionnement et de susciter la participation, autant que faire se pouvait, de la masse des Franco-Ontariens à ses projets. Le contexte intellectuel et politique de 1969, faut-il le rappeler, ressemblait bien peu à celui qui avait prévalu quelque soixante ans plus tôt, en 1910, lorsque l'élite canadienne-française d'Ottawa avait mis sur pied l'ACFEO dans la foulée des événements qui devaient mener, deux ans plus tard, à la célèbre crise du Règlement XVII. Si les fondateurs de l'ACFEO avaient inscrit leur action dans la logique du nationalisme canadien-français traditionaliste et adhéré à une conception fortement hiérarchisée de l'ordre social, les dirigeants de la nouvelle ACFO, chez lesquels l'idéologie de la participation avait commencé à faire des incursions substantielles, étaient plutôt d'avis que l'avenir de l'Association passait désormais par sa capacité à obtenir de plus larges consensus et à décentraliser, au profit des diverses régions de l'Ontario français, une partie, à tout le moins, de son pouvoir de décision.

Après que le gouvernement ontarien lui eut donné satisfaction, deux ans plus tôt, en autorisant la création d'écoles secondaires publiques de

[1] Nous tenons à souligner la contribution financière du Conseil de recherches en sciences humaines du Canada (CRSH) et du Centre de recherche en civilisation canadienne-française de l'Université d'Ottawa (CRCCF) à la réalisation de cette étude.

langue française, l'Association saisit l'occasion que lui offrait le congrès d'Ottawa, en 1969, pour élargir son mandat au-delà du seul secteur de l'éducation et englober également ceux de la culture et de l'économie, avant de passer, plus tard, aux services juridiques, à la santé et aux services sociaux, entre autres. Cette décision traduisait la nécessité pour l'ACFO de composer avec l'effritement de la structure institutionnelle traditionnelle du Canada français, laquelle gravitait largement autour de l'Église, et avec l'expansion rapide de l'État-providence ontarien et canadien qui était en passe d'en prendre le relais à plusieurs égards. L'Association en profita pour mettre sur pied, dans la même foulée, un vaste programme d'animation socioculturelle, dont elle confia la responsabilité à ses sections régionales. L'initiative avait un double objectif : celui, d'une part, de donner aux régions les outils nécessaires pour se responsabiliser et assurer leur progrès de manière autonome, et celui de renforcer, d'autre part, la présence de l'association mère à l'extérieur d'Ottawa et de l'Est ontarien, deux impératifs que l'on estimait parfaitement complémentaires mais qui, dans les faits, seraient souvent aux antipodes. La mise sur pied de cet outil de démocratisation et de ralliement qu'était censé représenter le programme d'animation aurait une conséquence pour le moins inattendue en contribuant, non sans ironie, à alimenter la critique, en région, de l'élite ottavienne et en obligeant l'ACFO à restructurer une fois de plus ses cadres une quinzaine d'années plus tard.

Bien qu'il existe de nombreuses études sur les mutations identitaires qu'ont connues les Franco-Ontariens au XXe siècle ainsi que sur la redéfinition de leurs relations avec les gouvernements[2], les chercheurs se sont encore assez peu intéressés à la problématique des tensions ou des rivalités interrégionales en Ontario français, en particulier pendant la période qui a retenu notre attention. Notons toutefois quelques exceptions à ce constat, dont l'ouvrage collectif portant sur l'ACFO du Grand Sudbury qu'a dirigé Guy Gaudreau en 1994 et qui aborde les relations parfois houleuses qu'entretenait le conseil régional sudburois avec la maison mère d'Ottawa (Gaudreau, 1994)[3]. Dans un mémoire présenté à l'Université de Montréal en 1984, Jean-Yves Cayen choisit, pour sa part, d'interpréter les régionalismes qui se manifestent au sein

[2] Pour un bilan des principales études sur la question, voir Bock (2008).

[3] On consultera également les études suivantes : Société Charlevoix (2005); Bock (2008-2009); Miville (2012).

de l'ACFO en ayant recours à une grille d'analyse marxiste. Dans le Nord-Est, soutient-il, la prolétarisation des francophones a posé un frein, historiquement, au développement d'une conscience politique forte, contrairement à la situation qui prévalait dans la région de l'Est, dont la structure économique avait permis l'émergence d'une petite bourgeoisie beaucoup plus influente (Cayen, 1984). Si nous avons pu constater, pour notre part, l'existence d'une tension interrégionale substantielle pendant la période à l'étude, il n'a pas été possible, en revanche, de conclure, à l'instar de Cayen, à l'absence de conscience politique parmi les francophones du Nord-Est, bien que l'incompatibilité, réelle ou perçue, des questions « sociale » et identitaire, voire « nationale » semble bel et bien avoir alimenté, comme nous le verrons, une partie des difficultés qui polluaient les relations entre certains dirigeants régionaux et l'élite ottavienne. Mentionnons aussi le bref ouvrage qu'a consacré Brigitte Bureau à l'histoire de l'ACFO pendant les deux décennies qui ont suivi le congrès de refondation de 1969 (Bureau, 1989). Quoique cette étude soulève de nombreuses questions importantes, notamment en lien avec la création du service d'animation, l'auteure n'aborde que sommairement la problématique des tensions interrégionales, que ce soit au sein de l'Association ou de l'Ontario français de manière générale.

La question est pourtant riche en enseignements pour le chercheur qui tâche de mieux saisir la nature des mutations que traverse en Ontario la « référence » canadienne-française, dans le sens dumontien du terme, depuis une quarantaine d'années (Dumont, 1993). Dans les pages qui suivent, nous proposons d'étudier les tensions interrégionales qui se sont manifestées à l'intérieur de la structure organisationnelle de l'ACFO pendant la période qui va de la restructuration de 1969 à celle de 1984. Nous effectuerons une analyse thématique du fonds d'archives de l'Association provinciale ainsi que d'un échantillon de la presse franco-ontarienne composé de six journaux, cinq hebdomadaires et un quotidien, publiés dans les trois grandes régions de l'Ontario français, soit l'Est, le Nord et le Sud[4]. Certes, l'existence de tensions

[4] Pour l'Est, nous avons retenu *Le Droit* d'Ottawa et *Le Carillon* de Hawkesbury; pour le Nord, *Le Voyageur* de Sudbury et *Le Nord* de Hearst; pour le Sud, *Le Toronto Express*, devenu *L'Express de Toronto* en 1978, et *Le Rempart* de Windsor. Précisons que dans le cas du quotidien *Le Droit*, il a été nécessaire de procéder par échantillonnage, compte tenu de l'ampleur de cette source. Nous avons donc retenu l'édition du samedi, laquelle donne souvent à la rédaction l'occasion d'effectuer un retour sur l'actualité de la semaine.

interrégionales ne représentait pas, à cette époque, un phénomène nouveau en Ontario français (Bock, 2008-2009). La méthode retenue permettra toutefois de constater que ces tensions revêtaient un caractère particulier au lendemain de l'éclatement institutionnel du Canada français des années 1960, au moment où l'Ontario français faisait son entrée, comme à peu près tout le monde, dans l'ère de la contestation, de la critique de l'*establishment* et du rejet (au moins partiel) de l'autorité (Bock, 2010). L'étude du débat entourant l'exacerbation des tensions qui sous-tendaient les relations entre l'élite franco-ontarienne d'Ottawa et certains dirigeants régionaux, en particulier dans le Nord de la province, permet de saisir l'ampleur du défi que pouvait représenter la construction, en Ontario français, d'une référence identitaire commune et mobilisatrice transcendant les clivages locaux. Elle permet aussi, dans un même ordre d'idées, de mieux comprendre la difficulté que pouvait éprouver l'ACFO à définir un projet de société « global » pour les Franco-Ontariens, alors que l'intégration de ces derniers à la société ontarienne et canadienne ne donnait aucun signe de ralentissement au lendemain des années 1960. Comme nous serons bientôt en mesure de le constater, certains conseils régionaux reprocheraient à la maison mère de leur imposer des priorités, essentiellement linguistiques et culturelles, voire identitaires et « nationales », qui ne correspondaient pas, à leurs yeux, aux besoins « réels », essentiellement « sociaux » qu'aurait exprimés la masse des Franco-Ontariens. Les débats qui agitèrent à la fois l'ACFO et la presse franco-ontarienne au cours de ces années mouvementées illustrent de manière fort éloquente le dilemme pour ainsi dire existentiel qui taraudait l'Ontario français, groupe « nationalitaire » situé à la frontière de la nation et de l'ethnie, comme l'explique Joseph Yvon Thériault, c'est-à-dire tiraillé entre la volonté d'autonomiser sa référence identitaire et son armature institutionnelle et l'obligation de s'intégrer aux institutions sociales, économiques et politiques de la majorité ontarienne et canadienne (Thériault, 1994). Enfin, l'analyse des tensions interrégionales révèle la transformation de la place qu'avait occupée Ottawa, historiquement, au sein de la francophonie ontarienne, certains intervenants remettant en cause, parfois vigoureusement, son statut de centre névralgique ou de « capitale », pour ainsi dire, de l'Ontario français, en même temps que le rôle d'assemblée délibérante qu'avait tâché de se donner l'Association provinciale depuis sa fondation.

Le congrès de 1969 et la création du service d'animation

Un mot, d'abord, sur le congrès de 1969, qui marqua un point tournant à plusieurs égards dans l'histoire du milieu associatif franco-ontarien, y compris dans l'évolution des relations qu'entretenaient les quartiers généraux de l'Association à Ottawa avec ses sections régionales. Le leitmotiv du rassemblement, comme celui du concile Vatican II, était *aggiornamento*. Dans les archives du congrès, dans les discours des intervenants et dans les résolutions adoptées, les termes « démocratisation », « représentation », « participation » et « épanouissement » reviennent comme autant de mots d'ordre laissant entendre aux contemporains que le temps de la « survivance » était révolu. Citons le secrétaire général de l'ACFEO, Roger Charbonneau, qui invitait les Franco-Ontariens à envisager leur avenir avec optimisme et à prendre une part active dans le choix de leur propre destin :

> Maintenant que l'ACFEO a atteint l'un de ses principaux objectifs, i.e. l'école française de l'élémentaire à l'université, elle doit se restructurer en profondeur en vue d'atteindre de nouveaux sommets. Cela ne veut pas dire qu'elle ne s'intéressera plus à la question de l'éducation, mais plusieurs des problèmes qui restent à être solutionnés deviennent la responsabilité des groupements spécialisés. L'un des buts de cette restructuration vise à mettre de côté l'aspect défensif en faveur de l'aspect offensif. Car il s'agit bien de ne plus survivre mais bien de vivre et de voir à l'épanouissement de la culture française en Ontario afin que nos compatriotes deviennent des citoyens à part entière. En se plaçant dans cette optique, le comité [de restructuration] recommande une plus grande démocratisation au sein de l'ACFEO [...][5].

À l'intérieur de ce vaste projet visant à rendre l'Association plus « représentative » de la collectivité franco-ontarienne dans son ensemble, les régions étaient invitées à jouer un rôle déterminant. Les nouveaux statuts de l'ACFO adoptés en 1969 réduisaient le nombre de sections locales, qui passa de vingt-quatre à sept : Ottawa métropolitain, Est, Moyen-Nord, Grand-Nord (Timmins et Témiscamingue), Extrême-Nord (Cochrane, Kapuskasing et Hearst), Sud et Sud-Ouest[6]. En principe, la logique de

---

[5] Roger Charbonneau, « La restructuration des cadres de l'ACFEO », *La vie franco-ontarienne : bulletin de l'Association canadienne-française d'éducation d'Ontario*, février 1969, p. 1, Centre de recherche en civilisation canadienne-française (ci-après CRCCF), PER 241.

[6] Le nombre de conseils régionaux serait toutefois appelé à augmenter de nouveau au fil des années. En 1984, il s'élèverait à vingt-deux. « Statuts et règlements de

cette nouvelle structure ne serait plus paroissiale, comme à l'époque de l'ACFEO, et traduirait désormais la volonté de refléter et de consolider les réalités et les particularités régionales de l'Ontario français[7]. Les conseils régionaux verraient par ailleurs leur poids augmenter, tant au congrès général qu'au nouveau bureau de direction de l'ACFO, où ils auraient chacun droit à quarante et à trois délégués respectivement[8]. En ce qui a trait aux relations avec les régionales, le geste le plus important que posa le congrès de 1969 fut sans aucun doute la mise sur pied du service d'animation culturelle, laquelle répondait à l'une des principales recommandations du Comité franco-ontarien d'enquête culturelle, que le gouvernement Robarts avait créé en 1967 et qui avait déposé, quelques mois plus tôt, son rapport final (Comité franco-ontarien d'enquête culturelle, 1969). Le gouvernement Trudeau, qui s'était lancé à fond de train, pour sa part, dans la lutte contre le mouvement indépendantiste québécois, venait d'annoncer la création d'une Direction de l'action socioculturelle qui financerait les programmes d'animation culturelle non seulement à l'ACFO, mais parmi toutes les minorités « de langue officielle », pour emprunter au nouveau jargon de la classe politique fédérale. Avec une subvention initiale de 50 000 $, l'Association procéda à la mise sur pied d'un centre d'animation dans chacun des sept conseils régionaux nouvellement consolidés, à l'exception de celui du Sud qui aurait droit, pour sa part, à deux centres, l'un à Toronto et l'autre à Niagara. Chacun des centres serait doté d'un animateur professionnel qui, selon la logique du programme, accomplirait son œuvre en se soumettant aux priorités que devaient définir les conseils régionaux en fonction des besoins que leur exprimerait, démocratiquement, la population locale.

La presse franco-ontarienne, pour sa part, accueillit avec enthousiasme l'ensemble des mesures visant à décentraliser les activités de l'Association provinciale au profit des régions et à démocratiser, ce faisant, le processus décisionnel. Les éditorialistes, eux-mêmes largement ralliés à

l'Association canadienne-française de l'Ontario (ACFO) tels qu'adoptés lors de la 35e assemblée générale annuelle les 28, 29 et 30 septembre 1984 », CRCCF, Fonds Association canadienne-française de l'Ontario (ci-après Fonds ACFO), C2[6]/1/2.

7 Il semble toutefois que la participation des régions à la restructuration de l'ACFEO ait été plutôt variable. La régionale de Sudbury, par exemple, qui se préoccupait davantage, au même moment, du regroupement des conseils scolaires locaux, s'impliqua peu ou prou dans le processus (Lafrenière, 1994).

8 « Procès-verbal du XXIe congrès général », *La vie franco-ontarienne*, mai 1969, p. 1, CRCCF, PER 241.

l'idéologie de la participation, se félicitèrent de ce qu'ils interprétèrent comme la fin du règne de l'élitisme au sein de l'organisme. La fondation de l'ACFO, selon *Le Voyageur* de Sudbury, marqua « un net progrès sur [l'ACFEO] par un élargissement des cadres d'intérêts », la nouvelle association pouvant désormais « réuni[r] tous les intérêts des Franco-Ontariens[9] ». Au *Carillon* de Hawkesbury, on se réjouit de la suppression de « cet élitisme qui a[vait] présidé » aux destinées de l'organisme, depuis sa fondation, les « jeunes » ayant réussi à « boulevers[er] les vieux meubles[10] ». Des commentaires allant dans le même sens furent publiés dans *Le Droit* d'Ottawa et *Le Rempart* de Windsor, bien que, dans ce second cas, le « radicalisme » des jeunes et, en particulier, de l'Association provinciale des mouvements de jeunes de l'Ontario français (APMJOF) eût tout de même éveillé quelques soupçons[11].

L'ACFO semblait bien décidée à entrer de plain-pied dans l'ère de la démocratie et de la participation. L'importance du service d'animation était capitale dans la nouvelle structure de l'Association, en ce sens qu'il lui permettrait, par l'intermédiaire des conseils régionaux, de bâtir une relation directe avec la collectivité franco-ontarienne et de maintenir auprès d'elle une plus grande représentativité. Le service d'animation assignait aux conseils régionaux, par le fait même, la lourde tâche de nourrir « le lien entre l'ACFO [provinciale] et les Franco-Ontariens[12] ». Il fut décidé, dans cet esprit, que l'application du programme serait largement décentralisée, question de faciliter, encore une fois, la responsabilisation des communautés locales, d'abord par rapport à leur propre milieu, puis vis-à-vis de l'Ontario français dans son ensemble. Cette démarche correspondait à la définition que donnait l'ACFO à l'animation, présentée comme « une méthode d'intervention au sein d'une communauté ou d'un groupe en situation en vue de le sensibiliser

---

9 « La Semaine française : MORT DE L'ACFÉO… », *Le Voyageur,* 26 mars 1969, p. 1, CRCCF, PER 1519.

10 Marcel Desjardins, « Des jeunes ont bouleversé les vieux meubles », *Le Carillon*, 3 avril 1969, p. 11, CRCCF, PER 1509.

11 Jean-Pierre Bonhomme, « ACFO : bon départ », *Le Droit,* 6 juin 1969, p. 6; Marie Bézaire, « Le 21e congrès de l'ACFÉO apporte la restructuration – les congressistes repartent satisfaits », *Le Rempart,* avril 1969, p. 1, Windsor Public Library (ci-après WPL).

12 « Livre blanc sur le service d'animation de l'ACFO soumis au XXIVe congrès général », Sudbury, 4-6 mai 1973, p. 7, CRCCF, Fonds ACFO, C2/483/8.

et de le rendre plus apte à communiquer, à décider et à agir dans tous les domaines d'activités [*sic*][13] », formulation qui n'était pas sans rappeler la devise de la défunte Action catholique spécialisée : « Voir, juger, agir ». D'ailleurs, lorsqu'on considère que l'un des principaux architectes du programme d'animation socioculturelle au sein du gouvernement fédéral, à l'époque, était l'ancien jéciste Gérard Pelletier, on s'aperçoit qu'il y aurait sans doute lieu de creuser le lien entre la philosophie de l'animation socioculturelle et celle de l'Action catholique. Quoi qu'il en soit, l'ACFO compléta sa définition en stipulant que l'animation visait à « mettre la communauté [locale] en situation », ce qui signifiait qu'elle devait lui fournir les moyens nécessaires à la prise en main de son propre destin[14]. Au Secrétariat d'État, qui voyait dans l'animation un outil capable de favoriser la « participation » et l'« engagement » de l'individu envers le mieux-être de la collectivité et permettre « un déploiement et un rayonnement des vertus de la démocratie », on ne disait pas le contraire[15]. Un an après sa mise en œuvre, l'ACFO se félicita des progrès que le service d'animation lui avait permis d'accomplir. En se démocratisant, elle s'était considérablement rapprochée, estimait-elle, de la collectivité franco-ontarienne partout en province :

> Les programmes [d'animation socioculturelle] ont été reçus et acceptés avec enthousiasme par toutes les régions. De très nombreux francophones de l'Ontario ont ainsi senti, parmi eux, la présence de l'ACFO provinciale. Les animateurs consultés sont unanimes à reconnaître que les programmes d'animation répondent réellement aux besoins fondamentaux de la population[16].

Il importe de préciser que, bien que l'ACFO eût voulu décentraliser les activités liées au nouveau service d'animation, il n'en demeurait pas moins que ce dernier devait également contribuer à renforcer la conscience identitaire des Franco-Ontariens, ainsi que l'avait recommandé le Comité franco-ontarien d'enquête culturelle. Il ne fallait pas que la

---

13 « Procès-verbal du 24e congrès général de l'Association canadienne-française de l'Ontario », Sudbury, 4-6 mai 1973, p. 16, CRCCF, Fonds ACFO, C2/383/8.

14 « Livre blanc sur le service d'animation de l'ACFO soumis au XXIVe congrès général », Sudbury, 4-6 mai 1973, p. 6, CRCCF, Fonds ACFO, C2/483/8.

15 Yves Breton, « L'animation sociale… ? Qu'est-ce donc ? », *La vie franco-ontarienne*, février 1969, p. 2, CRCCF, PER 241. Breton, qui était à cette époque à l'emploi du Secrétariat d'État, serait nommé au secrétariat général de l'ACFO quelque dix ans plus tard.

16 « Bilan, 1969-1970 [du comité culturel de l'ACFO provinciale] », CRCCF, Fonds ACFO, C2/288/4.

démocratisation et la décentralisation conduisent à la mise au rancart de la mission essentielle de l'Association, qui continuait de procéder d'un argumentaire nationaliste très proche, somme toute, de celui de l'ancien projet national canadien-français. Autrement dit, la volonté de responsabiliser les régions et de favoriser leur participation au processus de prise de décision au sein même de l'ACFO ne signifiait pas que les Franco-Ontariens dussent renoncer à transcender les clivages et les particularismes régionaux qui pouvaient, par ailleurs, les diviser. Au contraire, ils devaient continuer, où qu'ils fussent, de partager la même « référence », d'exprimer leur volonté commune d'adhérer au projet franco-ontarien, qui consistait à travailler activement en vue de l'élargissement de l'espace institutionnel de l'Ontario français conformément à la logique de la dualité nationale et de la thèse des deux peuples fondateurs du Canada.

Décentralisation et démocratisation : même combat?

En dépit de l'accueil très favorable qu'avaient réservé les régions, dans un premier temps, au service d'animation, l'ACFO provinciale aurait du mal à empêcher que leur enthousiasme ne se transformât rapidement en désillusion. En septembre 1970, les présidents et les animateurs régionaux se concertèrent dans le dessein d'établir, en vue du congrès général d'octobre, une stratégie commune visant à augmenter radicalement le poids des sections régionales à l'intérieur des structures de l'Association. La rencontre, qui devait « permettre aux régions de réaliser leur pouvoir » et leur faire prendre conscience du fait que c'étaient elles « qui [faisaient] marcher l'ACFO[17] », fournit aux participants l'occasion de se défouler et de dresser la liste des injustices commises à leur endroit par l'Association provinciale, dont la population franco-ontarienne ignorait souvent l'existence même, estimait-on, et qui, malgré la création du service d'animation, une initiative parfaitement louable en soi, peinait toujours à renforcer sa présence sur le terrain[18]. On imputa le problème aux structures de l'ACFO, toujours aussi lourdes et encombrantes et, surtout, toujours aussi peu « représentatives » de la diversité régionale qui caractérisait l'Ontario français. L'ACFO, conclut-on de manière

---

17 « Réunion – présidents régionaux et animateurs », 19 septembre 1970, CRCCF, Fonds ACFO, C2/286/2.

18 *Ibid.*

alarmiste, ne répondait plus « aux besoins d'aujourd'hui ». Si l'Association, avec laquelle les relations étaient toujours aussi « difficiles », ne réagissait pas de façon musclée en acceptant de décentraliser encore davantage son fonctionnement au profit des régions et en simplifiant sa structure administrative, les Franco-Ontariens n'auraient d'autre choix que de la déserter et de se rabattre sur des instances à portée régionale plus limitée :

> Le plus grand problème des régions, c'est qu'elles ne peuvent pas exercer leur pouvoir dans ce qu'on appelle leur Association avec les structures et les façons d'agir actuelles. Nous sommes prêts à faire des efforts surhumains pour réunir une dernière fois des représentants de toutes les régions. Nous déclarons cependant qu'il s'agit d'un dernier effort pour changer la structure avant que le tout ne s'effondre[19].

L'impatience des dirigeants régionaux était palpable, mais ils seraient privés de l'occasion de présenter leurs griefs au congrès général de 1970, dont la crise d'Octobre provoqua l'annulation. La tension entre la maison mère et certaines de ses sections régionales ne disparaîtrait pas pour autant, cependant. À Sudbury, *Le Voyageur* exigea que l'Association augmentât le nombre de conseils régionaux dans le Nord, seule mesure pouvant « faire revivre l'organisme qui, depuis belle lurette déjà, se tord[ait] d'agonie devant l'impuissance qu'elle éprouv[ait] à servir au strict minimum les francophones des différentes régions de l'Ontario[20] ». Il était urgent, de préciser l'éditorialiste, que la volonté de créer de nouveaux conseils régionaux et de décentraliser encore davantage le fonctionnement de l'ACFO triomphât de « l'instin[c]t naturel [des] "vieilles barbes" » qui s'obstinaient à « s'accorcher [*sic*] au pouvoir qu'elles dét[enai]ent[21] ».

---

[19] « Lettre adressée à l'ACFO concernant le rôle et la représentation des régions au sein de l'Association », 19 septembre 1970, CRCCF, Fonds ACFO, C2/393/12. Les signataires de la lettre sont les suivants : Mariette Lalande (Est ontarien), Robert Perras (Kapuskasing), Roger Dufresne (Kirkland Lake), Gérard Lafrenière (Sudbury), Armand Giroux (Ottawa) et Jean Mongenais (Windsor).

[20] Hubert Potvin, « Tournant décisif », *Le Voyageur*, 18 janvier 1971, p. 4, CRCCF, PER 1519.

[21] *Ibid.* Les journaux reviendraient fréquemment, au fil des années, sur le conservatisme de l'ACFO provinciale. Voir Michel Gratton, « Le congrès de l'ACFO. Le temps est venu de passer à la prochaine étape : la politisation », *Le Droit*, 7 septembre 1974, p. 3 ; « Prochaine étape : la politisation », *Le Voyageur*, 25 septembre 1974, p. 4 et 6, CRCCF, PER 1519; [François Taisne], « Autopsie du Congrès de l'ACFO », *Le Toronto Express*, 6 octobre 1976, p. 3, CRCCF, PER 1512; Noël Fortier, « Feu l'unanimit[é] avachissante! [*sic*] », *Le Voyageur*, 6 octobre 1976, p. 4, CRCCF, PER 1519; Noël

Nous sommes déjà en mesure de constater que l'insatisfaction qu'éprouvaient certaines régions devant la centralisation des pouvoirs entre les mains de l'élite ottavienne était inséparable, à plusieurs égards, de la critique parfois cinglante qu'elles destinaient, dans le même souffle, à ce qu'elles percevaient comme son conservatisme, voire son immobilisme. En prônant la dévolution du pouvoir décisionnel de la maison mère d'Ottawa vers les conseils régionaux, les dissidents espéraient que les Franco-Ontariens investissent l'ACFO depuis leur propre milieu et en fissent un véritable instrument d'émancipation sociale et politique, conformément à la logique fondamentale de l'animation sociale. À Ottawa, la direction de l'Association ne tarda pas à réagir à la critique de plus en plus vigoureuse que lui adressaient ses détracteurs en acceptant, dès 1973, que le service d'animation élargît son champ d'action au-delà du seul domaine de la culture[22]. Il ne fallait pas, toutefois, que cette ouverture aux questions sociales servît de prétexte à radicaliser l'action des dirigeants et des animateurs locaux. La même année, l'ACFO publia un « livre blanc » sur l'animation dans le dessein de préciser la nature et les objectifs du programme tels qu'elle les concevait. L'exercice lui fournit l'occasion de déplorer à mots à peine couverts les agissements de certains animateurs culturels qui, comprenant mal leur mission, proposaient parfois des projets dont le radicalisme et le caractère subversif convenaient mal à ses propres méthodes, qui empruntaient davantage au dialogue qu'à l'« agitation » politique. Il est possible que le commentaire visât en particulier l'animateur de Sudbury, Michel Legault, qui était parvenu à transformer le conseil régional en « comité de citoyens » et à organiser la tenue d'« états généraux » dont le but était de mener les francophones de la région « vers un nouveau pouvoir[23] », pour emprunter son expression, quitte à supplanter les structures décisionnelles existantes. Legault, en formulant des projets à caractère davantage social que linguistique ou culturel au sens strict, cherchait, selon l'historienne Julie Lafrenière, à « rejoindre les jeunes et les travailleurs afin de faire entendre un autre son

Fortier, « Le mouton, la grenouille… et le bœuf », *Le Voyageur*, 13 octobre 1976, p. 4, CRCCF, PER 1519.

22 « Procès-verbal du 24e congrès général de l'Association canadienne-française de l'Ontario », Sudbury, 4-6 mai 1973, p. 17, CRCCF, Fonds ACFO, C2/383/8.

23 Jacqueline Boucher, « Rapport du Comité culturel provincial de l'Association canadienne-française de l'Ontario », [1970], CRCCF, Fonds ACFO, C2/274/4. Voir aussi Legault et Marcoux (1971).

de cloche que celui de l'élite » et à « assurer une meilleure représentation des différentes classes sociales » (Lafrenière, 1994 : 120-121). En jouant les « agitateurs », de tels animateurs nuisaient, selon la maison mère, à la « crédibilité du service [d'animation] » et contribuaient, par conséquent, aux difficultés qu'éprouvait parfois l'ACFO à pénétrer de nouveaux milieux[24].

De plus en plus, on remettait en question la sincérité des velléités décentralisatrices de l'Association provinciale. De quelle marge disposaient véritablement les conseils régionaux dans la définition des priorités et des projets des animateurs ? Le service d'animation devait-il permettre à la « masse » des Franco-Ontariens de mettre librement sur pied ses propres projets, ou devait-il plutôt servir à la rallier aux priorités essentiellement linguistiques et culturelles qu'avait établies la direction générale depuis Ottawa ? En revanche, l'ACFO pouvait-elle cautionner, au nom de l'autonomie régionale, des initiatives ou encore des méthodes contraires aux siennes, alors que c'était à elle que revenait la tâche de distribuer les subventions fédérales destinées à l'animation ? À qui les animateurs devaient-ils rendre leurs comptes, à la fin, aux conseils régionaux auprès desquels ils travaillaient, ou à l'Association provinciale qui payait leur salaire ? Le congrès de 1969, rappelons-le, avait fait de l'autonomie des régions l'un des principes directeurs du service d'animation, mais c'était sans compter, manifestement, sur la radicalisation de certains dirigeants locaux. L'élite ottavienne n'avait pas souhaité que la décentralisation de l'organisme fût prétexte à rejeter les méthodes éprouvées de la conciliation et du dialogue, voire à rompre avec la mission essentiellement « nationaliste », c'est-à-dire linguistique, culturelle et identitaire, de l'ACFO. En 1977, la maison mère, qui cherchait à mettre de l'ordre dans le programme et à mieux surveiller l'embauche des animateurs, créa un poste de coordonnateur du service d'animation, mesure dans laquelle certaines régionales, notamment celle de Sudbury, choisirent de voir, encore une fois, une tentative de mise en tutelle de la part d'Ottawa[25]. La régionale de Hearst-Kapuskasing proposa, de son côté, que l'on créât un poste de coordonnateur adjoint dans le Nord, question de limiter

---

24 « Livre blanc sur le service d'animation de l'ACFO soumis au XXIVe congrès général », Sudbury, 4-6 mai 1973, p. 6, CRCCF, Fonds ACFO, C2/483/8.

25 « Procès-verbal de la réunion du comité d'animation », juillet 1977, CRCCF, Fonds ACFO, C2/483/13 ; Lafrenière, 1994, p. 127-128.

la centralisation des pouvoirs entre les mains des dirigeants de l'ACFO provinciale, mais en vain[26].

Soucieuse de calmer la grogne et de rétablir la paix avec ses régionales, l'ACFO commanda en 1978 une étude approfondie du service d'animation qu'elle confia à Lise Lavoie, diplômée en sociologie de l'Université d'Ottawa. Cette dernière entreprit une vaste consultation aux quatre coins de la province[27] et déposa en juin un rapport pour le moins étonnant qui ferait vivre à l'Association un très mauvais quart d'heure. Lavoie releva, dans un premier temps, les nombreuses plaintes qu'elle avait reçues des conseils régionaux, lesquels reprochaient à l'ACFO provinciale de les considérer avec hauteur et de leur imposer des priorités, essentiellement linguistiques et culturelles, que ne partageait pas la masse de la population franco-ontarienne et qui se révélaient incompatibles avec la logique fondamentalement sociale de l'animation. Précisons que l'Association avait pris la décision, l'année précédente, de concentrer ses efforts sur deux grands dossiers, soit l'obtention d'une loi-cadre sur le bilinguisme en Ontario et la mise sur pied d'un réseau de conseils scolaires homogènes de langue française[28]. Lise Lavoie poursuivit son analyse en formulant une critique cinglante de l'usage que faisait l'ACFO des méthodes de l'animation sociale. Plutôt que d'y voir un instrument pouvant conduire les Franco-Ontariens de tous les horizons géographiques et sociaux à se responsabiliser et à prendre en main leur propre devenir, l'Association préférait l'instrumentaliser, en quelque sorte, pour imposer à la masse ses propres projets, lesquels ne possédaient rien de « social » au sens strict et se limitaient à des interventions à caractère linguistique et culturel, c'est-à-dire identitaire, voire national, comme on l'eût dit à une

---

26 « Propositions soumises avant le congrès [de 1979] », 19 septembre 1979, CRCCF, Fonds ACFO, C2/484/4. Le congrès général de 1979, selon le procès-verbal qui en a été conservé, ne semble pas avoir discuté de cette proposition de l'ACFO de Hearst-Kapuskasing (« Procès-verbal du 30e congrès général de l'Association canadienne-française de l'Ontario », Sudbury, 5-7 octobre 1979, CRCCF, Fonds ACFO, C2/484/4).

27 « Évaluation du service d'animation. Itinéraire de Lise Lavoie », CRCCF, Fonds ACFO, C2/495/9. Lavoie se rendit à Timmins, Kapuskasing, Iroquois Falls, Kirkland Lake, New Liskeard, North Bay, Elliot Lake, Sudbury, Welland, Hamilton, Cambridge, Toronto, Thunder Bay, Penetanguishene, Windsor et Ottawa.

28 « Procès-verbal du 28e congrès général de l'Association canadienne-française de l'Ontario », Cornwall, 27-28 août 1977, p. 8-9, CRCCF, Fonds ACFO, C2/483/14.

autre époque. Les préoccupations de l'ouvrier franco-ontarien étaient à mille lieux de ces débats, selon Lavoie, qui cita au passage le sociologue marxiste Donald Dennie, de l'Université Laurentienne de Sudbury, qui avait déjà publié, à l'époque, un certain nombre de textes à l'appui de cette thèse[29].

> Dans les régions [expliqua Lavoie], on est très conscient de l'écart qu'il y a entre l'ACFO et la masse. Cet écart est d'autant plus grand que certaines des priorités provinciales (comme celui [*sic*] d'un réseau de Conseils scolaires homogènes, par exemple) ne « collent » pas à leur réalité régionale.
>
> À l'Exécutif [provincial], on croit que l'un des plus grand défaut [*sic*], c'est qu'il ne rejoint pas la masse. Dans les régions, on vous répondra que ce sont les objectifs de l'ACFO provinciale qui ne rejoignent pas la masse[30].

En conclusion, Lavoie soutint qu'il était « moralement irresponsable d'accepter les subventions du programme du [S]ecrétariat d'État pour des fins autres que celles visées par [le] programme [d]'animation » dans le dessein de « tenir artificiellement en vie » une association dont les assises populaires et représentatives se révélaient on ne peut plus fragiles (pour ne pas dire inexistantes)[31]. Pour mettre un terme à ce que Lavoie présenta comme un détournement de la logique essentielle de l'animation, l'ACFO devait imposer un « moratoire total » sur le programme et déterminer si elle était prête à s'engager dans la voie de l'animation « authentique », c'est-à-dire purgée de considérations linguistiques et culturelles, quitte à renoncer aux subventions du gouvernement fédéral, dans la négative. Entre la question sociale et la question culturelle et identitaire, il y avait, selon cette analyse, un abîme impossible à franchir. Voilà une réalité que certaines des instances régionales de l'ACFO auraient mieux saisie que le bureau provincial (et qui n'était pas sans rappeler, soit dit en passant, le vieux débat sur la dénationalisation de l'Action catholique spécialisée des années 1930 et 1940[32]).

---

[29] Voir, notamment, Dennie (1978).

[30] Lise Lavoie, « Le service d'animation de l'ACFO. Rapport présenté au Comité d'animation de l'ACFO », 30 juin 1978, p. 46, CRCCF, Fonds ACFO, C2/569/11.

[31] *Ibid.*, p. 51-52.

[32] Voir Warren (2002) et Bock (2008-2009).

Le Nord et l'Est croisent le fer

À l'ACFO, il va sans dire, le dépôt du rapport Lavoie n'entraîna aucune effusion de joie. Faire fi de la question identitaire ne revenait-il pas à tourner le dos à la mission essentielle de l'organisme, celle de favoriser le développement de l'Ontario français en tant que minorité « nationale », c'est-à-dire en tant que collectivité autoréférentielle capable de transcender les clivages régionaux et locaux? Comment, en revanche, calmer la grogne au sein des conseils régionaux sans leur accorder l'autonomie qu'ils revendiquaient dans la direction du service d'animation? C'est en fait au congrès de 1978 que revint la tâche de débattre du rapport Lavoie et des analyses qu'il contenait. Le rassemblement, l'un des plus houleux de l'histoire de l'Association, se solderait par le départ fracassant des délégués de Direction-Jeunesse, de Hearst-Kapuskasing et d'Ottawa-Carleton, entre autres. L'affrontement s'explique partiellement par la critique qu'avaient formulée les « jeunes » de ce qu'ils considéraient comme le conservatisme et l'immobilisme du congrès, lequel refusa d'appliquer le moratoire proposé par Lavoie et de faire du service d'animation un véritable véhicule d'émancipation sociale et politique à tous les niveaux. Or, ce que la presse présenta à la fois comme un conflit de générations et une lutte entre la gauche et la droite au sein même de l'ACFO se doublait aussi d'une dispute entre régions, notamment entre le Nord et l'Est ontariens ou, pour être plus précis, entre Hearst-Kapuskasing et Prescott-Russell. Ce qui servit de catalyseur à cette dispute fut le refus qu'opposa l'assemblée au principe de la rémunération de la présidence générale, qui eût permis à des candidats provenant des régions les plus éloignées de la province de briguer plus facilement le poste, qu'avaient presque toujours occupé des résidents d'Ottawa ou de l'Est. Les opposants à la proposition, dont justement la délégation de Prescott-Russell, qui affirma haut et fort sa volonté d'« imposer son leadership[33] » au congrès, prétextèrent, pour la défaire, les coûts trop élevés qu'elle eût entraînés pour l'Association. La goutte qui fit déborder le vase fut la course à la présidence générale au cours de laquelle s'affrontèrent Raymond Tremblay, professeur de sociologie au collège de Hearst et candidat de la « gauche », et Jeannine Séguin, directrice de l'école La Citadelle de Cornwall, membre de la délégation

[33] Jean-M. Filion, « Prescott-Russell veut imposer son leadership », *Le Carillon*, 27 septembre 1978, p. 1, CRCCF, Fonds ACFO, C2/484/2.

de Prescott-Russell et championne du camp conservateur. Au grand dam des délégués du Grand-Nord, Tremblay dut se satisfaire de la vice-présidence de l'Association, après que Séguin eut remporté 60 % des voix. Les contestataires proposèrent, en guise d'ultime recours, que le congrès convoquât sur-le-champ des états généraux de l'Ontario français dans le dessein explicite de fonder un nouvel organisme plus « représentatif » que l'ACFO de la volonté générale des Franco-Ontariens. Sans surprise, le refus de l'assemblée fut catégorique. Les dissidents, rebutés trois fois plutôt qu'une, désertèrent le congrès en claquant la porte derrière eux.

Le coup d'éclat des dissidents fit sensation, le lendemain, dans la presse franco-ontarienne. À Hawkesbury, *Le Carillon*, qui avait fait écho à la volonté du conseil régional de Prescott-Russell de prendre en main la direction de l'organisme provincial[34], pouvait à peine contenir le sentiment de satisfaction qu'il éprouvait devant la tournure des événements[35]. À Hearst, toutefois, *Le Nord* donna libre cours à son mécontentement en déplorant vertement la rebuffade qu'avait infligée l'assemblée au conseil régional du Grand-Nord. Les clivages idéologiques et régionaux qui s'étaient manifestés au cours du rassemblement étaient, selon le journal, « symptomatique[s] d'un sérieux malaise [qui] indiqu[ait] clairement un désaccord entre diverses constituantes de l'association [lequel] se doubl[ait] chez l'ACFO d'une absence de volonté de la part de la direction à [résoudre] le problème[36] ». Le rejet de la rémunération de la présidence générale, par exemple, mesure « cruciale » qui eût largement favorisé la démocratisation de l'ACFO en facilitant la participation des régions à ses projets, trahissait tout ce qui sapait de l'intérieur la légitimité de l'organisme et constituait, par le fait même, une grave injustice envers les communautés situées loin de la forteresse d'Ottawa et de son arrière-pays immédiat :

> Pourtant, [...] personne n'ignorait l'importance d'une telle proposition pour les [c]onseils régionaux comme le nôtre. Son rejet implique clairement qu'on écarte de la présidence tout membre d'une région éloignée qui, si élu, se

---

34 Jean-M. Filion, « Le leadership au sein de l'ACFO », *Le Carillon*, 27 septembre 1978, p. A5, CRCCF, PER 1509.

35 Jean-M. Filion, « Le congrès de l'ACFO. Prescott-Russell a atteint son but », *Le Carillon*, 4 octobre 1978, p. A6, CRCCF, PER 1509.

36 Gilbert Héroux, « Le 29ième congrès de l'ACFO : le *statu quo* dans la confusion », *Le Nord*, 4 octobre 1978, p. H6, Bibliothèque du Collège universitaire de Hearst (ci-après BCUH).

> retrouverait isolé de son bureau provincial et aurait à concilier les nécessités d'un emploi personnel avec les nombreux et longs déplacements que toute rencontre, même interne, exigerait[37].

Les deux régionales eurent l'occasion de croiser le fer de nouveau dès l'année suivante au congrès de Sudbury. L'ACFO du Grand-Nord s'attaqua cette fois au président du Conseil des affaires franco-ontariennes (CAFO) et ancien président de l'ACFO, Omer Deslauriers, qui avait fait preuve, à ses yeux, de mollesse et de complaisance dans le dossier scolaire de Penetanguishene. Elle proposa que l'assemblée exigeât sur-le-champ la démission de Deslauriers et, en cas de refus de sa part, qu'elle « le désavou[ât] comme porte-parole des Franco-Ontariens[38] ». L'assemblée refusa de donner suite à la proposition après que la présidente générale, Jeannine Séguin, eut elle-même menacé de quitter son poste dans l'éventualité de son acceptation. L'éditorialiste du *Carillon*, survolté, ne perdit pas un instant pour récuser les détracteurs de son compatriote hawkesbourgeois et réprouver

> la condamnation « *in abstentia* » (style ayatollah Kohmeini) de M. Omer Deslauriers (un gars de chez nous), [...], un homme qui a fait beaucoup plus pour la francophonie ontarienne que tous les « agitateurs de manifestations ». En réponse à la demande du délégué Jacques Poirier, de Kapuskasing-Hearst, qui exigeait la démission de M. Deslauriers [...] la majorité des délégués lui ont fait une ovation monstre... [c'est] un vote de confiance sans équivoque [pour Deslauriers][39].

Certains membres de la délégation de Prescott-Russell, comme Yves Saint-Denis, futur président général de l'Association, demandèrent même à ce que l'exécutif provincial sévît contre les « marxistes-léninistes » qui avaient infiltré l'organisme, déclaration que reçut *Le Nord* avec stupéfaction[40].

Nous aurions tort d'établir une équation par trop simpliste entre le camp des dissidents et celui des contestataires régionaux, lesquels se

---

37 *Ibid.*

38 « Procès-verbal du 30e congrès général de l'Association canadienne-française de l'Ontario », Sudbury, 5-7 octobre 1979, p. 20, CRCCF, Fonds ACFO, C2/484/4.

39 Jean-M. Filion, « Un "media event" », *Le Carillon*, 10 octobre 1979, p. A5, CRCCF, PER 1509.

40 Monique M. Castonguay, « Action marxiste-léniniste au 30e congrès à Sudbury. Le CECPR demande une intervention à l'exécutif provincial de l'ACFO », *Le Carillon*, 24 octobre 1979, p. A3, CRCCF, PER 1509 ; « L'ACFO régionale du Grand-Nord : des marxistes-léninistes ? », *Le Nord*, 22 novembre 1979, p. H9, BCUH.

seraient érigés en rempart contre une forme de conservatisme régnant sans partage à Ottawa et dans l'Est ontarien. L'auteur de la proposition sur les états généraux, par exemple, était Pierre de Blois, président du conseil régional d'Ottawa-Carleton, preuve que toutes les régions, même la capitale, pouvaient se transformer en champ de bataille entre contestataires et modérés. Il est tout de même difficile de ne pas voir dans la critique que destinaient les régionales du Nord à l'ACFO provinciale, qu'elles accusaient régulièrement de « non-représentativité » et d'ignorer leurs particularités, une dénonciation de l'hégémonie qu'exerçait à leurs yeux l'élite ottavienne dans la direction des affaires franco-ontariennes.

Les régionalismes identitaires, par ailleurs, semblaient également entraver l'action de l'Association en matière économique. Rappelons que le congrès de 1969 avait confié à la direction de l'ACFO le mandat de favoriser le progrès économique des Franco-Ontariens, en plus de leur développement culturel et scolaire. Chaque année, le congrès général soulevait le problème économique (il y consacra même le rendez-vous de 1975[41]), sans toutefois qu'on réussît à concevoir un plan d'action qui fût véritablement satisfaisant. Il est vrai que la question économique posait à l'ACFO un défi particulier, car si on pouvait postuler sans trop de difficulté l'existence d'une culture franco-ontarienne, il n'en découlait pas nécessairement, en revanche, qu'il pût exister une économie franco-ontarienne. Que devait viser l'action de l'Association, à ce chapitre ? À favoriser le développement économique des Franco-Ontariens à titre individuel, ce que leur intégration à l'État-providence ontarien et canadien était déjà en train d'accomplir, de toute manière, ou à construire un espace économique authentiquement franco-ontarien, c'est-à-dire distinct de celui de la majorité ? Une collectivité aussi minoritaire, dispersée et diversifiée sur le plan régional que l'Ontario français pouvait-elle revendiquer une telle forme d'autonomie institutionnelle dans la sphère économique sans que la déception fût invariablement au rendez-vous ? En 1979, l'ACFO embaucha un consultant, Ken Choquette, pour étudier le problème économique franco-ontarien et l'épauler dans la formulation d'un plan stratégique (Choquette, 1980). La principale recommandation de Choquette était que l'Association créât un « Conseil

[41] « Procès-verbal du 26e congrès général de l'Association canadienne-française de l'Ontario », Timmins, 10-12 octobre 1975, p. 15-29, CRCCF, Fonds ACFO, C2/387/13.

économique franco-ontarien » pour favoriser le progrès économique de l'Ontario français. Il profita toutefois de l'occasion qui lui était offerte pour souligner les obstacles que posaient les régionalismes identitaires à la consolidation d'un espace économique franco-ontarien, obstacles que l'on constatait même à l'intérieur du mouvement coopératif, le fleuron de ce qui tenait lieu d'économie franco-ontarienne, qui n'avait pourtant pas réussi, lui non plus, à forger des liens durables entre les régions. Le réseau des caisses populaires, par exemple, était en proie à d'importantes divisions internes, lesquelles conduiraient une dizaine de caisses du nord de la province à quitter, en 1979, la Fédération des caisses populaires de l'Ontario, sise à Ottawa, qu'elles accusaient d'indifférence à leur endroit. Le regroupement subséquent des caisses dissidentes sous la bannière de la toute nouvelle « Alliance des caisses populaires de l'Ontario » consacrait de manière fort éloquente la rupture entre le Nord et l'Est ontariens. Dans la sphère économique comme ailleurs, les régionalismes identitaires multipliaient les embûches à la réalisation du projet d'autonomisation institutionnelle de l'ACFO.

La fronde des régionales du Nord

Au tournant des années 1980, le problème des relations entre l'ACFO provinciale et certains de ses conseils régionaux demeurait entier et s'inscrivait, manifestement, dans la critique beaucoup plus large que destinaient les régions, en particulier le Nord, à l'élite ottavienne. À Sudbury et à Hearst-Kapuskasing, notamment, les animateurs et les dirigeants régionaux continuaient d'entretenir des relations pour le moins tendues avec la maison mère, dont ils déplorèrent de plus en plus fréquemment la propension à exploiter sans vergogne son pouvoir financier pour s'« ingére[r] sans politesse » dans les affaires locales[42]. De son côté, l'Association provinciale, bien qu'elle eût rejeté sans ambages le moratoire qu'avait recommandé le rapport Lavoie sur le service d'animation, donna tout de même suite à quelques-unes des recommandations moins radicales qu'il contenait, notamment en tentant de mieux définir la relation qui unissait les animateurs aux conseils régionaux et en « instruisant » les seconds quant au rôle

[42] Jocelyn Drouin, « Une décision longtemps souhaitée », *Le Nord*, 17 février 1982, p. H6, BCUH. Voir aussi Bock, 1994 : 137.

des premiers[43]. L'Association n'était pas sans savoir, toutefois, qu'il ne s'agissait là que de gestes palliatifs et qu'il lui faudrait prendre d'autres mesures pour assainir les rapports qu'elle entretenait avec ses conseils régionaux. Au début des années 1980, elle commanda une nouvelle étude sur le service d'animation qu'elle confia, cette fois, à René-Jean Ravault, professeur au Département de communication de l'Université du Québec à Montréal et auteur, en 1977, d'une analyse substantielle des politiques linguistiques du gouvernement fédéral (Ravault, 1977). Ravault en arriva à un diagnostic semblable, à plusieurs égards, à celui de Lavoie : « l'animation est un instrument qui s'est avéré assez efficace dans les domaines sociaux, politiques et économiques mais dont l'efficacité dans le domaine des luttes à caractère linguistique et culturel paraît généralement beaucoup plus discutable [en milieu minoritaire][44] ». Selon Ravault, la difficile réconciliation que tentait d'effectuer l'ACFO entre les questions identitaire et sociale contribuait à exacerber les divisions qui minaient la population franco-ontarienne en excluant les individus situés loin des principaux centres francophones de la province et dont l'intégration sociale dépendait invariablement de la maîtrise de l'anglais. Autrement dit, l'Ontario français était trop hétérogène, sur le plan régional, pour permettre l'imposition d'un modèle unique d'animation (ou de « développement », selon la terminologie qui commençait à s'imposer au début des années 1980). Encore une fois, selon cette analyse, la mission « identitaire », culturelle, voire « nationaliste » de l'ACFO s'inscrivait en faux contre la logique essentiellement « sociale » du concept d'animation. La solution que proposa Ravault n'était pas entièrement étrangère, par ailleurs, à celle de Lavoie. Plutôt que de proposer que l'Association fît de l'animation « authentique », c'est-à-dire véritablement « sociale », il préconisa qu'elle fît son deuil, une fois pour toutes, du programme et qu'elle se consacrât exclusivement, désormais, aux questions linguistiques et culturelles. L'ACFO accepterait-elle, toutefois, de renoncer à la manne gouvernementale que le service d'animation avait permis de toucher depuis plus d'une décennie?

---

43 « Rapport annuel de l'ACFO pour la période allant du 1er octobre 1977 au 30 septembre 1978 », CRCCF, Fonds ACFO, C2/484/3.

44 René-Jean Ravault, « Analyse critique du concept d'animation communautaire tel que défini dans le manuel de l'ACFO », ACFO, Comité d'évaluation de l'animation, février 1981, p. 2, CRCCF, Fonds ACFO, C2/495/9.

Contre toute attente, la solution au double problème de l'animation et de la tension qui polluait les relations entre la maison mère et certains de ses conseils régionaux proviendrait d'une source extérieure, soit le Secrétariat d'État. Au début des années 1980, ce dernier proposa de verser les subventions destinées à l'animation directement aux sections régionales, sans passer par la maison mère d'Ottawa. Il est possible, dans le contexte de la récession du début de la décennie, que le gouvernement fédéral ait vu dans cette décision une façon de réduire l'enveloppe budgétaire totale consacrée à l'animation. Il est possible aussi qu'il ait voulu exercer des représailles contre l'ACFO provinciale, qui ne l'avait pas ménagé au moment de la campagne référendaire de 1980 et des négociations entourant le rapatriement de la Constitution de 1982 (Cayen, 1984 : 138-139; Behiels : 2005). Quoi qu'il en soit, l'ACFO provinciale avait raison de voir dans ce geste du Secrétariat d'État les origines d'un « dérangement radical[45] », pour reprendre son expression, qui n'avait rien pour lui plaire. Le conseil régional de Sudbury prit les devants en convoquant l'ensemble des régionales à une grande réunion à Timmins pour discuter de cette nouvelle possibilité de financement. Sur la vingtaine de conseils régionaux que comptait l'ACFO à l'époque, sept, tous du Nord, participèrent à la rencontre : Sudbury et Timmins, bien sûr, mais aussi Hearst-Kapuskasing, Nipissing, Rive-Nord, Témiscamingue et Penetanguishene, qui choisirent tous de se constituer en société autonome afin de pouvoir toucher directement la manne fédérale sans l'intermédiaire de la maison mère d'Ottawa (Bock, 1994 : 142-143).

Force est de constater que le projet d'autonomisation des régionales remporta beaucoup plus de succès dans le Nord qu'ailleurs en province. Si *Le Carillon* de Hawkesbury y voyait, malgré tout, un outil pouvant contribuer à rendre plus représentatives les structures existantes, le conseil régional de Prescott-Russell, qui n'éprouvait pas le même sentiment d'aliénation par rapport à Ottawa, choisit plutôt le *statu quo* en refusant de rompre avec la maison mère[46]. Dans le Sud, *L'Express de Toronto* se résigna à la vague autonomiste considérée comme inévitable tandis qu'à Windsor, *Le Rempart* dit craindre qu'elle ne provoquât la « décapitation »

---

[45] ACFO, « Rapport annuel, 1981-1982 », p. 7, CRCCF, Fonds ACFO, C2/389/3.

[46] Jean-M. Filion, « Prendre un autre chemin! », *Le Carillon*, 24 février 1982, p. A5, CRCCF, PER 1509; Charles Burroughs, « À l'ACFO régionale. On opte pour le *statu quo* », *Le Carillon*, 7 avril 1982, p. A3, CRCCF, PER 1509.

de l'Association, sentiment auquel fit écho la présidente de l'ACFO régionale du Sud-Ouest, Cécile Sylvestre, qui estimait « menacée » la « survie de la francophonie[47] ». De son côté, *Le Voyageur* de Sudbury, auquel le père jésuite Hector Bertrand avait imprimé une direction plus conservatrice depuis quelques années, imputa la « crise » non pas à la posture centralisatrice de l'ACFO provinciale, ni même à l'ingérence du Secrétariat d'État dans les affaires franco-ontariennes, mais plutôt au « manque d'unité » qui continuait de tarauder l'Association[48]. Bertrand affirma que l'organisme, « malgré ses défauts », pouvait toujours compter sur l'appui de son journal, position qui tranchait singulièrement avec celle du conseil régional de Sudbury, l'un des principaux instigateurs de la fronde régionaliste, tout en trahissant la complexité du débat public franco-sudburois. À l'inverse, *Le Nord* semblait faire parfaitement corps avec le conseil régional de Hearst-Kapuskasing, qui brandissait toujours la hache de guerre. L'éditorialiste Jocelyn Drouin dit toute sa satisfaction devant la tournure des événements et en profita pour décocher, une fois de plus, une flèche pour le moins acérée envers l'élite d'Ottawa, laquelle ne pourrait plus jamais s'immiscer dans les affaires du conseil régional et, en particulier, dans le processus d'embauche des animateurs locaux :

> La nouvelle saura réjouir, c'est peu dire, les militants de la régionale du Grand[-]Nord, eux qui contestent depuis longtemps la bureaucratisation et la centralisation excessive de leur exécutif provincial omnipotent[,] [un] exécutif [qui] rédige communiqu[é] de presse par[-]dessus communiqu[é] pour se donner l'illusion de l'action. [...] Le dernier fait d'armes de l'A[CFO] provinciale aux dépends [*sic*] de la régionale du Grand[-]Nord parle par lui-même [*sic*]. Son objection déclarée à la suite de la nomination du nouvel animateur par le comité de sélection régional confirme encore plus l'image peu reluisante que se font de l'organisme les francophones de la région. Vraiment, la décision du [Secrétariat d'État] ne déplaira qu'à une minorité de francophones[49].

---

[47] « Décentralisation budgétaire de l'ACFO : l'ingérence du Secrétariat d'État hâte une réforme qui devait venir », *L'Express de Toronto*, 2 mars 1982, p. 4, CRCCF, PER 1512; « L'ACFO "décapitée" ? Le Secrétariat d'État subventionnerait directement les Conseils régionaux », *Le Rempart*, 3 mars 1982, p. 1, CRCCF, PER 1511.

[48] Hector Bertrand, « De quel choix s'agit-il pour l'ACFO ? » *Le Voyageur*, 3 mars 1982, p. 4, CRCCF, PER 1519.

[49] Jocelyn Drouin, « Une décision longtemps souhaitée », *Le Nord*, 17 février 1982, p. H6, BCUH.

La fronde des régionales du Nord, que soutenait le gouvernement fédéral, répétons-le, plaça l'ACFO provinciale devant un fait accompli[50]. Les ACFO « autogérées » expédièrent leurs premières demandes de subvention au Secrétariat d'État en 1983, sans qu'il fût nécessaire, désormais, de passer par l'intermédiaire de la maison mère (Bock, 1994 : 143). Qui plus est, la fronde régionaliste contraignit l'Association provinciale à mettre sur pied une « commission » consacrée à l'étude de sa propre restructuration[51]. La commission Lécuyer, du nom de son président, André Lécuyer, proposa, entre autres choses, que l'Association limitât son mandat et ses interventions à la sphère linguistique, qu'elle allégeât sa structure bureaucratique, qu'elle accordât un poids plus élevé aux sections régionales dans ses instances décisionnelles et qu'elle déplaçât ses quartiers généraux d'Ottawa vers Toronto[52]. Les nouveaux statuts qu'adopta l'ACFO en 1984 reprendraient quelques-unes des recommandations du rapport Lécuyer, mais c'est bien davantage la vague d'autonomisation du début de la décennie qui devait déterminer le nouveau cadre dans lequel évolueraient, dès lors, les relations entre l'ACFO provinciale et les conseils régionaux dissidents.

Conclusion

Cet article comporte de nombreuses limites. Il faudra poursuivre l'analyse des archives du service d'animation pour comprendre de manière plus approfondie la posture des diverses régions de l'Ontario français face à Ottawa et aux projets de l'ACFO. Cette brève incursion dans la problématique des régionalismes nous a tout de même permis de dégager un certain nombre de conclusions. D'abord, il paraît clair que le contexte des années 1970 et, surtout, l'idéologie de la participation qui le caractérisait, favorisèrent sinon l'éclosion, du moins l'exacerbation de régionalismes en Ontario français, en particulier dans le Nord, lesquels contribuèrent puissamment à remettre en question la place privilégiée

[50] André Cloutier, « Conflits de structures à l'ACFO », discours prononcé à l'assemblée extraordinaire de l'ACFO le 8 juin 1984, CRCCF, Fonds ACFO, C2[6]/2/1.

[51] « Procès-verbal de la XXXIIIe assemblée générale de l'Association canadienne-française de l'Ontario », Ottawa, 27-29 août 1982, p. 10-11, CRCCF, Fonds ACFO, C2/389/3.

[52] Commission d'étude sur la restructuration de l'ACFO, *Rapport final*, Ottawa, ACFO, 1984, 15 p., CRCCF, BRO 1984 13.

qu'avait occupée Ottawa, historiquement, dans le milieu associatif. De même, notre recherche laisse entrevoir que les rivalités interrégionales qui se sont exprimées au sein de l'ACFO au lendemain des années 1960 se doublaient d'un débat important sur les rapports qu'il convenait de maintenir ou d'établir entre les questions culturelle (voire « nationale ») et sociale. L'Association devait-elle demeurer fidèle à sa mission historique, qui consistait à proposer aux Franco-Ontariens un projet de « société » aussi « englobant » que possible, à œuvrer en fonction de l'autonomisation de leur représentation identitaire et de leur structure institutionnelle dans un nombre aussi élevé que possible de champs d'action ? Le rêve d'autonomie qui avait été celui de l'ACFEO depuis sa fondation était-il réalisable au moment où la collectivité franco-ontarienne, privée de l'armature institutionnelle que lui avait fournie, jadis, l'Église canadienne-française, s'intégrait plus que jamais à la structure institutionnelle, à la « société » ontarienne et canadienne? L'ACFO devait-elle plutôt, au contraire, limiter scrupuleusement ses interventions aux questions linguistiques et politiques, ainsi que le recommandaient les rapports Lavoie, Ravault et Lécuyer, et abandonner la question « sociale » à d'autres ?

Depuis sa fondation en 1910, l'Association avait cherché à transcender les clivages régionaux qui divisaient la collectivité franco-ontarienne. Le pluralisme idéologique et les tensions interrégionales n'étaient pas absents, auparavant, de l'espace public franco-ontarien, loin s'en faut, mais il semble bien que, malgré les réformes entreprises en 1969, dont la mise sur pied du service d'animation, l'Association éprouva beaucoup de mal à mettre son autorité, voire sa légitimité à l'abri de la contestation, laquelle prenait racine, peut-être pour la première fois, à l'intérieur de ses propres cadres (et ce, bien avant la crise qui s'abattrait sur elle au tournant des années 2000). La critique qu'avaient formulée certains dirigeants locaux à l'endroit de l'Association provinciale contenait également le germe d'une remise en question substantielle de la fonction d'assemblée délibérante qu'elle avait tâché de se donner depuis sa fondation en 1910. La commission Lécuyer, en recommandant que l'Association se concentrât sur les questions linguistiques et politiques, qu'elle cédât les autres dossiers aux conseils régionaux et aux associations affiliées et qu'elle déplaçât ses quartiers généraux d'Ottawa vers Toronto afin de se rapprocher des décideurs provinciaux, proposait, en quelque sorte, qu'elle épousât désormais la forme d'un groupe de pression, d'un lobby, du moins à l'intérieur de certaines limites. L'ACFO quitterait

Ottawa au milieu des années 1990, mais déjà, en 1985, elle décidait de mettre sur pied un « bureau de lobbyiste » dans la capitale provinciale, un signe parmi tant d'autres qu'elle avait bel et bien entamé le processus de sa propre réinvention[53].

BIBLIOGRAPHIE

Sources

Bibliothèque du Collège universitaire de Hearst
Le Nord de Hearst

Université d'Ottawa, Centre de recherche en civilisation canadienne-française
Fonds Association canadienne-française de l'Ontario (ACFO), C2
Le Carillon de Hawkesbury (PER 1509)
L'Express de Toronto (PER 1512)
Le Rempart de Windsor (PER 1511)
Le Voyageur de Sudbury (PER 1519)

Windsor Public Library
Le Rempart de Windsor

Autres sources
Le Droit d'Ottawa

Livres et articles

BEHIELS, Michael D. (2005). *La francophonie canadienne : renouveau constitutionnel et gouvernance scolaire*, traduit par François Gauthier, Ottawa, Les Presses de l'Université d'Ottawa.

BOCK, Michel (1994). « L'ACFO du Grand Sudbury inc., 1982-1987 », dans Guy Gaudreau (dir.), *Bâtir sur le roc : de l'ACFÉO à l'ACFO du Grand Sudbury (1910-1987)*, Sudbury, Éditions Prise de parole, p. 131-190.

BOCK, Michel (2008). « Se souvenir et oublier : la mémoire du Canada français, hier et aujourd'hui », dans Joseph Yvon Thériault, Anne Gilbert et Linda Cardinal (dir.), *L'espace francophone en milieu minoritaire au Canada : nouveaux enjeux, nouvelles mobilisations*, Montréal, Éditions Fides, p. 161-203.

BOCK, Michel (2008-2009). « Une guerre sourde : la rivalité Ottawa – Sudbury et la jeunesse franco-ontarienne (1949-1965) », *Québec Studies*, nº 46 (automne-hiver), p. 19-31.

[53] « Rapport annuel du président général, monsieur Serge Plouffe, présenté aux délégués de la 36e assemblée générale annuelle », juin 1985, CRCCF, Fonds ACFO, C2[6]/2/9.

BOCK, Michel (2010). « De la “tradition” à la “participation” : les années 1960 et les mouvements de jeunesse franco-ontariens », *Cahiers Charlevoix : études franco-ontariennes*, vol. 8, Sudbury, La Société Charlevoix; Ottawa, Les Presses de l'Université d'Ottawa, p. 111-196.

BUREAU, Brigitte (1989). *Mêlez-vous de vos affaires : 20 ans de luttes franco-ontariennes*, Vanier, Association canadienne-française de l'Ontario.

CAYEN, Jean-Yves (1984). *Les régionalismes au sein de l'Association canadienne-française de l'Ontario*, mémoire de maîtrise, Montréal, Université de Montréal.

CHOQUETTE, Ken (1980). *La situation économique des Franco-Ontariens : éclairage... et lueurs d'espoir... Un rapport de fin de mandat présenté à l'Association canadienne-française de l'Ontario et au ministère des Affaires intergouvernementales du Québec*, [s.l., s.é.].

COMITÉ FRANCO-ONTARIEN D'ENQUÊTE CULTURELLE (1969). *La vie culturelle des Franco-Ontariens : rapport du Comité franco-ontarien d'enquête culturelle*, [s.l, s.é.].

DENNIE, Donald (1978). « De la difficulté d'être idéologue franco-ontarien », *Revue du Nouvel-Ontario*, n° 1, p. 69-90.

DUMONT, Fernand (1993). *Genèse de la société québécoise*, Montréal, Éditions du Boréal.

GAUDREAU, Guy (dir.) (1994). *Bâtir sur le roc : de l'ACFÉO à l'ACFO du Grand Sudbury (1910-1987)*, Sudbury, Éditions Prise de parole.

LAFRENIÈRE, Julie (1994). « Des luttes au consensus : 1965-1982 », dans Guy Gaudreau (dir.), *Bâtir sur le roc : de l'ACFÉO à l'ACFO du Grand Sudbury (1910-1987)*, Sudbury, Éditions Prise de parole, p. 95-129.

LEGAULT, Michel, et Jean-Robert MARCOUX (1971). « Le Comité des citoyens de Sudbury : vers un nouveau pouvoir », *Revue de l'Université Laurentienne*, vol. 3, n° 4, p. 39-50.

MIVILLE, Serge (2012). *« À quoi sert au Canadien français de gagner l'univers canadien s'il perd son âme de francophone? » Représentations identitaires et mémorielles dans la presse franco-ontarienne après la « rupture » du Canada français (1969-1986)*, thèse de maîtrise, Ottawa, Université d'Ottawa.

RAVAULT, René-Jean (1977). « La francophonie clandestine : rapport présenté à la Direction des groupes minoritaires de langue officielle du [S]ecrétariat d'État », [s.l., s.é].

SOCIÉTÉ CHARLEVOIX (2005). *Les régionalismes de l'Ontario français*, Toronto, Éditions du GREF.

THÉRIAULT, Joseph Yvon (1994). « Entre la nation et l'ethnie : sociologie, société et communautés minoritaires francophones », *Sociologie et sociétés*, vol. 26, n° 1 (printemps), p. 15-32.

WARREN, Jean-Philippe (2002). « La découverte de la “question sociale” : sociologie et mouvements d'action jeunesse canadiens-français », *Revue d'histoire de l'Amérique française*, vol. 55, n° 4 (printemps) p. 539-573.

Hommes d'affaires et hommes de cœur : Edmond Beauchamp (1887-1964) et Aurèle Beauchamp (1911-1999)

Hélène Beauchamp
Université du Québec à Montréal

Ils ne sont pas des héros. Ils ont vécu leur vie de façon semblable à leurs contemporains. Ils se sont engagés envers leurs concitoyens, différemment mais avec autant de volonté d'entraide. Ces hommes, ce sont mon grand-père et mon père. Ils ont vécu dans la Basse-Ville Est d'Ottawa, y ont travaillé et élevé leurs enfants; ils ont eu des colères, des ennuis, des joies. Comme tout un chacun. Je veux ici leur rendre hommage. Parce que j'ai toujours admiré leur constance dans l'effort et que je souhaite qu'ils continuent d'exister dans le présent et d'évoluer dans les récits de l'histoire, au fur et à mesure que s'écrira cette histoire des francophones d'Ottawa.

Ils ont eu une vie publique, chacun à leur façon. Edmond s'est mêlé aux associations paroissiales et à la politique municipale; Aurèle a tenu une épicerie-boucherie dans son quartier pendant plus de trente ans, contribuant sans éclat, mais par un travail de fond, au bien-être de son entourage. J'ai trouvé l'information nécessaire à cet article dans le *Bulletin de la paroisse Sainte-Anne d'Ottawa*, conservé dans le Fonds Paroisse Sainte-Anne d'Ottawa (C72) au Centre de recherche en civilisation canadienne-française de l'Université d'Ottawa. C'est là, en effet et à ma grande surprise[1], que j'ai découvert certains des faits et gestes de mon grand-père Edmond depuis son arrivée dans la paroisse, et de mon père Aurèle depuis sa fréquentation de l'école primaire Brébeuf jusqu'au choix de sa profession en 1935. Pour la suite et jusqu'en 1968, date à laquelle ma famille quitte la Basse-Ville Est, poussée par les démolitions entreprises par la Municipalité, c'est dans des documents légaux de

[1] J'effectuais alors une recherche sur la salle Sainte-Anne, connue comme salle paroissiale et centre culturel, un des hauts lieux du théâtre francophone dans l'Outaouais au début du XXe siècle.

Francophonies d'Amérique, n° 34 (automne 2012), p. 41-58

transactions immobilières que j'ai entrevu son personnage public. Ces documents officiels me donnent la distance nécessaire à l'appréciation de leur présence dans l'histoire. Ils me situent entre souvenir et histoire et me permettent de privilégier l'histoire, rejoignant en cela Antoine Prost dans ses *Douze leçons sur l'histoire.*

> Faire de l'histoire n'est jamais raconter ses souvenirs, ni tenter de palier l'absence de souvenirs par l'imagination. C'est construire un objet scientifique, l'historiser [...] d'abord en construisant sa structure temporelle, distanciée, manipulable, puisque la dimension diachronique est le propre de l'histoire dans le champ de l'ensemble des sciences sociales (Prost, 1996 :113-114).

Carte de la Basse-Ville d'Ottawa, 1940

Source : Corporation of the City of Ottawa, *Map of the City of Ottawa and Vicinity,* 27 avril 1936, revue en octobre 1937, décembre 1938 et avril 1940 (détail), 1 carte pliée, noir et blanc, dans Lucien Brault, *Ottawa, capitale du Canada de son origine à nos jours,* Ottawa, Les Éditions de l'Université d'Ottawa, 1942.

Edmond, paroissien de Sainte-Anne d'Ottawa

En 1917, Edmond Beauchamp quitte le 12 de la rue Martineau et installe sa famille rue Notre-Dame, dans la paroisse Sainte-Anne. Il est alors conducteur de tramway pour l'Ottawa Electric Railway sur le circuit St. Patrick–Hull. « Mon père, un homme actif, faisait partie de l'Union, écrit son fils Aurèle. Membre très dévoué, il s'absentait pour aller aux assemblées. Un jour, il fut appelé pour travailler dans les bureaux, un situé sur la rue Sussex au coin de Broad, un autre sur la rue Holland. Les heures étaient longues surtout le soir[2]. »

La paroisse Sainte-Anne est alors dirigée de main de maître par Mgr Joseph-Alfred Myrand[3], son curé depuis 1903. Ce sont des années de grande effervescence. Le premier numéro du *Bulletin de la paroisse Sainte-Anne,* mensuel distribué gratuitement à chaque famille, est publié en mai 1919. Ce sont des hommes d'affaires et des commerçants qui, par les annonces qu'ils font paraître, en paient le coût. On y donne des nouvelles sur le Cercle social (fondé en 1914) et les associations caritatives et sociales de la paroisse, sur les fêtes et les spectacles présentés à la salle Sainte-Anne (érigée en 1874 et souvent reconstruite), rapidement devenue le centre de l'action française à Ottawa. Le *Bulletin* couvre aussi les baptêmes et les décès ainsi que les grandes fêtes du calendrier liturgique. On y présente la Caisse populaire Sainte-Anne (fondée en 1912), on y fait état de la distribution des prix aux élèves des écoles Sainte-Anne et Brébeuf et on y rend hommage aux paroissiens qui s'illustrent dans leurs rôles et responsabilités.

En mai 1923, l'éditorial du *Bulletin* (vol. 5, n° 1) souligne que les documents qui y sont publiés « auront leur valeur dans l'avenir, pour les générations futures, pour les enfants et les descendants des familles qui seront heureux d'avoir dans leur foyer toute l'histoire de leur paroisse contenue dans ces numéros du *Bulletin* ». Et dans l'édition de juillet 1923, comme pour confirmer ces dires, je lis la « carte d'affaires » de mon grand-père :

---

[2] L'ouverture officielle de l'Ottawa Electric Street Railway eut lieu le 29 juillet 1891. Les circuits se terminaient au Canadian Pacific Railway Ottawa Union Station, sur la rue Broad. Voir le site de Colin Churcher's, [http://www.railways.incanada.net/candate/street.htm#1940].

[3] Mgr Joseph-Alfred Myrand est nommé curé en 1903 et il le restera jusqu'à sa mort le 13 janvier 1949, à l'âge de 82 ans. Il est inhumé sous le transept droit de son église.

C'est en mai 1921 qu'Edmond Beauchamp devient propriétaire de l'épicerie et des logements situés à l'angle des rues Saint-André[4] et McGee. Dans le *Ottawa City Directory* de 1923[5], son nom est associé à deux adresses : le 326 de la rue St. Andrew, avec la mention *« grocer »*, et le 3, rue McGee. Il publie sa « carte d'affaires » dans le *Bulletin*, et ce, quatre mois avant les grandioses festivités qui marqueront le 50e anniversaire de fondation de la paroisse, et à l'occasion desquelles monsieur le curé Myrand sera nommé chanoine honoraire du chapitre d'Ottawa en présence d'invités de marque. Ma lecture du *Bulletin* prend désormais un tout autre sens : la vie professionnelle de mon grand-père s'y trouve exposée et se mêle désormais à l'histoire sociale d'une paroisse, à l'histoire politique d'un quartier urbain de la capitale fédérale. Ce que je lis le situe dans un contexte plus vaste. C'est tout un territoire qui s'ouvre à mon investigation, où il est un acteur, modeste il est vrai, mais acteur tout de même.

Ce 50e anniversaire de la paroisse sera marqué par la publication du livre de l'historien Jules Tremblay, *Sainte-Anne d'Ottawa : un résumé d'histoire 1873-1923,* où figurent, sur une photo des « Enfants du Sanctuaire », mon père Aurèle et son frère aîné Roméo. À n'en plus douter, la famille d'Edmond s'intègre à sa nouvelle paroisse et s'y active. L'atmosphère y est suffisamment enthousiasmante pour donner espoir en ces années difficiles qui annoncent la crise financière de 1929.

---

4 La rue porte officiellement le nom St. Andrew, mais les francophones le francisaient tout comme ils francisaient celui de la rue St. Patrick qui devenait Saint-Patrice.

5 *The Ottawa City Directory 1923*, Ottawa, Might Directories Limited, 1923, [En ligne], [https://archive.org/stream/ottawadirec192300midiuoft#page/n0/mode/2up].

Église Sainte-Anne et salle Sainte-Anne, rue St. Patrick, vers 1917 (Source inconnue).

Le territoire physique de la paroisse Sainte-Anne est situé sur la rue St. Patrick, où ont été érigés l'église[6] et la salle Sainte-Anne – ce centre culturel, social et économique où logera longtemps la Caisse populaire –, et tout autour du carré Anglesea, avec le magnifique presbytère (construit en 1920) et les deux écoles primaires. Les lieux de l'instruction des enfants, du divertissement et de la sociabilité jouxtent ceux de la spiritualité. Ces bâtiments sont au cœur du territoire de la paroisse avec, au sud-est, les

[6] L'architecte J. P. M. Lecourt dessine les plans de l'église Sainte-Anne, qui est construite sous la surveillance de Pierre Rocque et de James O'Connor. La pierre angulaire est posée le 4 mai 1873 par Mgr Bruno Guigues, o.m.i., premier évêque catholique d'Ottawa.

maisons des mieux nantis et, au nord-ouest, celles des ouvriers dans les rues qui bordent la rivière Rideau.

Une vie professionnelle marquée par l'engagement

Edmond est citoyen d'une paroisse riche en projets et en fraternité, dont le curé invite, voire incite à l'engagement et au dépassement. Il répondra à l'appel au meilleur de ses connaissances et de ses capacités. D'une part, les commerçants sont toujours très sollicités pour des dons en tous genres, comme dans le cas de la Guignolée de décembre pour laquelle ils fournissent les autos accompagnant les équipes qui circulent à pied dans les rues pour recueillir les offrandes. D'autre part, Edmond choisira de s'impliquer dans l'Ordre des Forestiers catholiques, compagnie d'assurance-vie et confrérie qui l'élit au titre d'officier puis de vice-chef ranger et de chef ranger, selon la terminologie de l'Ordre[7]. Dans le *Bulletin* n° 10 du volume IX de décembre 1926, la cérémonie qu'il préside est ainsi décrite :

> Une imposante cérémonie a eu lieu lundi le 15 novembre [1926] à l'assemblée régulière de la cour Ste-Anne des Forestiers catholiques à l'occasion d'une initiation de 15 nouveaux membres. [...]
>
> Après les affaires générales de la Cour, les officiers se revêtirent des costumes d'usage et l'on procéda à l'initiation d'après les cérémonies très impressionnantes du rituel. Cette cérémonie était sous la présidence du chef Ranger de la Cour, M. A. E. Beauchamp. [...]
>
> Appelé à adresser la parole M. le Chanoine Myrand [chapelain de la Cour] félicite d'abord le chef Ranger, A. E. Beauchamp pour sa manière de conduire cette imposante cérémonie de l'initiation, il félicite les autres officiers et surtout les nouveaux membres pour avoir eu la bonne idée de s'enrôler sous l'étendard des Forestiers catholiques, société purement catholique. Il souhaite que d'autres suivent leur exemple afin de faire de la Cour Ste-Anne la première Cour de la province d'Ontario.

[7] L'Ordre des Forestiers catholiques est fondé à Chicago en 1883. Cet organisme est à la fois une compagnie d'assurance-vie et une confrérie dont les membres se réunissent périodiquement. Lors des réunions, placées sous l'autorité du chef ranger, les membres sont tenus d'observer un protocole strict régi par des rituels préétablis par la Cour suprême de l'Ordre, basée à Chicago. Ces réunions sont sous le patronage de l'Immaculée Conception et les membres sont tenus de porter les insignes en fonction de leur rang hiérarchique au sein de l'organisation.

Comme une vingtaine d'autres commerçants, Edmond publie très régulièrement sa « carte d'affaires » dans le *Bulletin*. Spécifions que son épicerie se situe dans un petit quadrilatère entre le couvent du Bon-Pasteur (aujourd'hui l'ambassade de Chine), la rue St. Patrick (aujourd'hui la « vieille rue St. Patrick »), l'avenue King Edward et la rivière Rideau. Il annonce constamment : « Livraison dans toutes les parties de la ville. » Progressivement, le texte de ses annonces s'éloigne du format strict de la carte et se décline en mots d'humour, en vœux de bonne année, en jeux de rimes et même en prise de position sociale. Par exemple, comme les tarifs du téléphone ont augmenté en mars 1926, il écrit dans sa publicité : « Ne le laissez pas dormir, servez-vous-en. Et il nous fera plaisir d'y répondre et de prendre votre commande. » En avril de la même année, il reprend ce thème : « La Compagnie des Tramways Electric veut augmenter ses taux pour le transport des passagers ? Nous voulons augmenter votre économie puisque nos marchandises sont garanties et que nous transportons vos commandes GRATIS. » En mai 1928, il mêle à la publicité sa passion pour la politique municipale :

> Afin de connaître les qualités d'un candidat et les services qu'il peut nous rendre, les Contribuables, en temps d'élection, se rendent en foule aux assemblées. Et c'est tout naturel. Aussi, c'est tout naturel qu'en nous rendant une visite vous pourrez apprécier la qualité de nos marchandises et les services qu'on peut vous rendre. Notre moto est QUALITÉ, SERVICE, ÉCONOMIE.

Pour toutes sortes de raisons qui tiennent au caractère catholique et surtout francophone de Sainte-Anne, ainsi qu'à sa réputation de paroisse combative et engagée politiquement, des assemblées d'élection ont souvent lieu à la salle Sainte-Anne. En 1933, entre autres, deux grandes assemblées se tinrent dans l'auditorium; lors des banquets et des fêtes, la présence d'hommes politiques, de journalistes influents, de professionnels en vue était assurée. Mgr Myrand était un homme de réseaux et il aimait s'entourer de personnalités proches des pouvoirs religieux, politique, universitaire. Dans ce contexte, plusieurs paroissiens acceptent de se lancer en politique municipale.

Une brève incursion en politique municipale

Actif dans plusieurs organismes, Edmond Beauchamp accentue encore sa contribution en se présentant aux élections municipales au poste d'échevin pour la circonscription d'Ottawa de 1935 à 1939. Il luttera pour une représentation francophone équitable aux postes d'échevin et de commissaire avec Fulgence Charpentier[8], Éric Quéry, Aristide Bélanger, l'avocat Aurèle Parisien, Adélard Chartrand, Joseph Albert Parisien et un de ses voisins de la rue Saint-André, E. A. Bourque[9]. Ce dernier, président de la Chambre de commerce d'Ottawa et futur maire, est présenté dans le *Bulletin* de mars 1943 comme un « travailleur infatigable, dévoué, intègre, un gentilhomme qui a su se tailler une place de choix dans le monde des affaires ».

Edmond gagne ses élections en 1937-1938 au moment où les luttes sont chaudes pour le maintien de la représentation francophone qui s'affirme habituellement dans les circonscriptions d'Ottawa et de By. Mais ces pouvoirs locaux sont très dilués en raison de l'existence du Bureau des commissaires, institué en 1908 (aboli en 1978), dont les membres sont élus par l'ensemble de la population de la ville et, donc, par une majorité anglophone. De plus, les circonscriptions d'Ottawa et de By seront amalgamées, réduisant d'autant la présence francophone au conseil municipal.

L'action d'Edmond Beauchamp a été empreinte de fidélité, de générosité et d'engagement. Un engagement lié à un territoire et à une conviction, à une communauté et à son guide et mentor, Mgr Myrand, qui valorisait et encourageait constamment les francophones qui choisissaient l'action dans les milieux des affaires et de la politique. Autoritaire et charismatique, représentant un idéal de culture et de constance, Mgr Myrand – comme le *Bulletin* en fait chaque fois la démonstration – va chercher ses appuis chez les sénateurs, les juges, les universitaires, les diplomates, les ministres, les députés, les prélats de l'Église catholique et chez l'ensemble de ses paroissiens. L'engagement d'Edmond était fortement ancré dans sa collectivité et en dépendait. En effet, l'absence de filet social à cette époque intensifiait le recours aux réseaux et aux communautés. Il a vécu dans une société que l'on peut définir comme traditionnelle et marquée par la « communalisation », soit, selon Max Weber, par des relations sociales

8 Fulgence Charpentier (1897-2001) fut courriériste parlementaire, diplomate, longtemps journaliste puis chroniqueur au quotidien *Le Droit*. Il fut élu au conseil municipal d'Ottawa, où il siégea de 1932 à 1935.

9 E. A. « Eddy » Bourque, homme d'affaires né dans la Basse-Ville Est d'Ottawa (1887-1962), a été échevin et membre du Bureau des commissaires de la Ville d'Ottawa de 1936 à 1949. Il fut élu maire d'Ottawa en 1949 et 1950.

qui se fondent sur un sentiment subjectif d'appartenance à une même communauté[10].

L'historien Lucien Febvre, pour sa part, estime que les hommes sont les seuls objets de l'histoire.

> Les hommes, seuls objets de l'histoire... d'une histoire qui ne s'intéresse pas à je ne sais quel homme abstrait, éternel, immuable en son fond et perpétuellement identique à lui-même – mais aux hommes toujours saisis dans le cadre des sociétés dont ils sont membres – aux hommes membres de ces sociétés à une époque bien déterminée de leur développement – aux hommes dotés de fonctions multiples, d'activités diverses, de préoccupations et d'aptitudes variées, qui toutes se mêlent, [...] et finissent par conclure entre elles une paix de compromis, un *modus vivendi* qui s'appelle la Vie (cité dans Prost, 1996 : 148).

Aurèle Beauchamp, le choix d'une vie

Aurèle Beauchamp, son fils, mon père, réussit de belles études à l'école Brébeuf puis au collège Willis[11], s'implique au sein de plusieurs organismes paroissiaux, et aurait choisi, s'il l'avait pu, d'être décorateur. Les grands magasins de la rue Rideau (A. J. Freiman Ltd, Ogilvy's, Larocque, Caplan's, Murphy-Gamble) et leurs vitrines aménagées l'attirent, mais il acceptera plutôt de reprendre le commerce familial à son compte, tout en doublant les atouts de l'épicerie par l'ajout d'un comptoir des viandes. Et c'est encore dans le *Bulletin de la paroisse Sainte-Anne d'Ottawa* que paraît l'annonce du choix de carrière d'Aurèle et, en fait, de sa prise en main de l'épicerie-boucherie. Auparavant, soit dès 1929, il avait ouvert un petit casse-croûte, « Chez Aurèle », situé rue McGee. Mais six ans plus tard, les choses ont changé et la « carte d'affaires » d'Edmond, publiée en février 1935, en atteste.

Le métier d'épicier-boucher n'était pas celui dont Aurèle rêvait, mais se doute-t-il, à ving-quatre ans, qu'il constituera un des apports majeurs à sa vie personnelle et professionnelle, et tout particulièrement pendant la Seconde Guerre mondiale ?

---

10 Voir « Communalisation », [En ligne], [http://fr.wikipedia.org/wiki/Communalisation] (26 janvier 2012).

11 Le Willis College of Business, situé à l'angle des rues Bank et Albert, se spécialise en formation aux méthodes et pratiques des affaires.

Service **Qualité**

A.-E. BEAUCHAMP

EPICIER & BOUCHER

Il me fait plaisir de vous annoncer que je viens d'ouvrir un département de viande fraîche où vous trouverez toujours un choix très varié de viande de premiere qualité à des prix très raisonnables. Je sollicite votre visite et votre encouragement.

Vos commandes par téléphone seront exécutées avec soin.

Livraison rapide dans toutes les parties de la ville.

326, rue St-André — Téléphone: Rid. 3828

Annonce publiée dans le *Bulletin de la paroisse Sainte-Anne d'Ottawa* en février 1935.

Il aurait reçu sa formation d'un voisin juif, Mr. Bodovsky, qui l'invitait à couper les viandes, ce qui lui était interdit pour des raisons religieuses. Aurèle identifie alors tout un réseau de fournisseurs locaux en viande, fruits, légumes et miel, fournisseurs et producteurs qui l'approvisionnent en produits de qualité, et ce, même et surtout, pendant la Seconde Guerre mondiale alors que plusieurs aliments sont rationnés. Il est à l'aise dans toute la grande région d'Ottawa de même qu'à Hull, Gatineau, Limbour et Chelsea. Il fait affaire au sein d'une économie locale avec un souci constant de vendre des produits de qualité.

Par ailleurs, le jeune homme aime danser, skier avec son groupe d'amis et, un jour, il a le bonheur de rencontrer Thérèse Bouvrette qui, elle aussi, aime danser et skier avec ses amies. « Et là, ça a commencé, écrit Thérèse. Je ne voyais jamais Aurèle le samedi parce qu'il travaillait trop fort. On se voyait le dimanche et le jeudi. C'était deux bons soirs. Après, ça été le dimanche, le mardi et le jeudi. Le samedi, je tricotais pour les soldats. » Après une formation au couvent de la rue Rideau, où elle est inscrite au cours d'immatriculation universitaire donné en vertu d'une affiliation avec l'Université d'Ottawa[12], Thérèse est alors à l'emploi de la fonction publique fédérale, un très bon poste qu'elle quitte pour épouser Aurèle en juillet 1940. Les premiers investissements du couple seront vite réalisés grâce au sens des affaires de la mère de Thérèse, Dorilda Bouvrette, une femme remarquable, propriétaire d'un duplex situé au 65-67 de la rue Bolton.

[12] Le recteur Gilles Marchand, o.m.i., signe son « Certificat d'Immatriculation » en 1934.

Thérèse Bouvrette et Aurèle Beauchamp, sur la Colline parlementaire, Ottawa, 1940 (Collection particulière de l'auteure).

Dorilda Bouvrette, née Nadon, est veuve, son mari Charles Bouvrette, typographe, étant décédé en 1929 en lui laissant les deux duplex qu'il avait fait construire en 1915-1916 du 273 au 279 de la rue Murray, au nord de l'avenue King Edward. Les maisons ne sont pas entièrement payées à son décès, et Charles ne laisse aucun revenu de retraite. Dorilda passe courageusement à travers les années de la crise de 1929, soutenue par ses locataires et ses trois filles aînées. Elle vend les maisons en 1933 et achète le duplex de la rue Bolton dont elle habite le logement du haut avec sa fille Thérèse. Après le mariage d'Aurèle et de Thérèse, tous habitent au 65-67, rue Bolton, propriété que Dorilda vend au jeune couple en 1943. Thérèse et Aurèle s'engagent à l'héberger sa vie durant et, peu après, se portent acquéreurs du 69 de la rue Bolton, une maison unifamiliale qu'ils transformeront en duplex et qu'ils habiteront pendant les travaux qu'ils entreprennent sur la rue Saint-André.

L'entreprise nommée « Beauchamp »

L'acte d'achat du lot de la rue Saint-André est signé le 24 avril 1944, entre la Caisse populaire Sainte-Anne et Aurèle Beauchamp, épicier, domicilié au 65, rue Bolton. La démolition et la reconstruction de l'édifice sis à l'angle des rues Saint-André et McGee – les 326 et 328 de la rue Saint-André et le 3 de la rue McGee – se poursuivront du 1er mai 1946 au mois d'avril 1947. La Seconde Guerre mondiale a laissé ses marques et Aurèle en craint les effets, surtout le manque de matériaux et d'appareils ménagers pour meubler les appartements qu'il mettra en location, mais il est bon négociateur et ses fournisseurs sont fiables : les matériaux arrivent toujours au bon moment, la construction va bon train et se termine comme prévu.

La grande ouverture du magasin, à l'adresse civique du 326, rue Saint-André, aura lieu le 12 avril 1947, comme l'atteste l'annonce d'une demi-

Annonce de l'ouverture officielle du nouveau *Groceteria* Aurèle Beauchamp (*Le Droit*, Ottawa, 11 avril 1947, p. 10).

page parue dans le quotidien *Le Droit* du vendredi 11 avril. Aurèle y affirme fièrement sa filiation avec M. Edmond Beauchamp, ancien épicier et échevin du quartier Ottawa. « Le Groceteria Aurèle Beauchamp occupe le même endroit où était située l'épicerie de son père qu'il achetait il y a dix ans. » Il se montre également fier de ses antécédents et de ses études. « M. Aurèle Beauchamp s'est occupé du commerce de l'épicerie depuis son bas âge et il a toujours su en faire un succès. M. Aurèle Beauchamp fit ses études à l'école Brébeuf et au Willis College. » De plus, il a réuni une équipe de commis dévoués et courtois, son commerce procurant de l'emploi à plusieurs personnes du quartier. Soulignons tout particulièrement son utilisation du mot « *groceteria* », qui se généralisera quelques années plus tard dans le commerce de l'alimentation. C'est là un des indicateurs de l'innovation qui marque cette reconstruction, innovation qui fait également la fierté de l'entrepreneur général, monsieur A. Aubry. Aurèle n'a donc pas tout simplement reconstruit à l'identique, il a bel et bien modernisé l'entreprise et l'a mise au goût du jour. Il présente à sa clientèle et à la population d'Ottawa « un groceteria des plus modernes[13] », c'est-à-dire une épicerie où les clients se servent eux-mêmes, un « libre-service », en quelque sorte, où l'on trouve fruits et légumes frais, produits secs et comptoir de viande fraîche.

> Il s'agit d'une innovation d'importance qui se traduira par une modification radicale des habitudes des consommateurs et par l'avènement du panier d'épicerie sur roulettes. On voit dès lors apparaître de nouveaux îlots métalliques pour l'étalage des produits, la traditionnelle glacière disparaît pour faire place aux comptoirs réfrigérés et le vrac est abandonné au profit de produits préemballés. La disposition des rayons permet aux clients de circuler librement pour y faire leurs achats qu'ils paient à la caisse[14].

En mars 1947 Aurèle, Thérèse et sa mère Dorilda, et Hélène, alors âgée de quatre ans, emménagent dans l'appartement n° 1 du 328, rue Saint-André puis dans l'appartement n° 3, plus vaste, en décembre. Les appartements n°s 1 et 2 sont mis en location ainsi que les deux duplex de la rue Bolton, ces quatre derniers logements étant réservés aux familles Beauchamp et Bouvrette. Dès le début de son aventure de propriétaire, de constructeur

[13] Annonce de l'ouverture officielle du nouveau *Groceteria* Aurèle Beauchamp, *Le Droit*, vendredi 11 avril 1947, p. 10.

[14] Voir l'historique des magasins Métro sur le site Web de l'entreprise : [http://corpo.metro.ca/profil-corpo/historique/1947.fr.html].

et d'innovateur dans la Basse-Ville Est et Ouest d'Ottawa, Aurèle privilégie ses proches et accommode du mieux qu'il le peut les membres de sa famille élargie et de sa famille par alliance.

Afin de compléter le complexe immobilier qui comprend l'épicerie-boucherie et les appartements en location de la rue Saint-André, Aurèle lance la construction adjacente du 330, rue Saint-André, où sa famille déménagera après la naissance du quatrième enfant. Ce projet donne lieu à un petit événement révélateur de l'attitude d'Aurèle. Alors qu'il dessine les plans, il se rend compte que pour agrandir l'édifice existant et construire ce qui sera le 330, rue Saint-André, il a besoin de l'espace voisin, celui de la maison dont une famille est locataire. Quelle décision prendra-t-il? Fidèle à la générosité qui a toujours été la sienne et afin de ne pas laisser ces voisins sans toit, il achète un duplex qui se trouve en face, de l'autre côté de la rue Saint-André, pour les y loger.

Il construit encore les appartements des 3 et 5, rue McGee, qui seront aussi mis en location. Le nom de Thérèse figure avec celui d'Aurèle

Groceteria Beauchamp, 326, rue Saint-André, à l'angle de McGee, 1947. De gauche à droite : Armand Évraire, Roland St-Jacques, Aurèle Beauchamp, Thérèse Beauchamp, Denise Favreau, Jacqueline St-Aubin, Léo David (Collection particulière de l'auteure).

dans les actes notariés – l'entreprise est commune. Le nom donné à ce petit immeuble – MATH – reprend la première lettre de tous les prénoms de la famille – **M**onique /**M**ichel, **A**urèle /**A**ndré, **T**hérèse / **H**élène – en plus de rappeler la matière scolaire – le calcul – qui a valu à Aurèle le plus grand nombre de prix à l'école Brébeuf. Et toujours, autre marque d'une grande fidélité, c'est la Caisse populaire Sainte-Anne d'Ottawa qui assure les prêts hypothécaires.

Comment Thérèse résume-t-elle ces années entre le mariage en 1940 et la dernière période de construction en 1954? « Pendant 14 ans, écrit-elle, Aurèle n'a pas arrêté. On était très très occupé[s]. On n'a rien vu passer de 1940 à 1954… On travaillait tout le temps. »

Le citoyen d'une ville en grande expansion

Aurèle le bâtisseur, l'homme d'affaires au grand cœur, continue ainsi d'abattre une besogne extraordinaire alors qu'Ottawa se développe à vue d'œil. Tout se passe comme s'il était en total synchronisme avec sa ville au moment le plus important de son expansion. Il y a une demande de logements, il peut y répondre et il le fait. Quel est donc le contexte plus vaste dans lequel Aurèle Beauchamp agit et dans lequel toute la population d'Ottawa se débat sans toujours être informée adéquatement des enjeux et des planifications proposées par la Commission de la capitale nationale (CCN)?

Depuis 1939, la ville connaît une croissance inédite liée à l'expansion du gouvernement fédéral. En 1941, la population est de 150 000 habitants et elle triple entre 1941 et 1971. La ville agrandit aussi cinq fois son territoire (Taylor, 1986 : 171). Pendant la Seconde Guerre mondiale, le personnel civil et militaire de l'armée, à Ottawa, passe de 12 000 à 33 500 employés. Par suite de cet envahissement, le gouvernement fait construire des édifices provisoires, achète des pâtés de maisons, exproprie quand il le faut, loue plusieurs édifices privés, pratiques qui enlèvent à la Ville le revenu de taxes municipales tout en obligeant les services municipaux à répondre à un grand nombre de demandes supplémentaires (Eggleston, 1961 : 193). Entre 1945 et 1960, « le gouvernement fédéral franchit toutes ses anciennes bornes physiques, acquiert de nouvelles propriétés, influe sur le flot de la circulation, transforme les quartiers d'habitation en rues d'affaires, exige de la Ville de plus grands services d'utilité publique et entrave parfois les propositions des autorités municipales » (Eggleston,

1961 : 219). De 1946 à 1960, la Commission de la capitale nationale achète quelque 1 800 propriétés couvrant à peu près 6 250 acres, sans compter le parc de la Gatineau. Il s'agit de terrains pour aménager la promenade de la rivière Ottawa, la promenade de la rivière Rideau, les promenades de l'Ouest et de l'Est. C'est la fameuse « ceinture de verdure » que l'on souhaite pour la capitale fédérale. La CCN évalue les propriétés, fait des offres aux propriétaires et procède très rapidement à la signification des avis d'expropriation.

Aurèle le bâtisseur, l'homme d'affaires au grand cœur, se doutait-il que cette accélération des travaux commandés par la Commission de la capitale nationale se faisait en faveur de l'établissement du territoire d'une capitale fédérale, mais peut-être aussi au détriment de la ville et des habitants de ses divers quartiers, dont le sien? Fort probablement, car il avait une conscience aiguë de l'histoire se déroulant au quotidien, comme en témoignent les photographies qu'il prenait des événements marquants, photos qu'il annotait et datait. L'actualité retenait son attention et attisait sa curiosité comme, par exemple, l'ouverture à la navigation de la voie maritime du Saint-Laurent (1959), l'inauguration du pont Cartier-Macdonald (1965), la conquête de l'espace par les Russes et les Américains. Contrairement à son père Edmond, Aurèle est resté à distance des organismes, associations et autres assemblées, mais l'analyse des politiques provinciales et fédérales le passionnait. Les situations de pouvoir, ou qu'il percevait comme telles, ne l'intéressaient pas, mais sa famille, oui, son quartier, sa paroisse, son église, sa salle Sainte-Anne. Il s'engage à fond pour assurer à ses enfants une éducation et une formation de qualité. Thérèse, sa femme et sa collaboratrice en affaires, partage ses valeurs et son idéal. Pour sa part, elle a œuvré au sein de l'Association des parents et instituteurs de la paroisse Sainte-Anne et de l'Amicale d'Youville. Elle a été active à l'Association des aînés francophones de l'Ontario et a contribué, depuis ses débuts, à la carrière de son neveu par alliance Jean-Robert Gauthier, député du Parti libéral du Canada élu dans la circonscription d'Ottawa-Est (1972-1994) et sénateur d'Ottawa-Vanier (1994-2004). En 1993, le gouverneur général R. J. Hnatyshyn lui a décerné la Médaille commémorative du 125e anniversaire de la Confédération du Canada.

Bâtisseurs du monde

Aurèle sera toujours très attaché à sa paroisse et, en particulier, à la salle Sainte-Anne, ce centre culturel, social, financier et sportif où il a reçu ses prix d'écolier en mathématiques et en calcul, où il a fait du théâtre avec son grand ami Armand Benoît. À la démolition de la salle, il est allé chercher sa brique-souvenir qu'il a peinte couleur or. Profondément croyant, il a contribué au maintien et à l'embellissement de l'église Sainte-Anne où il avait été « enfant du sanctuaire » et où l'un des vitraux est un don de la famille Bouvrette. Il gardait un souvenir vivant de son école Brébeuf et des Frères des écoles chrétiennes[15] qui l'ont accompagné. Il aimait les gens de son quartier envers qui il manifestait quotidiennement sa générosité, ces familles nombreuses qui craignaient avant tout la maladie qui coûtait cher et qui les menaçait d'éclatement. Lors de son décès, nous avons reçu le témoignage ému de personnes qu'il avait aidées et qui avaient pu garnir leur table sans être importunées par les factures, évitant ainsi que les membres de leur famille ne soient séparés et placés aux quatre coins de la ville.

Edmond Beauchamp, Aurèle Beauchamp : ces deux hommes aux tempéraments différents ont été actifs pendant un demi-siècle, sur un territoire à définir, dans le contexte d'une capitale fédérale en expansion, d'une économie dont les modèles évoluaient très rapidement, d'un accès accru aux formations spécialisées, et ce, dans le respect des valeurs qui leur étaient essentielles. Ils ont habité un territoire, l'ont marqué de leur présence, parce que ce territoire représentait leur destinée individuelle et leur destinée collective. Ils ont, chacun à leur façon, façonné leur espace pour y vivre et pour que d'autres puissent y vivre.

Les démolitions survenues dans la Basse-Ville Est d'Ottawa à la fin des années 1960, sous prétexte de rénovations urbaines, ont eu raison de leurs réalisations matérielles : il ne reste rien des édifices qu'ils ont érigés. Mais leur esprit d'entreprise et leur engagement social perdurent. Voilà pourquoi il importe de raconter leur histoire pour qu'elle s'inscrive dans la grande histoire des entrepreneurs francophones de la ville d'Ottawa. Et parce que leurs descendants sont fiers de ces hommes de caractère.

[15] Religieux qui se consacraient à l'éducation humaine et chrétienne et étaient très présents à Ottawa et, entre autres, dans la paroisse Sainte-Anne.

Hélène Beauchamp et Edmond Beauchamp, devant le 330 Saint-André, Ottawa, juin 1960 (Collection particulière de l'auteure).

Parler du territoire, c'est parler d'amour. C'est avoir rendez-vous avec le passé enfoui et le futur lointain. C'est parler de sa destinée individuelle et de celle de l'humanité. On ne peut le faire sans émotion et sans timidité. Émotion de toucher aux empreintes laissées par l'enchevêtrement des passions, des volontés et des obstinations, sédimentées sur des siècles. Timidité de devoir tracer des perspectives d'avenir dans une période où tant d'incertitudes pèsent sur le long terme.

Mais il faut le faire par devoir de fidélité et d'audace. Fidélité à l'égard de tous ceux, anonymes ou célèbres, qui ont, au fil des siècles, façonné un espace pour y vivre. Audace car il faut affirmer la force des êtres face au poids des choses, se vouloir bâtisseur du monde de demain et non simple acteur passif et consentant d'une histoire aveugle ou écrite par d'autres (Calame, 1994 : 5).

BIBLIOGRAPHIE

BEAUCHAMP, Aurèle (1947). « Annonce de l'ouverture officielle du nouveau *Groceteria* Aurèle Beauchamp », *Le Droit*, 11 avril, p. 10.

Bulletin de la paroisse Sainte-Anne d'Ottawa, publié de mai 1919 à décembre 1955.

CALAME, Pierre (1994). *Un territoire pour l'homme*, Paris, Éditions de l'Aube.

EGGLESTON, Wilfrid (1961). *Choix de la reine, étude sur la capitale du Canada*, Ottawa, Commission de la capitale nationale.

PROST, Antoine (1996). *Douze leçons sur l'histoire,* Paris, Seuil.

TAYLOR, John H. (1986). *Ottawa: An Illustrated History*, Toronto, James Lorimer & Company Publishers; Ottawa, Musée canadien de la civilisation (Musées nationaux du Canada), coll. « The History of Canadian Cities ».

TREMBLAY, Jules (1925). *Sainte-Anne d'Ottawa : un résumé d'histoire 1873-1923*, Ottawa, La compagnie d'imprimerie d'Ottawa.

L'archidiocèse catholique d'Ottawa et sa francophonie : portrait statistique, comparaison et analyse sociohistorique (1968-2008)

E.-Martin Meunier et Jean-François Nault
Université d'Ottawa

Érigé en 1847 sous l'impulsion des Oblats de Marie-Immaculée, l'archidiocèse d'Ottawa serait aujourd'hui à l'heure des restructurations, voire de l'attrition, comme en témoigne la fermeture récente de la paroisse Sainte-Anne. « Nous avons cherché la relève, mais il n'y a pas de relève », disait Mgr Terence Prendergast, devant le peu d'assistance à la messe dominicale dans cette paroisse (cité dans St-Pierre, 2011). Le cas singulier de cette paroisse présage-t-il un nouveau rapport des francophones d'Ottawa au catholicisme ? L'archidiocèse peut-il encore être considéré comme un chef-lieu de la francophonie canadienne ou est-il tiraillé par « bon nombre des problèmes particuliers du Canada, en particulier ses conflits ethno-linguistiques entre francophones et anglophones » (Choquette, 1998 : 11), comme le pensait l'historien Robert Choquette ? L'archidiocèse comme la ville et la province changent à un rythme accéléré, et cette transformation ne peut que modifier la configuration socioreligieuse particulière de la région. Peut-on aller jusqu'à parler ici de sécularisation ou encore de minorisation du catholicisme ? Observe-t-on une recomposition du régime de religiosité dominant depuis plusieurs années, particulièrement chez les francophones de l'archidiocèse d'Ottawa ? Force est de constater que depuis les travaux pionniers de Robert Choquette (1977, 1987, 2004), ou ceux de Raymond Lemieux (1996), peu d'études ont apporté quelque réponse à ces questions. Exploratoire et essentiellement descriptif, ce bref article tentera donc de pallier ce manque, tout en cherchant à mieux comprendre les dynamiques propres qui traversent le catholicisme francophone de l'Ontario (Meunier, Wilkins-Laflamme et Grenier, 2012) et, surtout, d'Ottawa.

Pour ce faire, il s'agira d'établir un portrait statistique de l'archidiocèse d'Ottawa – portrait qui n'existe pas dans la littérature savante de la sociologie des religions, de l'histoire religieuse ou des études sur les francophonies minoritaires du Canada. Ce portrait sociodémographique et socioreligieux s'attardera surtout à l'évolution des indicateurs de vitalité religieuse touchant le catholicisme et les francophones de l'archidiocèse (nous nous limiterons ici aux indicateurs d'appartenance religieuse, de pratique religieuse, de baptême et de mariage).

Les résultats présentés dans ce texte s'appuient sur les sources suivantes : d'abord les recensements de 1991 et de 2001 (on ne pose les questions relatives à la religion qu'à tous les dix ans seulement) ; ensuite les cycles des Enquêtes sociales générales des années 1986 à 2009, et l'*Enquête sur la diversité ethnique* de 2002 ; finalement les données colligées concernant plusieurs pratiques catholiques (baptême, mariage et divers autres rites de passage – première communion, confirmation, etc.) de la période de 1968 à 2008, au Québec et au Canada, et ce, pour les 64 diocèses catholiques[1]. Il est à noter que les données sociodémographiques diocésaines sont issues des recensements de 1991 et 2001 seulement – en raison des marges d'erreur trop grandes des enquêtes sociales générales lorsque les échantillons sont réduits à la taille de l'archidiocèse d'Ottawa[2].

[1] Les éparchies et ordinats militaires n'ont pas été comptabilisés ici. Ces données proviennent de l'enquête *Vers une sortie de la religion culturelle des Québécois ? Analyse statistique des pratiques catholiques d'inscription culturelle au Québec et analyse comparative avec le Canada et l'Ouest de l'Occident : baptême, mariage, funérailles (1960-2010)*, recherche subventionnée par le CRSH et dirigée par E.-Martin Meunier. Les données ont généralement été recueillies à partir des rapports annuels diocésains disponibles et des compilations intradiocésaines, avec l'aide de chacun des diocèses et archidiocèses du Canada et du Service des archives de la Conférence des évêques catholiques du Canada. Nous les remercions pour leur collaboration.

[2] Les recensements de 1991 et de 2001 ont été utilisés plutôt que celui de 2006, puisque la question de l'appartenance religieuse est uniquement posée à tous les dix ans. Malheureusement, les données sur l'appartenance religieuse du recensement de 2011 n'ont pas encore été publiées et ne présenteront pas le même degré de fiabilité en raison des changements politiques qui ont transformé les modalités de cueillette des données (notamment l'obligation de répondre). Il est aussi à noter que les Enquêtes sociales générales (ESG) n'ont pas été utilisées pour les analyses au niveau diocésain. En raison du nombre limité de cas dans les échantillons des ESG, l'analyse à un niveau plus restreint que la province (à l'exception de certaines régions métropolitaines de recensement) n'est pas possible si l'on souhaite conserver des marges d'erreur raisonnables. Cela explique également pourquoi les données sur l'assistance à la messe ont été tirées de l'*Enquête sur la diversité ethnique* de 2002 plutôt que des ESG. Pour l'ensemble de cet article, les marges d'erreur au niveau provincial vont de 2 % à 5 % ;

Il est à noter que les microdonnées du recensement de 2011 (dont celles sur l'appartenance religieuse) permettant l'analyse au niveau diocésain ne seront rendues disponibles que vers 2014. Ajoutons, de plus, que ce dernier recensement ne va pas sans problème méthodologique important (Statistique Canada, 2012c).

Le catholicisme en Ontario et l'archidiocèse d'Ottawa

Règle générale, depuis les quarante dernières années, le catholicisme canadien tend à s'angliciser (Meunier, Wilkins-Laflamme et Grenier, 2012). Alors que 67,2 % des catholiques du pays étaient de langue maternelle française en 1941, ce taux tombe à 56,4 % en 1971 pour atteindre 48 % en 2009 – une diminution d'un peu moins de 20 % en près de 70 ans[3]. Contrairement aux Églises anglicane et unie, l'Église catholique a crû considérablement durant cette période (Wilkins-Laflamme, 2010). Plus que les Églises protestantes *mainlines*, elle a su accueillir en son sein plusieurs immigrants et les intégrer dans ses communautés existantes – elle a même fondé de nouvelles paroisses pour favoriser cet accueil. C'est en Ontario que cette situation a été la plus importante, étant donné l'immigration de quelque 100 000 à 150 000 personnes par année depuis les années 1990 (Statistique Canada, 2012d). Consciente de cette situation, la hiérarchie catholique canadienne a d'ailleurs organisé les Journées mondiales de la jeunesse (JMJ) à Toronto plutôt qu'à Montréal en 2002, déplaçant ainsi implicitement les pôles de la catholicité canadienne. L'archidiocèse d'Ottawa se mouvant dans l'espace ontarien, jetons d'abord un bref regard sur les indicateurs de religiosité catholique de la province. L'appartenance déclarée au catholicisme représentait 34,3 % de la population en 2001 – ce qui place le catholicisme au premier rang des religions en Ontario, suivie des « sans religion » (16,2 %) et des religions exogènes au corpus de tradition chrétienne (14,1 %). Un peu plus de 60 % des catholiques ontariens étaient de langue maternelle anglaise en 2001, contre 10,9 % de langue maternelle

au niveau de l'archidiocèse d'Ottawa, elles n'excèdent jamais 5 %. Seules les statistiques de l'*Enquête sur la diversité ethnique* de 2002 portant sur la pratique religieuse des francophones de l'archidiocèse peuvent parfois atteindre au maximum 6,5 %.

[3] Statistique Canada, *Recensement du Canada de 1941 et 1971* et *Enquête sociale générale de 2009 – fichiers de microdonnées à grande diffusion*. Calculs effectués par les auteurs.

française et 28,1 % de langue maternelle « autre » pour la même période. En 2001, 77,5 % des catholiques de l'Ontario déclaraient parler anglais le plus souvent à la maison, et 6,6 % le français. En revanche, seulement 29,6 % des individus de langue maternelle anglaise, comparativement à 87,5 % des individus de langue maternelle française, se déclareraient catholiques en 2001. Toutefois, de 1971 à 2001, le taux d'anglophones qui se déclaraient catholiques a augmenté de 6,3 % au total alors qu'il a diminué de 5,3 % chez les francophones de la même catégorie. En 2001, chez les catholiques francophones de l'Ontario, l'appartenance varie fort peu selon les générations : moins de 2 % sépare les pré-*babyboomers* (nés avant 1945) des individus de la génération « Y » (nés entre 1976 et 1990). En ce qui a trait à la pratique religieuse, les catholiques francophones de la province sont parmi ceux qui pratiquaient le plus au pays en 2006 : 22,9 % d'entre eux participaient hebdomadairement à la messe dominicale et 12,1 % d'entre eux assistaient à au moins une célébration religieuse par mois[4]. Ce chiffre a peu changé en dix ans. L'affiliation catholique des communautés francophones de l'Ontario semble donc plutôt stable, malgré une hausse totale de 12,2 % des « sans religion » pour l'ensemble de l'Ontario de 1971 à 2001 (passant de 5 % à 16,2 %). Cette dernière catégorie a augmenté plus rapidement que celle des religions non chrétiennes pour la même période. Fait à noter, si 17,6 % des individus de langue maternelle anglaise se disaient « sans religion » en 2001 en Ontario, seulement 5,3 % des francophones se déclaraient tels (en augmentation de 3,8 % en 30 ans, comparativement à 12,2 % chez les anglophones durant la même période). Somme toute, ce bref portrait du catholicisme de l'Ontario nous montre une lente augmentation, chez les anglophones d'abord, et une grande stabilité chez la majorité des francophones, qui cultivent toujours un lien privilégié avec cette religion, faisant d'elle une des attaches institutionnelles importantes pour le maintien et la cohésion des communautés francophones en milieu minoritaire. Sans aller jusqu'à dire que l'Église a servi la complétude institutionnelle nécessaire au développement des communautés francophones minoritaires (Breton, 1964), le catholicisme a assurément contribué à mieux asseoir l'intention nationale de l'identité francophone en terre canadienne (Thériault et Meunier, 2008).

4 Statistique Canada, *Enquête sociale générale 2006*, fichier de microdonnées à grande diffusion.

À partir du recensement de 2001, on peut estimer le nombre de citoyens vivant dans l'archidiocèse d'Ottawa à 850 140 personnes, dont 165 720 de langue maternelle française. L'archidiocèse d'Ottawa, un territoire de 5 818 km^2 allant des secteurs de Lanark Highlands jusqu'à Hawkesbury Est, en passant par Alfred, La Nation, Champlain et Casselman, comptait 392 055 catholiques en 2001, dont 147 605 de langue maternelle française[5].

Figure 1
Carte de l'archidiocèse d'Ottawa, 2001

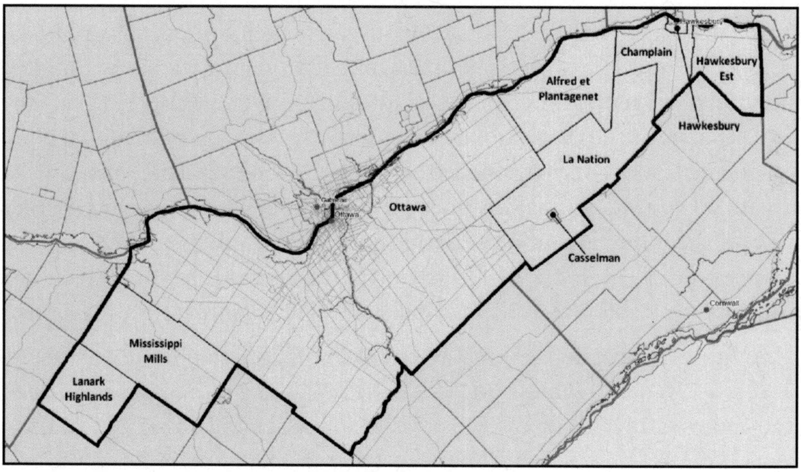

Source : Conférence des évêques catholiques du Canada, 2001.

L'âge moyen de ses résidents est assez bas, tout comme celui de l'Ontario, avec un âge moyen de 36 ans. En 2001, le résident type du

[5] Aux fins des analyses statistiques, le découpage géographique de l'archidiocèse d'Ottawa a été effectué selon la géographie du recensement de 2001 (subdivisions de recensement). Le territoire de l'archidiocèse d'Ottawa couvre une petite portion des subdivisions de recensement de Lanark Highlands (Darling pour la géographie du recensement de 1991) et de Carleton Place. Toutefois, en raison des incompatibilités au niveau de la correspondance géographique, ces régions n'ont pas été incluses dans les analyses statistiques. Cette omission a un impact négligeable sur les résultats de la recherche. D'autres données plus actuelles viendront, plus loin, mieux circonscrire le portrait de l'archidiocèse d'Ottawa.

diocèse connaissait une situation économique enviable; la moyenne du revenu par ménage étant de 7 000 $ supérieure à celle de l'Ontario – près de 40 % de la moyenne des revenus des ménages de l'archidiocèse d'Ottawa dépassant les 85 000 $ la même année. La répartition selon la langue maternelle fournit un portrait spécifique de la région : 60,9 % (en diminution de 2,9 % de 1991 à 2001) sont anglophones; 19,5 % (en diminution de 2,9 % pour la même période) sont francophones et 18,6 % (en augmentation de 4,7 % pour ces dix années) sont allophones. Les données du tout dernier recensement laissent voir que la tendance à la baisse du poids démographique des francophones ainsi que la tendance à la hausse de celui des allophones au sein de l'archidiocèse d'Ottawa[6] se sont maintenues en 2011. En fait, durant cette période, les francophones représentaient 14,2 % de la population totale d'Ottawa, alors que les allophones en représentaient 20,4 % (Statistique Canada, 2012b). En 2001, la majorité des habitants de l'archidiocèse vivait dans un milieu plus urbain que la moyenne provinciale : 87,4 % d'entre eux vivaient en milieu urbain, à Ottawa, comparativement à 80 % pour l'Ontario; 12,6 % de la population de l'archidiocèse vivait en milieu rural, comparativement à 20 % pour l'ensemble de l'Ontario. La répartition de l'appartenance religieuse des habitants de l'archidiocèse révèle certaines transformations.

Règle générale, de 1991 à 2001, pour l'unité géographique de l'archidiocèse d'Ottawa, il semble que toutes les religions protestantes *mainlines* et le catholicisme soient en légère baisse (allant de 0,2 % chez les luthériens à 2,6 % chez les catholiques). Pour la même période, seules les religions « autres », comprenant l'islam, le bouddhisme, l'hindouisme et toutes les autres religions non chrétiennes, sont en hausse de 4,8 %, suivies de près par les « sans religion » qui, en ces dix ans, ont connu une hausse de 3 %. Il importe de noter que l'archidiocèse d'Ottawa diffère de la structure religieuse globale que l'on peut apercevoir dans la moyenne ontarienne. En effet, en proportion, on y retrouve généralement moins de presbytériens, de baptistes, de luthériens, de membres de l'Église unie, de protestants dits conservateurs, de membres des religions non protestantes et de personnes sans religion. Cette différence est principale-

---

6 Pour les données de 2011, la géographie de la subdivision de recensement d'Ottawa a été utilisée plutôt que la géographie de l'archidiocèse d'Ottawa puisque les microdonnées nécessaires pour la création de l'unité géographique de l'archidiocèse n'ont pas encore été publiées.

Tableau 1
Appartenance religieuse, archidiocèse d'Ottawa et province de l'Ontario, 2001

Appartenance religieuse	Diocèse d'Ottawa	Province de l'Ontario
Catholique romain	46,1 %	34,3 %
Autres catholiques	0,3 %	0,4 %
Anglican	8,5 %	8,7 %
Église unie	9,3 %	11,8 %
Luthérien	1,2 %	1,9 %
Baptiste	1,3 %	2,6 %
Presbytérien	1,7 %	2,5 %
Autres protestants	4,8 %	7,6 %
Autres religions	12,3 %	14,1 %
Sans religion	14,5 %	16,2 %

Source : *Recensement du Canada – 2001*. Fichier maître préparé pour diffusion dans le réseau des Centres de données de recherche du Canada, Statistique Canada, 2012. Calculs effectués par les auteurs.

ment compensée par un pourcentage accru de catholiques : en 2001, la moyenne de l'appartenance à cette religion dans l'archidiocèse d'Ottawa est de 11,8 % supérieure à celle que l'on retrouve dans le reste de la province de l'Ontario.

Si l'on regarde plus attentivement la composition de la population catholique de l'archidiocèse d'Ottawa, on peut constater qu'il fait ici figure d'exception lorsqu'on le compare à la moyenne ontarienne.

Rappelons qu'en 2001, 37,6 % des catholiques de l'archidiocèse d'Ottawa étaient de langue maternelle française (comparativement à 11 % pour l'ensemble de l'Ontario); 48,4 % des catholiques d'Ottawa étaient de langue maternelle anglaise (60,6 % en Ontario) et 12,3 % des catholiques ottaviens étaient de langue maternelle « autre » (28,4 % pour la province). En 2001, pour l'archidiocèse d'Ottawa, 36,9 % des anglophones se déclareraient catholiques, comparativement à 89,1 % des francophones et 30,5 % des allophones. Contrairement à la moyenne provinciale où le

Graphique 1
Distribution des catholiques romains selon la langue maternelle, archidiocèse d'Ottawa et province de l'Ontario, 2001

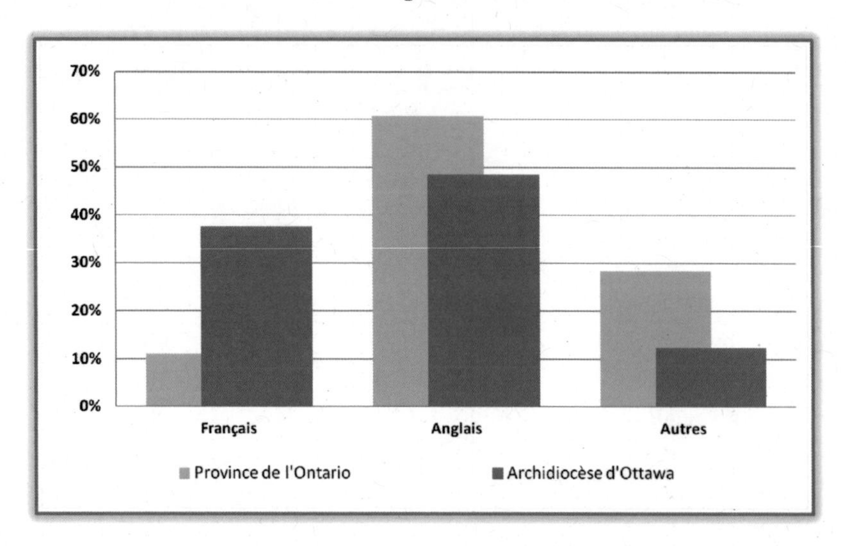

Source : *Recensement du Canada – 2001*. Fichier maître préparé pour diffusion dans le réseau des Centres de données de recherche du Canada, Statistique Canada, 2012. Calculs effectués par les auteurs.

catholicisme était très largement anglophone, nous sommes donc ici devant un catholicisme structurellement et démographiquement polarisé entre anglophones et francophones et où émerge peu à peu la réalité allophone.

Si l'on analyse les indicateurs de vitalité religieuse, l'archidiocèse d'Ottawa présente cependant un taux de variation des baptêmes[7] très similaire à celui de l'Ontario.

Outre la hausse des années 1990 à 2000, on constate malgré tout une baisse constante de 2000 à 2008. Il est intéressant de comparer les courbes entre elles pour constater non seulement les similitudes démographiques, mais aussi le point de rattachement des catholiques de

7 Les taux de variation des baptêmes et les taux de variation des mariages catholiques sont calculés à partir du point de référence « zéro » de 1968. La formule pour calculer le taux est la suivante : (Nombre de baptêmes ou de mariages catholiques pour l'année X – Nombre de baptêmes ou de mariages catholiques pour 1968) / Nombre de baptêmes ou de mariages pour 1968.

Graphique 2
Taux de variation du nombre de baptêmes à partir du point de référence de 1968, archidiocèse d'Ottawa et provinces de l'Ontario et du Québec, 1968 à 2008

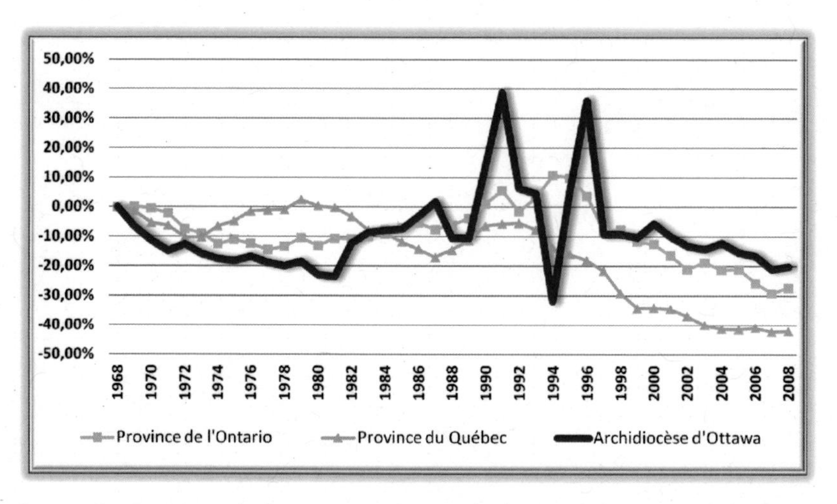

Source : Les données sur les baptêmes proviennent du diocèse, de l'*Annuario*, de la CECC et de l'enquête *Vers une sortie de la religion culturelle des Québécois ? Analyse statistique des pratiques catholiques d'inscription culturelle au Québec et au Canada (1960-2010)*. Calculs effectués par les auteurs.

l'archidiocèse. En effet, en comparant les taux de variation des baptêmes de l'archidiocèse à ceux de la province de Québec ou de l'Ontario, on peut constater que l'archidiocèse d'Ottawa se rapproche plus du second que du premier. Même si l'archidiocèse d'Ottawa est géographiquement proche du Québec, son univers référentiel demeure bien celui de l'Ontario. La structure démographique provinciale semblant ici jouer un rôle important, c'est sans grande surprise que l'on constate que le mariage suit également très fidèlement la courbe des variations enregistrées pour l'ensemble de l'Ontario.

Graphique 3
Taux de variation du nombre de mariages catholiques à partir du point de référence de 1968, archidiocèse d'Ottawa et provinces de l'Ontario et du Québec, 1968 à 2008

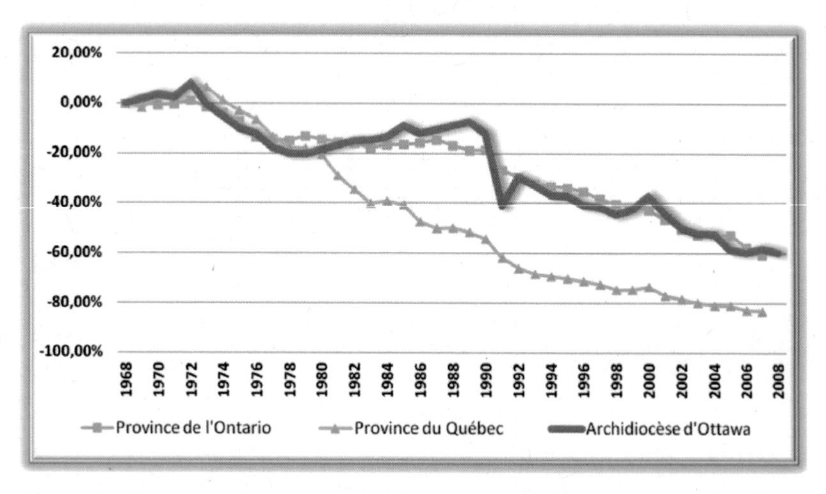

Source : Les données sur les mariages proviennent du diocèse, de la CECC et de l'enquête *Vers une sortie de la religion culturelle des Québécois ? Analyse statistique des pratiques catholiques d'inscription culturelle au Québec et au Canada (1960-2010)*. Calculs effectués par les auteurs.

Pour ce qu'il en est de l'assistance à la messe[8], plus du quart des catholiques (25,8 %) de l'archidiocèse d'Ottawa assistaient au moins hebdomadairement à un service religieux en 2002. Ce taux est légèrement inférieur à la moyenne provinciale de 33 % pour la même année. Par ailleurs, 18,9 % des catholiques d'Ottawa assistaient à la messe au moins une fois par mois (comparativement à 21 % pour l'ensemble de la province), 21,5 % d'entre eux y assistent au moins trois fois par année (15,7 % d'entre eux pour l'Ontario) et 14,9 % une ou deux fois par

[8] Statistique Canada, *Enquête sur la diversité ethnique (Canada 2002)*, fichier maître préparé pour diffusion dans le réseau des Centres de données de recherche du Canada, Statistique Canada, 2012. Calculs effectués par les auteurs. La question posée dans l'enquête est formulée comme suit : « Au cours des 12 derniers mois, à quelle fréquence avez-vous assisté ou participé à des activités, à des services ou à des réunions à caractère religieux avec d'autres personnes à l'exception des événements comme les mariages et les funérailles ? »

année (13,7 % pour l'ensemble de la province). Pour ce qui est de ceux qui se déclarent de religion catholique mais qui n'assistent jamais à la messe, ils représentent 19 % des catholiques de l'archidiocèse d'Ottawa (et 16,6 % des catholiques de l'Ontario). En examinant les statistiques provinciales portant sur la pratique de la messe en fonction de la langue maternelle, il est possible de constater des différences négligeables entre la pratique des catholiques francophones et anglophones de la province[9]. En 2002, alors que 26,5 % des catholiques francophones de la province assistent à la messe hebdomadairement et 15,8 % mensuellement, les catholiques anglophones de la province y assistent dans une proportion de 29,2 % et 20,9 % respectivement. Les catholiques qui n'assistent jamais à la messe représentent, pour leur part, respectivement 23,5 % et 18,2 % des catholiques francophones et anglophones de la province, pour la même année. Malgré les similitudes entre la pratique des catholiques francophones et celle des catholiques anglophones de la province, il existe néanmoins une différence marquée en ce qui a trait à la pratique des Ontariens francophones et allophones. Alors que les allophones catholiques de la province sont 41,3 % à assister hebdomadairement à la messe (un écart de 14,8 % par rapport à leurs équivalents francophones), et 23,3 % à y assister au moins une fois par mois (un écart de 7,5 % par rapport aux francophones), ils ne sont que 11,4 % à ne jamais assister à un service religieux (un écart de 12,1 % par rapport aux francophones de la même catégorie). De surcroît, 14,2 % des catholiques allophones de la province assistent à des services religieux au moins trois fois par année (un écart de seulement 1,3 % par rapport aux catholiques francophones) et seulement 9,8 % d'entre eux n'assistent à la messe qu'une ou deux fois par année (un écart de 8,9 % par rapport aux francophones). Il est ainsi possible de constater que, bien que les catholiques francophones et anglophones de la province entretiennent des rapports similaires à la pratique religieuse, les catholiques allophones de la province se démarquent des autres catholiques en étant, en somme, près de 65 % à assister au moins une fois par mois à un service religieux.

9 En raison de marges d'erreur trop élevées, l'analyse de l'assistance à la messe en fonction de la langue maternelle est impossible au niveau diocésain.

L'archidiocèse d'Ottawa et les diocèses environnants

À quelle zone d'influence se rapporte l'archidiocèse d'Ottawa ? En empruntant la terminologie de la sociologue Danielle Juteau (1999), peut-on penser qu'il est happé par le « majoritaire » anglophone de l'Ontario ou défini implicitement par le minoritaire franco-catholique de la province ? Afin de répondre à cette question, il convient de mieux comprendre la spécificité de l'archidiocèse d'Ottawa à l'aide d'une brève analyse comparative de quelques-uns des autres diocèses ontariens. En examinant le portrait de l'archidiocèse d'Ottawa à la lumière des données des autres diocèses ontariens, on peut constater que l'archidiocèse d'Ottawa se trouve à un point médian entre deux structures distinctes, soit une structure à dominance francophone caractérisée par les diocèses de Hearst et de Timmins, et une à dominance plutôt anglophone / allophone caractérisée notamment par le diocèse de Toronto.

Tableau 2
Structures présentes au sein des diocèses ontariens

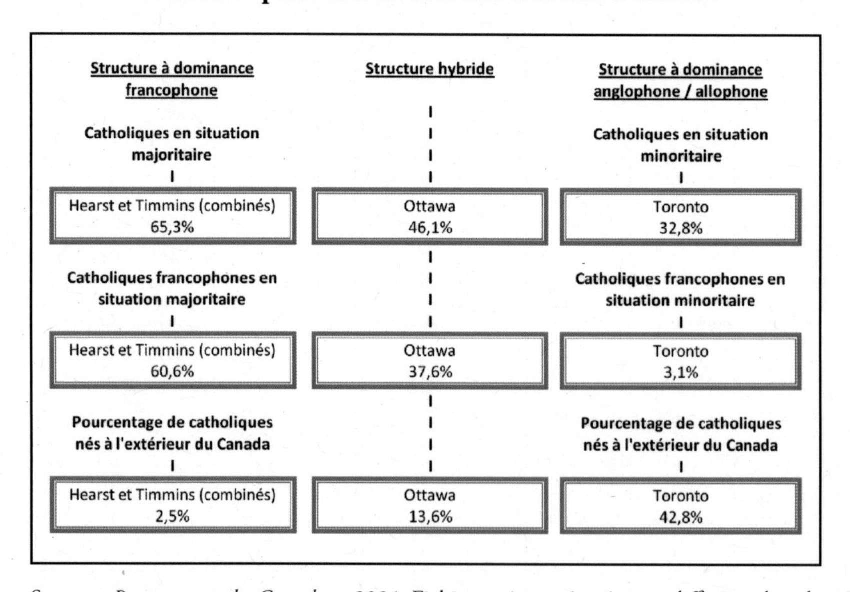

Source : *Recensement du Canada – 2001*. Fichier maître préparé pour diffusion dans le réseau des Centres de données de recherche du Canada, Statistique Canada, 2012. Calculs effectués par les auteurs.

Explicitons le choix de ces deux pôles. Notons d'abord que non seulement les catholiques des diocèses de Hearst et de Timmins (combinés[10]) se retrouvent en situation majoritaire devant les autres religions (65,3 % de catholiques), mais que les francophones de ces diocèses sont également en situation majoritaire au sein des catholiques (60,6 % des catholiques de ces diocèses sont de langue maternelle française). À l'opposé, dans le diocèse fortement anglophone (et à un moindre degré allophone) de Toronto, les catholiques (32,8 %) ainsi que les francophones au sein du catholicisme (3,1 %) se retrouvent en situation minoritaire et très minoritaire. Si l'on ne tient compte que de l'appartenance religieuse, la situation de l'archidiocèse d'Ottawa semble se classer au point intermédiaire entre ces deux structures avec une proportion de catholiques de 46,1 %, non majoritaire, mais tout de même à la tête de l'ensemble des religions de la région. Pour ce qui est des francophones au sein du catholicisme dans l'archidiocèse d'Ottawa, ils représentent 37,6 % des catholiques, un taux inférieur aux majorités de la structure francophone, mais de loin supérieur au taux de francophones que l'on retrouve dans la structure anglophone de Toronto. Quant à l'immigration, 13,6 % des catholiques de l'archidiocèse d'Ottawa sont nés à l'extérieur du Canada. Cette proportion contraste à la fois avec les taux de la structure francophone (2,3 % de catholiques nés à l'extérieur du Canada pour les diocèses de Hearst et Timmins) et, à la fois, avec la structure anglophone/allophone (42,8 % de catholiques nés à l'extérieur du Canada pour Toronto).

La situation intermédiaire de l'archidiocèse d'Ottawa, située entre les structures francophone et anglophone/allophone, est également repérable à partir des indicateurs de baptême et de mariage. Alors que les diocèses à tendance francophone connaissent des taux de variation du nombre de baptêmes et du nombre de mariages plus prononcés que la moyenne ontarienne, le diocèse plutôt anglophone de Toronto maintient des taux de variation plus bas que la moyenne ontarienne et de loin inférieurs à ceux du Québec. Comme nous l'avons déjà présenté, les taux de baptêmes et de mariages pour l'archidiocèse d'Ottawa épousent presque

[10] Aux fins des analyses statistiques, en raison du nombre restreint de cas pour chacun de ces diocèses dans les *Enquêtes sociales générales (ESG)* et afin de sécuriser les marges d'erreur, les diocèses de Hearst et de Timmins ont été ici combinés. Nous n'avons pas utilisé la pratique dominicale dans cette modélisation, puisque même en combinant ces deux diocèses les marges d'erreur étaient malheureusement inacceptables.

parfaitement la courbe de l'Ontario et se situent au centre des structures francophone et anglophone / allophone de la province. Dans une province où les catholiques et les francophones font face à des situations distinctes, l'archidiocèse d'Ottawa se trouve en quelque sorte à l'intersection de deux structures distinctes témoignant ainsi non seulement du caractère anglo-dominant de l'archidiocèse, mais également et surtout d'une certaine persistance de sa catholicité francophone. La spécificité de l'archidiocèse d'Ottawa se situerait donc au carrefour 1) d'un régime à dominance francophone où l'appartenance au catholicisme et la proportion de francophones au sein du catholicisme restent élevées (et où le poids de l'immigration aurait peu d'impact sur les rapports linguistiques), et 2) d'un régime anglophone où, à la fois, les catholiques et les francophones se retrouvent en situation minoritaire (et où l'immigration allophone vient complexifier les rapports linguistiques et religieux).

Quelle singularité pour la catholicité francophone de l'archidiocèse d'Ottawa?

Afin de mieux saisir la spécificité de la catholicité francophone de l'archidiocèse d'Ottawa, il est pertinent de décrire certaines tendances qui peuvent rendre compte du développement de la catholicité ottavienne de 1991 à 2001. Nous l'avons déjà dit, ce portrait demeure impressionniste, étant donné notamment les limites statistiques des bases de données disponibles et la difficulté de traiter le territoire diocésain. Aux fins de cet article, nous nous en tiendrons aux variables de la langue, de l'éducation, du lieu d'habitation (urbain / rural), du lieu de naissance et de l'âge. Observons d'abord la variable de la langue, puisque c'est ce qui nous préoccupe ici au premier chef.

L'analyse diachronique nous montre que les catholiques qui sont francophones sont en moindre proportion (en baisse de 3,2 % en 10 ans) et que les francophones qui se disent toujours très majoritairement catholiques (89,1 %) le sont toutefois un peu moins (en baisse de 4,1 % en 10 ans). Cette situation profite un peu aux catholiques allophones (en hausse de 0,9 %), qui ne représentent toujours que 12,3 % des catholiques de l'archidiocèse. La hausse de la proportion d'allophones au sein de l'archidiocèse (hausse de 4,7 % en 10 ans) semble plutôt s'être traduite par une hausse d'appartenance déclarée aux religions non chrétiennes (hausse de 10,3 % de 1991 à 2001). Les catholiques de langue maternelle anglaise

Graphique 4
Distribution de l'appartenance religieuse selon la langue maternelle, archidiocèse d'Ottawa, 2001

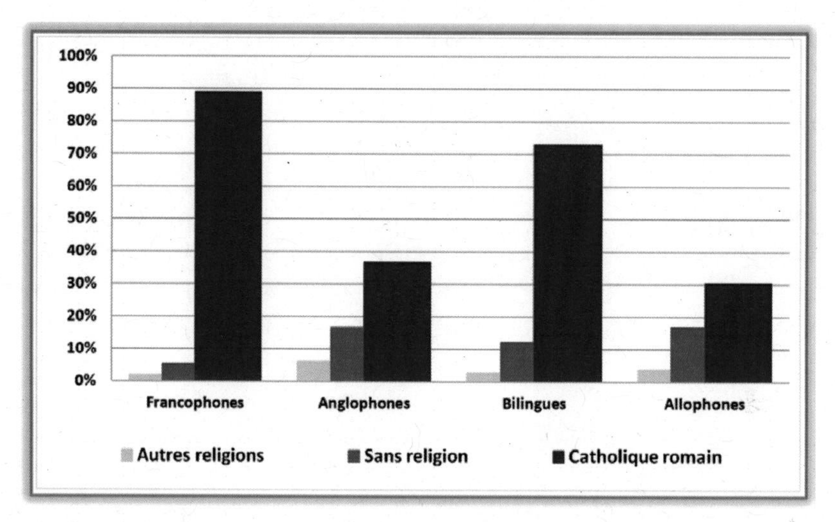

Source : *Recensement du Canada – 2001*. Fichier maître préparé pour diffusion dans le réseau des Centres de données de recherche du Canada, Statistique Canada, 2012. Calculs effectués par les auteurs.

ont connu une légère augmentation (2,3 % en 10 ans), et, plus largement, les anglophones qui se déclarent catholiques ont légèrement augmenté (hausse de 1,5 % de 1991 à 2001). Si l'ensemble de ces variations ne présente rien de spectaculaire, elles pourraient néanmoins témoigner d'une transformation fine et progressive de la polarité anglophone / francophone, polarité ayant traditionnellement marqué le diocèse d'Ottawa, comme l'ont bien illustré les travaux de Robert Choquette (2004).

Pour l'ensemble de l'archidiocèse, la variable de l'éducation, quant à elle, illustre une relation inversement proportionnelle entre le niveau de scolarité atteint et le taux d'appartenance religieuse. Plus on est instruit – surtout, plus le dernier diplôme obtenu est un diplôme universitaire élevé – moins on se déclare catholique et, inversement, plus on se déclare « sans religion ». L'intensité de cette relation varie très peu entre 1991 et 2001. Il s'agit ici d'une relation fréquemment observée dans la littérature de la sociologie des religions. À Ottawa comme ailleurs, l'analyse montre que cette relation transcende les possibles frontières linguistiques : francophones, anglophones et allophones sont tous affectés par l'impact de la scolarité. Les variations sont toutefois plus remarquables chez les anglophones et chez les allophones. Pour les anglophones, les variations parmi ceux qui se déclarent catholiques vont de 38,9 % chez les individus ne détenant aucun diplôme à 26,2 % chez ceux qui ont acquis un diplôme de 2e cycle ou plus en 2001. Toujours la même année, chez les allophones, l'écart entre ces deux extrêmes (aucun diplôme / diplôme 2e cycle ou plus) est de plus de 18 % et de 14,6 % lorsqu'il s'agit des « sans religion ». Si on peut apercevoir une variation de 9,8 % entre les non-diplômés et les plus diplômés dans la population de langue maternelle française de l'archidiocèse, reste néanmoins que plus de 82 % de ces derniers déclarent être catholiques et seulement 10,9% se déclarent « sans religion ». En 2001 toujours, ils étaient respectivement 21,6 % et 26,9 % des plus diplômés de la population de langue maternelle anglaise et de langue maternelle allophone de l'archidiocèse d'Ottawa à se dire « sans religion ».

Cette particularité des francophones de l'archidiocèse semble également se refléter dans la distribution du lieu d'habitation selon l'appartenance religieuse. En effet, par rapport aux autres populations catholiques du diocèse, les catholiques de langue maternelle française vivent davantage dans le monde rural – le prorata étant de 77,7 % en ville et de 22,3 % en milieu rural, alors que le prorata est de 87,8 % et de 12,2 % chez les catholiques anglophones et de 94 % et de 6 % chez les catholiques allophones en 2001. Cette tendance tendrait à se renforcer depuis 1991. Le caractère plus rural des francophones catholiques de l'archidiocèse d'Ottawa peut sans doute être partiellement attribuable à la géographie de l'archidiocèse même qui s'étend jusqu'à Hawkesbury Est, à l'est d'Ottawa, recouvrant ainsi les comtés majoritairement ruraux de Prescott et Russell, historiquement – et encore aujourd'hui – des bastions de la francophonie ontarienne. En effet, en 2009, environ 27,4 % des francophones de l'ensemble du diocèse d'Ottawa habitent ces comtés, où les francophones représentent respectivement 74,7 % et 62,7 % de la population totale (Office des affaires francophones, 2009)[11]. L'analyse des

[11] Pourcentages calculés à partir des données pour la ville d'Ottawa, le comté de Prescott et celui de Russell, les trois régions désignées francophones sur le territoire de l'archidiocèse d'Ottawa. Pour des raisons géo-statistiques, les francophones des subdivisions de recensement de Mississippi Mills, de Lanark Highlands et de Carleton Place à l'ouest d'Ottawa n'ont pas été inclus dans le calcul.

variables du lieu de naissance selon l'appartenance religieuse n'apporte pas de données très significatives, sauf peut-être le fait de rappeler que 50,8 % des personnes nées au Canada et vivant à Ottawa se déclaraient catholiques en 2001. Le catholicisme est donc, statistiquement parlant, la religion du majoritaire chez le majoritaire. Il est aussi intéressant de déterminer le palmarès des « sans religion » selon la langue maternelle et le lieu de naissance de l'ensemble des citoyens de l'archidiocèse. En 2001, les anglophones nés à l'extérieur du pays étaient bons premiers avec 19,4 % de « sans religion », suivis de près par les allophones nés à l'étranger (17,7 %), puis par les anglophones nés au Canada (16,5 %), et les allophones nés au Canada (14,4 %), enfin, par les francophones nés à l'étranger (12,2 %) et les francophones nés au pays avec seulement 4,9 % de « sans religion ». Encore ici, la majorité des francophones se distingue et semble étroitement lier francophonie et catholicisme, comme si l'un et l'autre devaient être soudés pour le maintien et la pérennité d'une identité distincte. Plusieurs sociologues, tel David Martin (1978), ont rencontré des phénomènes similaires dans d'autres pays, notamment chez ceux nationalement divisés, où le minoritaire se faisait un devoir de conserver une religion culturelle (même s'il pratiquait peu ou prou) afin de maintenir sa position sociopolitique et de profiter des institutions de l'Église pour renforcer ce que Raymond Breton nommait la complétude institutionnelle (1964).

Reste à évaluer si cette distinction francophone est visible lorsqu'elle est mise en relation avec l'âge. Dans maints travaux portant sur l'appartenance religieuse, cette variable est très souvent l'une des plus discriminantes étant donné ce que l'on nomme l'« effet d'âge », c'est-à-dire la prévalence chez les jeunes d'une distance affirmée par rapport à la religion, distance qui, dans la vieillesse, finirait par s'étioler au fur et à mesure que la mort devient inéluctable (Lambert, 1993). L'âge pourrait aussi être un facteur d'importance, en induisant une appartenance religieuse différenciée selon un effet de génération (Bibby, 2006; Meunier, 2007; Meunier, Laniel et Demers, 2010). L'effet d'âge ne joue pas en particulier chez les répondants de langue maternelle anglaise de l'archidiocèse d'Ottawa – du moins en ce qui a trait au catholicisme. Ce sont curieusement les plus jeunes (15 à 34 ans) qui se déclarent les plus catholiques; mais ce sont aussi les plus jeunes qui forment la majorité des « sans religion ». Cette situation prévalait en 1991, elle était toujours présente en 2001. Chez les allophones, la situation est inversée en ce qui a trait au catholicisme, les plus âgés se déclarant plus volontiers catholiques (et ce, dans une proportion atteignant près du double par rapport aux plus jeunes). En 2001, les jeunes allophones se déclarent, quant à eux, majoritairement membres d'une religion non chrétienne (et ce, dans une proportion touchant les 51 % chez les 15-25 ans, comparativement à 8,5 % chez les 65 à 74 ans). On constate ici la transformation de la provenance de l'immigration ontarienne depuis les années 1980. L'effet de génération joue un peu chez les francophones qui se déclarent catholiques, mais si peu : un écart d'à peine 6 % sépare les plus jeunes des plus âgés. Même chez les « sans religion », là où on retrouve habituellement une majorité de jeunes, il n'y avait en 2001 qu'un maigre 2 % qui séparait la jeune vingtaine du quarantenaire et 3 % du plus âgé. Ici encore, les francophones semblent demeurer unis au sein d'un même bloc catholique et même la variable de l'âge ne semble pas les en séparer. Cette situation était similaire en 1991.

Conclusion

En règle générale, le catholicisme de l'archidiocèse d'Ottawa se porte bien. En utilisant un vocabulaire propre à une approche économiciste, on pourrait dire qu'il prend des parts de marché aux Églises protestantes *mainlines* qui, quant à elles, semblent poursuivre leur lent et progressif déclin. Le catholicisme de l'archidiocèse d'Ottawa s'anglicise cependant – possiblement à partir de transferts linguistiques du français vers l'anglais, mais cela est très difficile à déterminer avec exactitude (Castonguay, 2002, 2005). Il se diversifie également de plus en plus, à la fois sur le plan linguistique et sur le plan ethnoculturel. Le régime de religiosité[12] des deux solitudes (française/anglaise) à l'intérieur du catholicisme, régime qui a prévalu pendant tant d'années, semble peu à peu tirer à sa fin. C'est ce qu'implique l'anglicisation progressive du catholicisme à Ottawa. Si, pour lors, les francophones de l'archidiocèse semblent toujours montrer une forte cohésion autour de leur appartenance commune au

---

[12] « On entend ici par régime de religiosité la configuration dominante du religieux et de l'exercice des religions instituées au sein d'un type de société donné et dans lequel pratiques et croyances se manifestent dans une distance plus ou moins accentuée avec l'État, avec les autres institutions de la société civile et avec les finalités de la société. Tout type de société reposant sur un régime de religiosité et vice et versa » (Meunier et Wilkins-Laflamme, 2011 : 687).

catholicisme, nul ne peut dire ce que la minorisation des francophones au sein du catholicisme ottavien apportera comme changement. S'il n'en tient qu'à l'évolution récente de la fréquentation hebdomadaire à la messe dominicale en Ontario, qui a progressivement chuté jusqu'à 23,1 % chez les francophones catholiques en 2009[13], force est de constater une modification du régime de religiosité, d'ethnoculturel qu'il était à une simple religion culturelle de moins en moins attachée à la pratique religieuse. Devenu maintenant identitaire, qui sait si le catholicisme d'Ottawa ne connaîtra pas le sort réservé au catholicisme québécois ; qui sait si, au contraire, après un moment de baisse, le petit nombre de catholiques francophones ne renouera pas avec la pratique religieuse, comme cela semble le cas actuellement dans l'Ouest (Meunier et Wilkins-Laflamme, 2011) ? C'est à suivre…

BIBLIOGRAPHIE

Bibby, Reginald W. (2006). *The Boomer Factor: What Canada's Most Famous Generation is Leaving Behind*, Toronto, Bastion Books.

Breton, Raymond (1964). « Institutional Completeness of Ethnic Communities and Personal Relations of Immigrants », *American Journal of Sociology*, vol. 70, n° 2 (septembre), p. 193-205.

Castonguay, Charles (2002). « Le fiasco de la politique linguistique canadienne dans la région d'Ottawa-Hull », *Policy Options = Options politiques*, vol. 23, n° 8 (novembre), p. 46-52.

Castonguay, Charles (2005). « La cassure linguistique et identitaire du Canada français », *Recherches sociographiques*, vol. 46, n° 3 (septembre-décembre), p. 473-494.

Choquette, Robert (1977). *Langue et religion : histoire des conflits anglais-français en Ontario*, Ottawa, Éditions de l'Université d'Ottawa.

Choquette, Robert (1987). *La foi gardienne de la langue en Ontario, 1900-1950*, Montréal, Bellarmin.

Choquette, Robert (1998). « Aperçu historique », dans Pierre Hurtubise, Mark Gowan et Pierre Savard (dir.), *Planté près du cours des eaux : le diocèse d'Ottawa : 1847-1997*, Ottawa, Novalis, p. 11-39.

[13] Statistique Canada, *Enquête sociale générale de 2009*, fichier de microdonnées à grande diffusion.

CHOQUETTE, Robert (2004). *Canada's Religions: An Historical Introduction*, Ottawa, Les Presses de l'Université d'Ottawa.

JUTEAU, Danielle (1999). *L'ethnicité et ses frontières*, Montréal, Les Presses de l'Université de Montréal.

LAMBERT, Yves (1993). « Âges, générations et christianisme en France et en Europe », *Revue française de sociologie*, vol. 34, n° 4 (octobre-décembre), p. 525-555.

LEMIEUX, Raymond (1996). « Le dynamisme religieux des cultures francophones : ouverture ou repli ? », dans Brigitte Caulier (dir.), *Religion, sécularisation, modernité : les expériences francophones en Amérique du Nord*, Québec, Les Presses de l'Université Laval, p. 1-32.

MARTIN, David (1978). *A General Theory of Secularization*, Londres, Blackwell.

MEUNIER, E.-Martin (2007). « Générations et catholicisme au Québec : quand l'esprit boomers n'a plus d'âge », dans François Gauthier et Jean-Philippe Perreault (dir.), *Jeunes et religion au Québec*, Québec, Les Presses de l'Université Laval, p. 43-60.

MEUNIER, E.-Martin, Jean-François LANIEL et Jean-Christophe DEMERS (2010). « Permanence et recomposition de la "religion culturelle" : aperçu socio-historique du catholicisme québécois (1970-2005) », dans Robert Mager et Serge Cantin (dir.), *Modernité et religion au Québec : où en sommes-nous ?*, Québec, Les Presses de l'Université Laval, p. 79-128.

MEUNIER, E.-Martin, et Sarah WILKINS-LAFLAMME (2011). « Sécularisation, catholicisme et transformation du régime de religiosité au Québec : étude comparative avec le catholicisme au Canada (1968-2007) », *Recherches sociographiques*, vol. 52, n° 3 (septembre-décembre), p. 683-729.

MEUNIER, E.-Martin, Sarah WILKINS-LAFLAMME et Véronique GRENIER (2012). « La langue gardienne de la religion / La religion gardienne de la langue ? Note sur la permanence et la recomposition du catholicisme au Québec et dans la francophonie canadienne : aperçu des principaux indicateurs de vitalité religieuse », inédit.

OFFICE DES AFFAIRES FRANCOPHONES (2009). *Régions désignées : carte de l'Ontario*, Gouvernement de l'Ontario, [En ligne], [http://www.ontario.ca/fr/communities/francophones/profile/ONT05_024305.html] (29 octobre 2012).

STATISTIQUE CANADA (2012a). *Enquête sur la diversité ethnique (Canada 2002)*, Ottawa.

STATISTIQUE CANADA (2012b). *Ottawa, Ontario (Code 3506008) et Ontario (Code 35) (tableau) : profil du recensement, Recensement de 2011*, produit n° 98-316-XWF, catalogue de Statistique Canada, Ottawa, [En ligne], [http://www12.statcan.gc.ca/census-recensement/2011/dp-pd/prof/index.cfm?Lang=F] (19 novembre 2012).

STATISTIQUE CANADA (2012c). « Recensement de la population de 2011 : caractéristiques linguistiques des Canadiens », produit n° 11-001-X, catalogue de Statistique Canada.

STATISTIQUE CANADA (2012d). *Tableau CANSIM 051-0004 : composantes de l'accroissement démographique, Canada, provinces et territoires*, Ottawa.

St-Pierre, Guillaume (2011). « Le rideau tombe sur l'église Sainte-Anne », *Le Droit*, 8 août, [En ligne], [http://www.lapresse.ca/le-droit/actualites/ville-de-gatineau/201108/07/01-4424203-le-rideau-tombe-sur-leglise-sainte-anne.php] (1er novembre 2011).

Thériault, Joseph Yvon, et E.-Martin Meunier (2008). « Que reste-t-il de l'intention du Canada français ? », dans Joseph Yvon Thériault, Anne Gilbert et Linda Cardinal (dir.), *L'espace francophone en milieu minoritaire au Canada : nouveaux enjeux, nouvelles mobilisations*, Montréal, Éditions Fides, p. 205-238.

Wilkins-Laflamme, Sarah (2010). *Les Églises unie, anglicane et catholique et la communauté anglo-québécoise : portrait et enjeux contemporains*, thèse de maîtrise, Département de sociologie et d'anthropologie, Université d'Ottawa.

La représentation politique des francophones d'Ottawa : la situation des élus francophones au conseil municipal, 2000-2010

Linda Cardinal et Anne Mévellec
Université d'Ottawa

Au Canada, la question de la représentation des francophones dans les institutions politiques se pose à chaque palier de gouvernement. Dans le cadre de cet article, notre ambition est de définir la place qu'occupent les francophones au sein du conseil municipal d'Ottawa. Deux séries d'éléments seront mises en lien : les facteurs démo-géographiques et les facteurs politiques. D'abord en ce qui a trait aux premiers, l'élection de francophones au conseil municipal permet d'influencer la politique municipale puisque ces derniers peuvent mettre de l'avant des enjeux liés à la francophonie. Ce faisant, ces représentants deviennent des modèles sociaux pour les membres de leur communauté. Ensuite, en ce qui concerne les facteurs politiques, la question de la prime au candidat sortant, c'est-à-dire la réélection des mêmes élus dans les mêmes postes grâce à l'acquisition de ressources politiques lors de l'exercice des premiers mandats (Le Bart, 2003), nous semble aussi contribuer à la présence ou à l'absence d'élus francophones à la Ville d'Ottawa.

Au préalable, nous établirons un état des lieux de la recherche sur les minorités francophones hors Québec et la question de la représentation politique ainsi que sur celle de la sociologie politique des élus. Ces deux enjeux méritent d'être mis en rapport, car ils sont les plus pertinents dans le contexte de cette étude. Ensuite, nous présenterons quelques données sur la situation démographique des francophones à Ottawa. Cette mise en contexte servira à préciser l'effet des facteurs démo-géographiques sur l'organisation de la vie politique municipale. Finalement, nous proposerons quelques tableaux donnant un aperçu de la situation des élus francophones au conseil municipal d'Ottawa au cours des dix dernières années, selon leur visibilité ou leur présence dans l'organisation du pouvoir local. Suivra une analyse de la question de la prime au candidat sortant et de son incidence sur la représentation des élus francophones à la Ville d'Ottawa.

La recherche sur les minorités francophones hors Québec, la question de la représentation politique et la sociologie politique des élus : un état des lieux

Influencée par la théorie politique, depuis les années 1990, au Canada comme ailleurs dans le monde, la recherche sur les enjeux identitaires a beaucoup porté sur les principes favorables à la reconnaissance juridique et politique des minorités nationales et ethnoculturelles (Cardinal et Gonzáles Hidalgo, 2012). L'analyse a, notamment, été consacrée à justifier et à évaluer les politiques de type identitaire au sein des États. Au Canada, la réflexion sur ces questions a surtout porté sur la reconnaissance du bien-fondé des revendications du Québec et de sa *Charte de la langue française* (loi 101) ainsi que sur celles des groupes favorables au multiculturalisme (Kymlicka, 2003). Sauf exception, les minorités francophones hors Québec ont été laissées en plan dans ces débats.

Parmi ceux qui ont tenté de pallier cette difficulté, Johanne Poirier (2008) a proposé de situer les minorités francophones sur un spectre (*continuum*) entre les minorités nationales et ethnoculturelles. Parmi les mesures présentées pour répondre à leurs préoccupations, elle envisage d'utiliser le droit institutionnel afin de renforcer la territorialité de ces communautés minoritaires à l'instar des mesures utilisées à l'endroit des communautés autochtones. De façon complémentaire, Linda Cardinal et Eloísa Gonzáles Hidalgo (2012) ont proposé de combler le manque de reconnaissance des minorités, tels les francophones hors Québec, par l'octroi d'un droit à la complétude institutionnelle qui leur garantirait un certain pouvoir dans ce domaine. En plus des écoles et des conseils scolaires dont elles ont déjà la direction, les minorités francophones pourraient aussi se faire octroyer des pouvoirs dans les domaines de l'économie, de la santé, des services sociaux ou de la justice. Rodrigue Landry, Éric Forgues et Christophe Traisnel (2010), pour leur part, s'interrogent sur la possibilité d'accorder le droit à l'autonomie culturelle. Finalement, Rémi Léger (2012) associe la *Loi sur les langues officielles* à une politique de reconnaissance des minorités francophones.

Peu d'études ont repris les intuitions du débat normatif afin d'analyser les enjeux très réels que vivent les minorités francophones dans le domaine de la représentation politique. Mentionnons la thèse de Maxine Léger-Haskell (2009) portant sur l'opposition des francophones de la circonscription d'Acadie-Bathurst au Nouveau-Brunswick au redécoupage de la carte électorale canadienne en 2002 et en 2003. Les francophones de cette circonscription reprochaient à Élections Canada de ne pas avoir pris en compte leur situation particulière au moment de revoir la *Loi sur la révision des limites des circonscriptions électorales* à l'époque. Rappelons qu'Élections Canada a l'obligation de consulter les minorités francophones dans ses activités, ce que l'agence fédérale n'a pas fait au moment de la révision. Les francophones d'Acadie-Bathurst ont porté leur cause devant les tribunaux, et les juges leur ont donné raison. Ces derniers ont reconnu que la circonscription d'Acadie-Bathurst constituait une communauté d'intérêts et que la révision de la carte électorale mettait en péril cette dernière. En reprenant l'argument des tribunaux pour l'inscrire dans le contexte des débats normatifs sur la représentation politique, Léger-Haskell a proposé que le principe selon lequel la population francophone constitue une communauté d'intérêts guide les pouvoirs publics lorsqu'ils traitent des questions électorales au sein des milieux minoritaires.

Comme le souligne également Léger-Haskell, le Canada ne régit pas la représentation politique selon le principe classique qui veut qu'« une personne représente un vote ». Au contraire, au cours de son histoire, la question de la représentation politique au Canada a été subordonnée à des exigences d'équité[1]. Les enjeux qui ont mobilisé la population d'Acadie-Bathurst ne sont donc pas en porte-à-faux avec une certaine exigence d'équité qui doit guider la représentation politique au Canada. À titre d'exemple, par le passé, les gouvernements des provinces maritimes ont pris en compte la question de la représentation des Acadiens. L'Île-du-Prince-Édouard, comme la Nouvelle-Écosse jusqu'en 2012, avait consenti à des arrangements informels qui permettaient de protéger des circonscriptions acadiennes en garantissant une représentation à la minorité acadienne aux assemblées législatives[2]. Ainsi, malgré la faiblesse du poids électoral

[1] Or la modification du nombre de sièges destinés aux représentants de certaines provinces à la Chambre des communes semble indiquer que le gouvernement canadien est peut-être en voie de rompre avec cette tradition.

[2] Le gouvernement de la Nouvelle-Écosse a décidé de remettre en question le compromis en 2012. L'histoire est à suivre. En Ontario, la représentation politique de

des Acadiens dans ces provinces, ces derniers bénéficient d'une certaine représentation garantie dans des circonscriptions clés. Or la faiblesse de la représentation des élus francophones hors Québec au Parlement canadien n'est compensée par aucune mesure, même informelle, qui leur serait favorable (Cardinal, 2008). En Ontario, Martin Joyal (2004), dans la première étude longitudinale sur le sujet, a constaté qu'il existe quelques rares circonscriptions potentiellement franco-ontariennes dans le sud-est de la province ; mais il y a loin de la coupe aux lèvres pour ce qui est de l'influence des Franco-Ontariens sur le plan électoral.

Étant donné la popularité des débats sur la reconnaissance des minorités, au Canada comme ailleurs dans le monde, il est étonnant de constater le peu d'intérêt des chercheurs pour la question de la représentation politique des minorités francophones – compte tenu aussi de son importance pour la réflexion sur les principes normatifs devant guider la représentation de leurs intérêts au sein des institutions politiques canadiennes. Le cas des minorités francophones oblige pourtant à revenir sur la notion de communauté d'intérêts comme sur l'idéal d'équité au cœur de la Constitution canadienne. Ces thèmes sont d'une portée générale inspirante dans le contexte des débats sur la représentation politique.

En revanche, il existe un grand intérêt, même sur le plan international, pour la recherche descriptive portant sur les aspects démographiques, linguistiques, sociologiques, culturels et géolinguistiques des minorités francophones. De nombreux portraits des pratiques de communalisation en milieu minoritaire ont été effectués par les chercheurs, et ce, dans des domaines aussi variés que l'éducation, la gouvernance, l'immigration, la santé, l'économie, la culture (Thériault, Gilbert et Cardinal, 2008). Ces portraits servent, notamment, à préciser l'effet du territoire sur les milieux minoritaires – entre autres, dans un contexte où la référence à l'histoire est de plus en plus remise en question comme condition de reconnaissance. Or Anne Gilbert (2010) a montré que la concentration des francophones dans certaines communautés, comme Hearst ou Alexandria en Ontario, continue d'être un atout indéniable pour le renforcement du français. Le capital communautaire et institutionnel au sein de ces milieux se

---

la minorité francophone ne semble pas constituer un enjeu majeur. Au niveau fédéral, les modifications à la carte électorale afin d'ajouter dix circonscriptions à la Chambre des communes en vue des élections de 2015 devraient susciter l'intérêt des groupes francophones étant donné leur minorisation constante sur l'échiquier politique.

développe toujours sur un territoire donné et constitue une condition favorable à leur vitalité.

Comme l'ont montré Cardinal et ses collaborateurs (2010) pour l'Ontario et Forgues et St-Onge (2011) pour le Nouveau-Brunswick, les groupes francophones sont confrontés à des limites importantes dans leurs milieux. En plus de manquer de financement, ils ont du mal à se renouveler et à favoriser l'engagement de leurs membres, en particulier en Ontario. Par surcroît, Forgues et Traisnel (2012), dans une étude sur l'engagement des francophones en milieu minoritaire, ont révélé que seulement 30 % des francophones connaissent l'existence de groupes de défense du français.

Gilbert (2010) affirme aussi que les francophones tirent peu avantage de leurs concentrations géographiques et de leur capital communautaire pour intervenir localement. À titre d'exemple, les communautés francophones majoritaires, comme celle de Hearst où la vie se déroule en français, font peu de cas de leur identité. Non seulement les francophones y consomment peu de produits culturels en français, mais la langue d'affichage y est majoritairement l'anglais (Gilbert, 2010 : 279). À Pembroke, ce sont les tensions dans certaines communautés entre les représentants des conseils catholiques et des conseils publics qui constituent une entrave au développement du milieu (2010 : 281). Finalement, Gilbert constate l'absence, sur le plan local, d'un projet visant à établir un espace francophone. La communauté francophone y a choisi de privilégier une politique de bonne entente avec le groupe majoritaire (voir aussi Heller et Labrie, 2004). Selon ces travaux, il y a lieu d'être inquiet pour l'avenir de la francophonie ontarienne si elle ne peut plus trouver l'énergie pour s'affirmer et renouer avec son développement, notamment à l'échelle locale.

Force est pourtant de reconnaître que les francophones de l'Ontario ont été mobilisés de façon récurrente depuis les années 1980. À titre d'exemple, depuis les débats en vue de l'adoption de la *Loi sur les services en français* en 1986, le milieu francophone a eu à faire face à la fronde de plus d'une centaine de municipalités réfractaires à l'offre de services en français dans leur localité. Le gouvernement ontarien a dû reculer devant le lobby municipal et soustraire les villes à l'application de la nouvelle législation. Le débat a toutefois conduit à la fondation de l'Association française des municipalités de l'Ontario, dont l'action n'a cessé de rallier les francophones depuis cette époque. Mentionnons ensuite la lutte des francophones, vers la fin des années 1990, en vue de maintenir ouvert l'hôpital Montfort à Ottawa. Cette lutte a contribué au renforcement du principe selon lequel les francophones doivent pouvoir développer et gérer des institutions qui leur sont propres. Enfin, à Ottawa, le débat sur le bilinguisme de la Ville, dans le contexte de la fusion municipale en 2001, a aussi provoqué de vives tensions entre les francophones et les anglophones qui considèrent que l'offre de services en français constitue une forme de discrimination envers les anglophones. Ce même débat s'est poursuivi par la suite dans les comtés unis de Prescott et Russell, au conseil municipal de Clarence-Rockland. Il faisait encore rage à Cornwall en 2012 dans le contexte de la désignation de l'hôpital de la ville en vertu de la *Loi sur les services en français*. Or, dans chaque cas, les francophones se sont mobilisés, se sont affirmés et ont continué à défendre leurs droits, même devant les tribunaux.

Bref, malgré les données existantes sur les difficultés du milieu communautaire, il n'est guère possible de voir dans la vie politique des francophones depuis les années 1980 une politique de bonne entente et la fin d'un projet d'affirmation. Le débat sur l'effet du territoire et du capital communautaire sur la capacité de développement de la francophonie est loin d'être terminé. Plusieurs travaux sur la francophonie minoritaire dans le domaine municipal montrent que plus les Villes investissent dans les services aux citoyens, plus ces investissements pourront avoir une incidence sur les minorités linguistiques. Ainsi, devant l'importance que prend la question de l'immigration francophone en milieu minoritaire, les études soulignent l'importance des structures d'accueil et d'intégration des immigrants dans les villes (Andrew, 2008 ; Gallant, Roy et Belkhodja, 2006-2007 ; Belkhodja, 2005, 2006, 2009 ; Belkhodja et Beaudry, 2008 ; Block, 2006). Bien que ces travaux soient descriptifs, sauf exception, ils permettent aussi de déterminer les meilleures pratiques ou les défis sur le terrain. À titre d'exemple, Gilbert et Veronis (2010), qui ont étudié l'expérience géographique des immigrants francophones d'Afrique centrale dans la région d'Ottawa et de Gatineau, ont observé les différences qui existent entre vivre dans un milieu majoritaire francophone et minoritaire francophone de part et d'autre de la frontière du Québec et de l'Ontario. Un des rares textes traitant de la situation des personnes âgées dans la région d'Ottawa, paru en 1996, a porté sur le Centre de jour pour les aînés francophones d'Ottawa-Carleton. Les auteurs y ont montré que ce centre jouait un rôle nécessaire dans l'amélioration de la qualité de vie des aînés (Gravelle et Denis-Ménard, 1996 : 126). Ajoutons qu'une autre étude aux conclusions semblables a porté sur la langue de l'administration municipale dans les villes canadiennes (Tossutti, 2009).

Malgré l'intérêt que suscite la dimension locale dans les travaux plus descriptifs sur les minorités francophones, il faut reconnaître que ceux-ci ne sont pas légion. Il en est de même pour les recherches portant, de façon générale, sur la sociologie politique des élus, notamment au palier municipal (Bourgeois, 2005, 2011, 2012). Notons néanmoins deux choses : d'un côté, l'on constate généralement une forte stabilité des élus municipaux, très majoritairement réélus lorsqu'ils se représentent à une nouvelle élection; de l'autre, comme nous l'avons déjà mentionné plus haut, en Ontario, comme au Nouveau-Brunswick, les organismes communautaires francophones sont dirigés par un petit groupe de personnes qui se renouvelle peu. Dans ce contexte général, quelle est la situation des francophones au sein du conseil municipal d'Ottawa? Si les élus au pouvoir cumulent les mandats, comment accèdent-ils au premier mandat? La prime au candidat sortant, en participant à une certaine confiscation du pouvoir peu favorable à la démocratie représentative (Mévellec, 2011), favorise-t-elle la concentration des leviers d'action dans les mains de quelques francophones? Finalement, à Ottawa, quel est l'effet de la prime au candidat sortant sur la capacité des élus de faire avancer le développement des services en français?

Ces questions témoignent de l'importance de prendre en compte le rôle des élus dans la réflexion sur la vitalité communautaire et dans le débat plus large sur la représentation politique des minorités francophones. Ces personnes sont au carrefour de multiples débats pour lesquels il existe un manque important de données. Les élus locaux peuvent jouer des rôles insoupçonnés qui permettent de jeter un nouvel éclairage sur des enjeux aussi importants que le pouvoir réel des francophones dans leurs milieux respectifs, leur capacité à influencer les politiques qui les touchent de près. Le cas d'Ottawa est d'autant plus intéressant que c'est aussi la capitale du pays et que, pour cette raison du moins, les citoyens peuvent s'attendre raisonnablement à une représentation équitable du français et de l'anglais dans la vie quotidienne.

La francophonie d'Ottawa[3]

Les frontières municipales d'Ottawa ont été profondément modifiées au moment de la fusion qui a réuni onze municipalités en 2001. Cette fusion a touché les villes de Gloucester, Kanata, Nepean, Ottawa, Vanier, Cumberland, Goulbourn, Osgoode, Rideau, West Carleton et Rockcliffe Park. Conséquence de cette fusion, la municipalité régionale d'Ottawa-Carleton a également été supprimée. Cette réorganisation territoriale des municipalités, instaurée sous le gouvernement Harris, a été relativement peu étudiée dans le cas d'Ottawa (Andrew, 2006; Rosenfeld et Reese, 2003). Pourtant, la question du français a été au cœur du processus de transition vers la nouvelle grande ville. D'une part, la question du statut bilingue de la ville a été longuement débattue (Andrew, 2006). D'autre part, la municipalité de Vanier, qui a toujours été associée à la francophonie, se trouvait incorporée dans la nouvelle ville, pour ne constituer qu'un quartier parmi d'autres. Parallèlement, Orléans, un autre quartier francophone s'étalant auparavant sur les territoires des municipalités de Gloucester et Cumberland, est désormais considéré comme un district électoral de la nouvelle ville.

En 2006, il existait 23 quartiers à Ottawa. Les données sur la langue d'usage selon les quartiers, préparées par la Ville, révèlent que les francophones constituaient 15,3 % de la population – on ne tient toutefois pas compte dans ce pourcentage du critère de la langue maternelle. Les données contiennent aussi la variable « langues non officielles », qui peut inclure des personnes dont la première langue officielle parlée est le français. Les calculs de la Ville ne permettent pas de répartir les personnes de langues non officielles en fonction de la variable « première langue officielle parlée ». Ce genre de calculs pourrait donner lieu à des données plus précises et plus conformes à la réalité canadienne, étant donné que les populations de langues non officielles ont généralement tendance à s'intégrer soit à l'anglais, soit au français.

---

[3] En 1969, le gouvernement canadien adoptait la *Loi sur les langues officielles*. Depuis cette époque, la communauté francophone d'Ottawa s'est dotée d'un réseau d'institutions et d'organismes communautaires actifs dans une foule de domaines. Enfin, en 2001, la Ville d'Ottawa adoptait une *Politique de bilinguisme* qui reconnaissait l'égalité des francophones et des anglophones, le droit des résidents et des employés de travailler dans la langue officielle de leur choix et de recevoir des services en français ou en anglais.

Les données sur les langues d'usage à Ottawa permettent de définir quatre types de quartiers : populeux, francophones, linguistiquement variés et anglophones. Notre analyse portera plus précisément sur la présence francophone dans ces quartiers.

Tableau 1
Les quartiers de la ville d'Ottawa selon la langue d'usage, en 2006

Quartiers	Population totale	Français		Anglais		Langues non officielles	
		Nbre	%	Nbre	%	Nbre	%
1. **Orléans**	46 000	13 795	30,0%	27 870	60,6%	4 335	9,4%
2. **Innes**	37 820	12 035	31,8%	21 285	56,3%	4 505	11,9%
3. Barrhaven	36 815	2 205	6,0%	27 835	75,6%	6 775	18,4%
4. Kanata Nord	26 510	1 535	5,8%	17 560	66,2%	7 420	28,0%
5. West Carleton-March	21 455	1 240	5,8%	18 940	88,3%	1 275	5,9%
6. Stittsville-Kanata Ouest	19 410	1 205	6,2%	16 815	86,6%	1 395	7,2%
7. Baie	43 995	3 800	8,6%	28 490	64,8%	11 700	26,6%
8. Collège	50 350	3 305	6,6%	37 550	74,6%	9 485	18,8%
9. Knoxdale-Merivale	38 070	2 395	6,3%	26 400	69,4%	9 270	24,4%
10. **Gloucester-Southgate**	44 380	5 310	12,0%	26 905	60,6%	12 170	27,4%
11. **Beacon Hill-Cyrville**	32 235	8 810	27,3%	16 870	52,3%	6 550	20,3%
12. **Rideau-Vanier**	39 360	13 680	34,7%	19 625	49,9%	6 060	15,4%
13. **Rideau-Rockliffe**	37 280	11 740	31,5%	18 730	50,2%	6 815	18,3%
14. **Somerset**	33 515	4 375	13,1%	21 375	63,8%	7 760	23,1%
15. Kitchissippi	36 105	3 370	9,3%	27 575	76,4%	5 160	14,3%
16. Rivière	44 885	4 220	9,4%	27 825	62,0%	12 835	28,6%
17. **Capitale**	33 755	3 700	11,0%	24 105	71,4%	5 950	17,6%
18. **Alta Vista**	43 185	7 015	16,2%	24 735	57,3%	11 430	26,5%
19. **Cumberland**	33 405	12 435	37,2%	17 670	52,9%	3 300	9,9%
20. Osgoode	22 695	2 010	8,9%	19 020	83,8%	1 660	7,3%
21. Rideau-Goulbourn	23 535	1 135	4,8%	21 105	89,7%	1 295	5,5%
22. Gloucester-Nepean Sud	26 895	1 975	7,3%	18 310	68,1%	6 616	24,6%
23. Kanata Sud	40 480	2 640	6,5%	30 610	75,6%	7 235	17,9%
OTTAWA	**812 135**	**123 925**	15,3%	**537 165**	66,1%	**151 010**	18,6%

Source : Ville d'Ottawa, Recensement de 2006 : quartiers municipaux d'Ottawa, Statistiques, [En ligne], [http://www.ottawa.ca/residents/statistics/census/wards/index_fr.html].

Remarque : Les données qui figurent dans ce tableau ont été reproduites telles que présentées dans le recensement de 2006.

Les quartiers populeux

Les quartiers les plus importants en nombre à Ottawa (en bleu, dans le tableau 1) sont ceux de Collège (50 350 personnes, dont 6,6 % de francophones), Orléans (46 000 personnes, dont 30 % de francophones), Gloucester-Southgate (44 380 personnes, dont 12 % de francophones), Rivière (44 885 personnes, dont 9,4 % de francophones), Baie (43 995 personnes, dont 8,6 % de francophones), Alta Vista (43 185 personnes, dont 16,2 % de francophones) et Kanata Sud (40 480 personnes, dont 6,5 % de francophones). Ainsi à l'exception d'Orléans, la présence francophone dans ces quartiers n'est pas significative.

Les quartiers francophones

Les francophones vivent dans deux types de quartiers, ceux qui comprennent 30 % et plus de population francophone et ceux qui en comptent entre 10 % et 29 % (en jaune, dans le tableau 1). Aucun quartier d'Ottawa ne comprend une majorité de francophones.

En revanche, cinq quartiers comptent 30 % et plus de francophones. Au premier rang, Cumberland compte 37,2 % de francophones, suivi de 34,7 % dans le quartier Rideau-Vanier, 31,8 % dans Innes, 31,5 % dans Rideau-Rockliffe et 30 % dans Orléans. Parmi les quartiers qui comprennent entre 10 % et 29,9 % de francophones, celui de Beacon Hill-Cyrville compte 27,3 % de francophones, suivi de 13,1 % dans Somerset, 16,2 % dans Alta Vista, 12 % dans Gloucester-Southgate et 11 % dans Capitale. En tout, ce sont 10 quartiers qui comprennent un pourcentage de 10 % et plus de francophones. Les autres quartiers comptent 10 % et moins de francophones.

Les quartiers mixtes sur le plan de la langue

Les personnes de langues non officielles constituent 18,6 % de la population d'Ottawa (en gris, dans le tableau 1). Dans neuf quartiers, les personnes de langues non officielles représentent entre 20 % et 30 % de la population de la ville. Ces quartiers sont celui de Rivière (28,6 %, comparativement à 9,4 % de francophones), suivi de Kanata Nord (28 %, comparativement à 5,8 % de francophones), Gloucester-Southgate (27,4 %, comparativement à 12 % de francophones), Baie (26,6 %, comparativement à 8,6 % de francophones), Alta Vista (26,5 %, comparativement à 16,2 % de francophones), Knoxdale-Merivale (24,4 %, comparativement à 6,3 % de francophones), Somerset (23,1 %, comparativement à 13,1 % de francophones) et Beacon Hill-Cyrville (20,3 %, comparativement à 27,3 % de francophones).

Les quartiers anglophones

Si les anglophones sont majoritaires dans la plupart des quartiers, ils sont néanmoins concentrés dans sept quartiers, soit Rideau-Goulbourn (89,7 %), West Carleton-March (88,3 %), Stittsville-Kanata Ouest (86,6 %), Osgoode (83,8 %), Kitchissippi (76,4 %), Barrhaven et Kanata Sud (75,6 %) (en vert, dans le tableau 1). Ainsi, les anglophones représentent 75 % et plus de la population dans ces quartiers. Ce sont les quartiers les plus homogènes de la ville. Toutefois, la population anglophone est légèrement sous la barre des 50 % dans le quartier Rideau-Vanier. Elle s'élève à 50,2 % dans le quartier Rideau-Rockcliffe, 52,3 % dans Beacon Hill-Cyrville et 52,9 % dans Cumberland.

Bilan

En 2006, les francophones n'ont donc pas de quartiers à eux, alors que dans les années 1980 ils étaient très nombreux à Vanier. Or cette ville ne faisait pas partie d'Ottawa à l'époque. Orléans représente un autre quartier historique. Depuis la fusion des différentes municipalités, les francophones sont minoritaires partout, malgré des secteurs où ils ont un poids démographique plus important, comme à Orléans. Dans ces quartiers, un habitant sur trois est francophone.

Nous constatons aussi que les quartiers où les personnes de langues non officielles sont les plus présentes comprennent souvent de petites proportions de francophones, sauf à Beacon Hill-Cyrville où ces derniers représentent 27,3 % de la population. Ce quartier est aussi le plus diversifié en ce qui a trait aux langues officielles et non officielles. Pour leur part, les anglophones occupent l'ensemble du territoire, mais ils sont un peu moins de 50 % dans le quartier Rideau-Vanier.

Ces données laissent entrevoir une occupation de l'espace urbain qui varie selon la langue. Cette occupation particulière de l'espace se répercute-t-elle sur les élus au conseil municipal ? En d'autres termes, les quartiers où l'on trouve des concentrations plus importantes de francophones sont-ils susceptibles d'élire plus souvent des francophones au conseil municipal d'Ottawa ?

Les élus à la Ville d'Ottawa depuis 1980

Afin d'être en mesure d'analyser plus en détail la représentation des francophones à la Ville d'Ottawa, il nous semble important de rappeler quelques éléments de base concernant les élections municipales. Premièrement, comme l'indique David Siegel (2009), même s'il n'existe pas de données pour l'ensemble de l'Ontario, le taux de participation aux élections municipales reste relativement bas, soit autour de 30 %. Il était néanmoins de 44 % lors du scrutin de 2010 à Ottawa[4]. Les données disponibles ne permettent pas de répartir le taux de participation entre les communautés francophones et anglophones. Les taux de participation dans les dix quartiers plus francophones ne révèlent pas de tendance spécifique par rapport à l'ensemble[5].

Deuxièmement, l'évolution du nombre de candidatures aux postes de maire et de conseillers municipaux montre que ces mandats locaux exercent un certain attrait et sont relativement valorisés. En effet, les années 2000 en particulier ont vu croître substantiellement le nombre de candidats à chacun de ces postes. À la mairie, on comptait neuf candidats en 2000 et 21 en 2010. On est également passé de 55 à 65 candidats qui souhaitaient pourvoir les 20 postes de conseillers disponibles de 2000 à 2003, puis de 79 à 110 candidats à l'élection des 23 postes de conseillers en 2006 et 2010. De plus, si en 2000 et 2003, on comptait deux conseillers élus par acclamation, ce n'est plus le cas dans les élections suivantes. L'augmentation des candidatures va de pair, selon nous, avec un intérêt accru à l'égard de l'administration municipale.

Les données dont nous disposons pour étudier le cas des élus francophones depuis les années 1980 proviennent des archives de la Ville d'Ottawa. Si ces données sont accessibles, elles n'avaient pas été traitées jusqu'à maintenant en fonction de la langue. Ce pari s'est d'ailleurs révélé difficile à relever puisque nous n'avons pu procéder à l'identification objective des élus. En revanche, en adoptant une stratégie « réputationnelle[6] »,

[4] Ville d'Ottawa (s. d.). « Participation au scrutin 2010 », [En ligne] [http://ottawa.ca/fr/city_hall/elections/elections2010/turnout/index.html] (17 février 2012).

[5] Les taux de participation y oscillent entre 42 % et 45 %, exception faite de Rideau-Vanier où il s'élève à 39 % et de Capital où il atteint 52 %.

[6] Nous empruntons cette terminologie à Floyd Hunter dans les travaux qu'il a menés sur le pouvoir local (1952). Contrairement à une approche positionnelle qui s'en

il a été possible de répartir les élus dans trois catégories :

- les *francophones* dont la langue maternelle est le français ;
- les *francophiles* dont la langue maternelle n'est pas le français, mais qui parlent couramment français ;
- les *anglophones* dont la langue maternelle est l'anglais et qui ne parlent pas français.

Évolution du cadre institutionnel

Le cadre institutionnel de la Ville d'Ottawa a subi plusieurs réformes internes puis globales qui ont contribué à la transformation de cette scène électorale. En particulier, le nombre et le découpage des districts électoraux ont fortement évolué au cours des trente dernières années.

Même si cela déborde le cadre chronologique de notre étude, on peut rappeler qu'avant 1980, le conseil municipal d'Ottawa était formé d'un maire, d'un comité (*Board of Control*) de quatre membres élus par l'ensemble de la population ainsi que d'un conseil municipal proprement dit, composé de conseillers élus dans les districts. On peut tout de suite noter que sous ce régime institutionnel, on ne rencontre qu'un seul maire francophone : Benoît Pierre, en poste de 1972 à 1974. À partir des élections de 1980, le nouveau cadre institutionnel s'est simplifié autour d'un maire élu par l'ensemble de la population et de conseillers élus par district, dont le nombre a varié au fil des décennies.

Comme on le voit dans le tableau 2, la tendance avant la fusion municipale était plutôt à la baisse du nombre de conseillers, avec une diminution de 15 à 10 au milieu des années 1990. La fusion réalisée en 2001 a automatiquement entraîné la création de nouveaux districts électoraux représentant les anciennes villes fusionnées. On compte, depuis 2007, 23 conseillers municipaux. La taille actuelle du conseil est donc de 24 représentants élus, ce qui, ironiquement, nous rapproche de la taille du conseil municipal de l'ancienne ville d'Ottawa dans les années 1950.

---

tient aux fonctions officielles occupées pour déterminer le pouvoir d'un individu dans une communauté, l'approche réputationnelle fait appel à la subjectivité de certains experts de cette communauté pour déterminer qui détient du pouvoir. Si cette stratégie a fait l'objet de nombreuses critiques (Polsby, 1963 ; Wolfinger, 1962) quant à sa réelle capacité à déterminer les sources et les formes de pouvoir local, elle nous est apparue comme un outil adéquat pour cette phase exploratoire de la recherche sur les francophones au conseil municipal d'Ottawa.

Tableau 2
Effectifs du conseil municipal d'Ottawa, 1980-2010

1980 jusqu'à 1992	15 conseillers municipaux élus par les citoyens de chaque district 1 maire élu par l'ensemble des citoyens
1994 et 1997	10 conseillers municipaux élus par les citoyens de chaque district 1 maire élu par l'ensemble des citoyens
2000 et 2003	21 conseillers municipaux élus par les citoyens de chaque district 1 maire élu par l'ensemble des citoyens
2006 et 2010	23 conseillers municipaux élus par les citoyens de chaque district 1 maire élu par l'ensemble des citoyens

Tableau 3
Maires d'Ottawa, 1980-2010

Année	**Maire**
1980	Dewar, Marion
1982	Dewar, Marion
1985	Durrell, Jim
1988	Durell, Jim
1991	Holzman, Jacquelin/**Marc Laviolette**
1994	Holzman, Jacquelin
1997	Watson, Jim
2000	Chiarelli, Bob
2003	Chiarelli, Bob
2006	O'Brien, Larry
2010	Watson, Jim

Depuis les années 1980, aucun maire francophone n'a été élu à la Ville d'Ottawa. Seul Marc Laviolette a occupé cette fonction, pour moins d'une année, à la suite de la démission du maire élu Jim Durrell en 1991.

Une présence territorialisée des francophones

Les tableaux 4 et 5, portant respectivement sur les périodes pré et post-fusion, présentent plusieurs points communs. Tout d'abord, on peut noter que le nombre de conseillers municipaux francophones est « relativement » modeste. Si l'on compte deux élus francophones sur 15 en 1980 et 1982, ce nombre chute à un pour toute la période précédant la fusion municipale. Sur le simple plan quantitatif, la période postérieure à la fusion apparaît plus favorable à la présence francophone puisqu'on y dénombre quatre conseillers francophones en 2000 et 2003, cinq en 2006 et deux en 2010. Il faut néanmoins se rappeler que la taille du conseil a également doublé durant cette période.

Les deux tableaux permettent de constater que la « présence » des francophones selon le critère « réputationnel » est surtout concentrée dans certains districts électoraux. Cette territorialisation des élus francophones est stable dans le temps. Néanmoins, elle n'est pas uniforme. En effet, même dans les quartiers où l'on retrouve plus de 30 % de francophones, les comportements électoraux diffèrent :

- Dans Cumberland, des francophiles sont élus en 2000 et en 2010, mais lors des deux autres scrutins intermédiaires, ce sont des anglophones qui le sont.
- Dans Rideau-Vanier, les électeurs élisent des francophones selon différentes configurations : Madeleine Meilleur est élue par acclamation en 2000. Georges Bédard lui succède en 2003. Il est réélu en 2006, mais perd le duel entre francophones en 2010 au profit de Mathieu Fleury. Les deux francophones sont au coude à coude, puisqu'ils remportent respectivement 44,84 % et 45, 69 % des voix.
- La circonscription d'Innes est « confisquée » par Rainer Bloess, un francophile chaque fois réélu depuis 2000.
- Dans Rideau-Rockliffe, Jacques Legendre, qui se faisait élire assez facilement de 2000 à 2006, ne s'est pas représenté en 2010. Peter Clark, un francophile, représente actuellement cette circonscription.
- Enfin, dans Orléans, après deux mandats, le francophile Herb Kreling ne s'est pas représenté en 2006. Depuis lors, Bob Monette occupe ce siège.

Tableau 4

Conseillers municipaux d'Ottawa, de 1980 à 1997

Circonscriptions	1980	1982	1985	1988	1991	Circonscriptions	1994	1997
By Rideau	Marc Laviolette	Marc Laviolette	Marc Laviolette	Marc Laviolette / Pierre Bourque (1991)	Richard Cannings	Rideau	Richard Cannings	Richard Cannings
Saint-Georges	Nancy Smith	Nancy Smith	Nancy Smith	Nancy Smith	Nancy Mitchell			
Capitale	Howard Smith	Howard Smith	Rob Quinn	Lynn Smith	Jim Watson	Capitale	Jim Watson	Inez Berg
Elmdale	Graham Bird	Graham Bird	Jamie Fisher	Jamie Fisher	Joan Wong	Kitchissippi	Joan Wong	Shawn Little
Carleton	Toddy Kehoe	Tody Kehoe	Bob Morrison	Tim Kehoe	Tim Kehoe	Carleton	Brian Mackey	Brian Mackey
Wellington	Joe Cassey	Diane Holmes	Diane Holmes	Diane Holmes	Diane Holmes	Bruyère-Strathcona	Stéphane Émard-Chabot	Stéphane Émard-Chabot
Dahlousie	Rolf Hasenack	Rolf Hasenack	Mac Harb	Peter Harris	Peter Harris	Somerset	Elisabeth Arnold	Elisabeth Arnold
Britannia	Marlene Catterall	Marlene Catteral	Ruth Wildgen	Jim Jones	Jill Brown	Alta Vista	Peter Hume	Allan Higdon
Billings	Brian Bourns	Brian Bourns	Joan O'Neill	Joan O'Neill	Joan O'Neill	Mooney's Bay	Karin Howard	Karin Howard + Jim Bickford
Canterbury	Darrell Kent	Michael McSweeney	Michael McSweeney	Michael McSweeney	Jack Mac-Kinnon	Southgate	Diane Deans	Diane Deans
Richmond	Don Reid	Jacquelin Holzman	Jacquelin Holzman	Jacquelin Holzman	Alex Cullen	Britannia-Richmond	Ron Kolbus	Ron Kolbus
Riverside	Jim Durrell	Jim Durrell	George Brown	George Brown	George Brown			
Overbrook-Forbes	Rhéal Robert	Rhéal Robert	George Kelly	George Kelly	Jacques Legendre			
Alta Vista	Greg MacDougall	Greg MacDougall	Darrel Kent	Darrel Kent	Peter Hume			
Queens borough / Carlington Westboro	Terrance Denison	Terrance Denison	Mark Maloney	Mark Maloney	Mark Maloney			
Total	**2/15**	**2/15**	**1/15**	**1/15**	**1/15**		**1/10**	**1/10**

Élus municipaux réputés francophones

Élus municipaux réputés francophiles (cette catégorie regroupe les élus étant unanimement ou partiellement réputés francophiles)

Tableau 5
Conseillers municipaux d'Ottawa, de 2000 à 2010

Circonscriptions	2000	2003	Circonscriptions	2006	2010
Orléans	Herb Kreling	Herb Kreling	Orléans	Bob Monette	Bob Monette
Innes	Rainer Bloess	Rainer Bloess	Innes	Rainer Bloess	Rainer Bloess
Bell-Neapean Sud	Jan Harder	Jan Harder	Barrhaven	Jan Harder	Jan Harder
Kanata	Alex Munter	Peggy Feltmate	Kanata Nord	Marianne Wilkinson	Marianne Wilkinson
Carleton Ouest	Dwight Eastman	Eli El-Chantiry	West Carleton-March	Eli El-Chantiry	Eli El-Chantiry
Goulbourn	Janet Stavinga	Janet Stavinga	Stittsville	Shad Qadri	Shad Qadri
Baie	Alex Cullen	Alex Cullen	Baie	Alex Cullen	Mark Taylor
Baseline	Rick Chiarelli	Rick Chiarelli	Collège	Rick Chiarelli	Rick Chiarelli
Knoxdale-Merivale	Gord Hunter	Gord Hunter	Knoxdale-Merivale	Gord Hunter	Keith Egli
Gloucester-Southgate	Diane Deans	Diane Deans	Gloucester-Southgate	Diane Deans	Diane Deans
Beacon Hill-Cyrville	Michel Bellemare	Michel Bellemare	Beacon Hill-Cyrville	Michel Bellemare	Tim Tierney
Rideau-Vanier	Madeleine Meilleure	Georges Bédard	Rideau-Vanier	Georges Bédard	Mathieu Fleury
Rideau-Rockcliffe	Jacques Legendre	Jacques Legendre	Rideau-Rockcliffe	Jacques Legendre	Peter Clark
Somerset	Elisabeth Arnold	Diane Holmes	Somerset	Diane Holmes	Diane Holmes
Kitchissippi	Shawn Little	Shawn Little	Kitchissippi	Christine Leadman	Katherine Hobbs
Rivière	Wendy Stewart	Maria McRae	Rivière	Maria McRae	Maria McRae
Capitale	Clive Doucet	Clive Doucet	Capitale	Clive Doucet	David Chernushenko
Alta Vista	Peter Hume	Peter Hume	Alta Vista	Peter Hume	Peter Hume
Cumberland	Phil McNeely	Rob Jellett	Cumberland	Rob Jellett	Stephen Blais
Osgoode	Doug Thompson	Doug Thompson	Osgoode	Doug Thompson	Doug Thompson
Rideau	Glenn Brooks	Glenn Brooks	Rideau-Goulbourn	Glenn Brooks	Scott Moffatt
			Gloucester-Nepean Sud	Steve Desroches	Steve Desroches
			Kanata Sud	Peggy Feltmate	Allan Hubley
Total des élus francophones	**4/21**	**4/21**		**5/23**	**2/23**

Élus municipaux réputés francophones

Élus municipaux réputés francophiles (cette catégorie regroupe les élus étant unanimement ou partiellement réputés francophiles)

Pour ce qui est des cinq autres circonscriptions à tendance francophone, la représentation politique est surtout marquée par la reconduction des mêmes personnes au conseil municipal. Ainsi, le francophone Michel Bellemare, le francophile Peter Hume de même que l'anglophone Diane Deans sont respectivement en poste dans les circonscriptions de Beacon-Hill, Alta Vista et Gloucester-Southgate depuis 2000. La stabilité est aussi de mise dans Somerset, où Diane Holmes, une francophile, est en poste depuis 2003.

Que nous révèlent ces données dans le cadre de l'étude sur la représentation politique des francophones à Ottawa ? Que nous disent-elles de l'incidence des facteurs démo-géographiques et politiques sur la situation des francophones à la Ville d'Ottawa ? D'abord, ces données permettent de noter une certaine constance dans la représentation des francophones à Ottawa en raison de la stabilité des quartiers à tendance francophone. Toutefois, ce caractère francophone ne donne pas automatiquement lieu à l'élection d'un francophone comme conseiller à la Ville d'Ottawa, comme le montrent aussi les résultats électoraux. Sur la base des chiffres disponibles, les francophones ne semblent pas suffisamment nombreux pour faire adopter leurs priorités au conseil municipal. Par contre, il est possible d'imaginer des alliances avec les conseillers municipaux francophiles afin de réunir autour de certains projets un nombre d'appuis suffisant. En effet, en associant francophones et francophiles, les élus passent de 10 à 9 conseillers sur 21 en 2000 et 2003, puis respectivement de 9 à 8 conseillers sur 23 en 2006 et 2010. Cette proportion de francophones et de francophiles peut leur permettre de constituer des modèles sociaux et contribuer à la visibilité de la communauté dans les institutions de la Ville.

En outre, il est important de mentionner que la prime au candidat sortant et la longévité des élus municipaux à Ottawa jouent en faveur de tous les conseillers, quelle que soit leur appartenance linguistique. La représentation des francophones est confiée aux mêmes personnes durant plusieurs mandats. Le fait de cumuler deux, trois, voire quatre mandats marque la relation entre l'élu et la communauté. Ainsi, à la stabilité des circonscriptions francophones s'ajoute la stabilité des individus qui représentent ces circonscriptions. Nos données sont conformes aux tendances repérées dans les études spécialisées portant sur la prime au candidat sortant (Guérin-Lavignotte et Kerrouche, 2006 ; Mévellec, 2011). Cet aspect de la vie politique municipale revêt un caractère particulier en contexte minoritaire. En effet, la prime au candidat sortant assure une certaine représentation et une visibilité des francophones au sein du pouvoir municipal en reconduisant de façon presque systématique les élus francophones déjà en place. Il s'agit d'une mince compensation en lieu et place d'une véritable équité de la représentation. *A contrario*, cette prime peut être démobilisatrice, car elle restreint l'accès au pouvoir à un nombre limité de personnes, et aussi constituer un obstacle au recrutement de nouveaux candidats au profil non traditionnel comme les femmes ou les minorités visibles ou ethnoculturelles. De manière générale, les assemblées municipales canadiennes se caractérisent par une surreprésentation d'hommes blancs, de plus de 65 ans[7].

Notre étude montre aussi l'importance d'inclure la question de la représentation politique dans les travaux sur la vitalité communautaire. Cette dernière ne peut se réduire à la vie associative, aussi importante soit-elle. La politique demeure une dimension essentielle de la vie communautaire. Les élus locaux peuvent constituer une ressource stratégique pour relayer les revendications du milieu à l'ordre du jour du conseil municipal. En contrepartie, les élus locaux peuvent courtiser les milieux associatifs dont le soutien les aidera à accéder au pouvoir et, éventuellement, à s'y maintenir pendant plus d'un mandat. Les élus constituent ainsi des intermédiaires incontournables entre le milieu dont ils sont issus et le pouvoir municipal. Enfin, si les débats normatifs fournissent des outils importants afin de situer les minorités francophones sur un spectre, entre les minorités nationales et les minorités ethnoculturelles, les données empiriques sur les élus municipaux permettent de vérifier de façon très concrète la présence de principes, telles l'équité et la défense d'intérêts communs, sur lesquels repose une part importante de la vie politique des minorités francophones.

Conclusion

Cet article est la première étape d'un travail en chantier sur la représentation politique des francophones à Ottawa. Il a permis de préciser la place qu'occupent les francophones au sein du conseil municipal. Même s'ils sont peu nombreux, ces derniers se maintiennent en poste

[7] Le conseil municipal d'Ottawa élu en 2010 est composé de 6 femmes et de 17 hommes.

d'une élection à l'autre, grâce à la stabilité des quartiers à tendance francophone. L'effet du territoire sur la représentation politique des francophones à Ottawa nous paraît important, mais insuffisant pour confirmer leur pouvoir d'influence. Loin de minimiser le rôle des élus francophones, nos données permettent, notamment, d'envisager la prochaine étape de notre recherche, qui portera sur le parcours des élus dans les quartiers à tendance francophone. Ce sera l'occasion de dépasser l'analyse réputationnelle et ainsi étudier la légitimité d'action des élus francophones et des francophiles : quels sont les dossiers qui les mobilisent ? Quelles décisions prennent-ils ? Quels liens entretiennent-ils avec la communauté francophone d'Ottawa, tant dans leur conquête du pouvoir que dans l'exercice de leur mandat ? De façon plus générale, il s'agira, à travers l'analyse du travail des élus, de comprendre comment les intérêts des francophones sont assumés au conseil municipal et de quelle manière ils y sont traités. À ce titre, nous tenterons, de façon particulière, de contribuer à l'étude du rôle des élus municipaux francophones dans l'institutionnalisation du bilinguisme à la Ville d'Ottawa.

BIBLIOGRAPHIE

ANDREW, Caroline (2006). « Evaluating Municipal Reform in Ottawa-Gatineau: Building for a More Metropolitan Future? », dans Eran Razin et Patrick J. Smith (dir.), *Metropolitan Governing: Canadian Cases, Comparative Lessons*, Jerusalem, Hebrew University Magnes Press, p. 77-94.

ANDREW, Caroline (2008). « The City of Ottawa and Francophone Immigration », *Thèmes canadiens = Canadian Issues*, (printemps), p. 60-62.

ANDREW, Caroline, et Guy CHIASSON (2012). « La Ville d'Ottawa : représentation symbolique et image publique », dans Richard Clément et Caroline Andrew (dir.), *Villes et langues : gouvernance et politiques : symposium international*, Ottawa, Invenire, p. 43-52.

BELKHODJA, Chedly (2005). « Le défi de la régionalisation en matière d'immigration : l'immigration francophone au Nouveau-Brunswick », *Thèmes canadiens = Canadian Issues*, (printemps), p. 124-127.

BELKHODJA, Chedly (2006). « A More Inclusive City? The Case of Moncton, New Brunswick », *Our Diverse Cities*, n° 2 (été), p. 118-121.

BELKHODJA, Chedly (2009). « Vers une collectivité plus accueillante? Quelques observations dans la région de Moncton », *Plan Canada*, numéro spécial : *Des collectivités accueillantes : planifier la diversité*, Ottawa, Institut canadien des urbanistes, p. 107-110.

BELKHODJA, Chedly, et Myriam BEAUDRY (2008). « Developing Reception and Integration Strategies in Urban Francophone Minority Communities: The Experiences of Several Canadian Settlement Service Providers », *Thèmes canadiens = Canadian Issues*, (printemps), p. 80-83.

BISSON, Ronald, Patricia AHOUANSOU et Charles DRAPER (2009). *État des lieux de l'immigration d'expression française à Ottawa*, Ottawa, Ronald Bisson et associé.e.s. inc.

BLOCK, Tina (2006). « Approaches to Attracting and Retaining Newcomers in the City of Greater Sudbury, Ontario », *Our Diverse Cities*, n° 2 (été), p. 36-43.

BOURGEOIS, Daniel (2005). « Municipal Reform in New Brunswick: To Decentralize or Not To Decentralize? », dans Edward C. LeSage Jr. et Joseph Garcea (dir.), *Municipal Reform in Canada: Reconfiguration, Re-empowerment, and Rebalancing*, Don Mills, Oxford University Press – Canada, p. 242-268.

BOURGEOIS, Daniel (2011). « Federal-Provincial-Municipal Collaboration: Moncton and Official Languages », dans François Rocher et Michael Behiels (dir.), *The State in Transition: Challenges for Canadian Federalism*, Ottawa, Invenire, p. 143-168.

BOURGEOIS, Daniel (2012). « Moncton : symbole du bilinguisme et bilinguisme symbolique », dans Richard Clément et Caroline Andrew (dir.), *Villes et langues : gouvernance et politiques : symposium international*, Ottawa, Invenire, p. 25-32.

CANADA. MINISTÈRE DE LA JUSTICE (1982). *Charte canadienne des droits et libertés*, sur le site Web de la législation (Justice), *Textes de la loi constitutionnelle de 1982*, [http://www.laws-lois.justice.gc.ca/fra/Charte/] (1er mars 2012).

CANADA. MINISTÈRE DE LA JUSTICE (1988). *Loi sur les langues officielles*, [En ligne], [http://www.laws-lois.justice.gc.ca/fra/lois/O-31.01/] (1er mars 2012).

CARDINAL, Linda (2008). « La participation des minorités francophones hors Québec à la vie politique au Canada : comment combler le déficit démocratique? », dans Joseph Yvon Thériault, Anne Gilbert et Linda Cardinal (dir.), *L'espace francophone en milieu minoritaire au Canada : nouveaux enjeux, nouvelles mobilisations*, Montréal, Éditions Fides, p. 385-430.

CARDINAL, Linda, *et al.* (2010). *La gouvernance communautaire en Ontario français : une nouvelle forme d'action collective?*, Ottawa, Université d'Ottawa, Observatoire sur la gouvernance de l'Ontario français.

CARDINAL, Linda, et Eloísa GONZÁLES HIDALGO (2012). « L'autonomie des minorités francophones hors Québec au regard du débat sur les minorités nationales et les minorités ethniques », *Minorités linguistiques et société*, vol. 1, n° 1, p. 51-65.

FORGUES, Éric (2010). « La gouvernance des communautés francophones en situation minoritaire et le partenariat avec l'État », *Politique et sociétés*, vol. 29, n° 1, p. 71-90.

FORGUES, Éric, et Sylvain ST-ONGE (2011). *Portrait de la gouvernance des organismes acadiens et francophones au Nouveau-Brunswick*, avec la collaboration de Josée

Guignard Noël, Ottawa, Université d'Ottawa, Alliance de recherche des savoirs de la gouvernance communautaire.

FORGUES, Éric, et Christophe TRAISNEL (2012). *L'engagement social des francophones et des anglophones en situation minoritaire*, Moncton, Institut canadien de recherche sur les minorités linguistiques.

GALLANT, Nicole, Jean-Olivier ROY et Chedly BELKHODJA (2006-2007). « L'immigration francophone en milieu minoritaire : portrait de quatre municipalités rurales », *Revue d'études des Cantons de l'Est*, n° 29-30 (automne / printemps), p. 79-98.

GILBERT, Anne (2010). « Du village à la métropole : les nouvelles communautés franco-ontariennes », dans Anne Gilbert (dir.), *Territoires francophones : études géographiques sur la vitalité des communautés francophones du Canada*, Québec, Éditions du Septentrion, p. 252-282.

GILBERT, Anne, et Luisa VERONIS (2010). « Le meilleur des deux mondes : l'expérience géographique des immigrants francophones d'Afrique centrale dans la région d'Ottawa-Gatineau », dans Nicole Gallant (dir.), *Cahier de la recherche actuelle sur l'immigration francophone au Canada*, Ottawa, Patrimoine canadien, p. 38-40. 12e Congrès national de Metropolis.

GRAVELLE, François, et Julie DENIS-MÉNARD (1996). « La qualité de vie chez les personnes âgées fréquentant un centre de jour francophone de la région d'Ottawa », *Reflets : revue d'intervention sociale et communautaire*, vol. 2, n° 2 (automne), p. 118-127.

GUÉRIN-LAVIGNOTTE, Élodie, et Éric KERROUCHE (2006). *Les élus locaux en Europe : un statut en mutation*, Paris, La documentation française.

HELLER, Monica, et Normand LABRIE (dir.) (2004). *Discours et identités : la francité canadienne entre modernité et mondialisation*, Cortil-Wodon, Éditions modulaires européennes.

HUNTER, Floyd (1952). *Community Power Structure: A Study of Decision Makers*, Chapel Hill, The University of North Carolina Press.

JOYAL, Martin (2004). *Le comportement électoral des Franco-Ontariens*, thèse de maîtrise, Ottawa, Université d'Ottawa.

KYMLICKA, Will (2003). *La voie canadienne : repenser le multiculturalisme*, Montréal, Éditions du Boréal.

LANDRY, Rodrigue, Éric FORGUES et Christophe TRAISNEL (2010). « Autonomie culturelle, gouvernance et communautés francophones en situation minoritaire au Canada », *Politique et sociétés*, vol. 29, n° 1, p. 91-114.

LE BART, Christian (2003). *Les maires : sociologie d'un rôle*, Lille, Presses universitaires Septentrion.

LÉGER, Rémi (2012). *Justice et langues officielles au Canada*, thèse de doctorat, Kingston, Université Queen's.

LÉGER-HASKELL, Maxine (2009). *Federal Electoral Boundary Redistribution and Official Language Minority Representation in Canada*, thèse de maîtrise, Ottawa, Université d'Ottawa.

MÉVELLEC, Anne (2011). « Les élections municipales de 2009 dans les villes moyennes du Québec : entre changement et reconduction », dans Sandra Breux et Laurence Bherer (dir.), *Les élections municipales au Québec : enjeux et perspectives*, Québec, Les Presses de l'Université Laval, p. 289-310.

ONTARIO (1986). *Loi sur les services en français,* [En ligne], [www.oaf.on.ca] (1er mars 2012).

POIRIER, Johanne (2008). « Au-delà des droits linguistiques et du fédéralisme classique : favoriser l'autonomie institutionnelle des francophones minoritaires du Canada », dans Joseph Yvon Thériault, Anne Gilbert et Linda Cardinal (dir.), *L'espace francophone en milieu minoritaire au Canada : nouveaux enjeux, nouvelles mobilisations,* Montréal, Éditions Fides, p. 513-562.

POLSBY, Nelson W. (1963). *Community Power and Political Theory,* New Haven, Yale University Press.

RAYSIDE, David M. (1991). *A Small Town in Modern Times: Alexandria, Ontario,* Montréal, McGill-Queen's University Press.

ROSENFELD, Raymond A., et Laura A. REESE (2003). « The Anatomy of an Amalgamation: The Case of Ottawa », *State and Local Government Review*, vol. 35, n° 1 (hiver), p. 57-69.

SIEGEL, David (2009). « Ontario », dans Andrew Sancton et Robert Young (dir.), *Foundations of Governance: Municipal Government in Canada's Provinces*, Toronto, University of Toronto Press, p. 20-69.

THÉRIAULT, Joseph Yvon, Anne GILBERT et Linda CARDINAL (dir.) (2008). *L'espace francophone en milieu minoritaire au Canada : nouveaux enjeux, nouvelles mobilisations*, Montréal, Éditions Fides.

TOSSUTTI, Livianna (2009). « La langue de l'administration municipale dans les collectivités mondialisées : les politiques de communication de six villes », *Plan Canada,* numéro spécial : *Des collectivités accueillantes : planifier la diversité*, Ottawa, Institut canadien des urbanistes, p. 65-68.

VILLE D'OTTAWA (2001). « Politique de bilinguisme », sur le site *Politiques administratives*, [http://www.ottawa.ca/fr/city_hall/policiesadministration/policies/bilingualism_policy/indin.html] (1er mars 2012).

WOLFINGER, Raymond (1962). « A Plea for a Decent Burial », *American Sociological Review,* vol. 56, n° 4 (décembre), p. 841-847.

À la croisée de *La Côte de Sable* et de *King Edward* : Ottawa, capitale littéraire de l'Ontario français ?

Ariane Brun del Re
Université d'Ottawa

Dans un article paru il y a quelques années, Raoul Boudreau cherchait à cerner les stratégies littéraires par lesquelles le poète acadien Gérald Leblanc « a pu faire naître et progresser l'idée de Moncton comme centre de création en langue française à partir d'un environnement plutôt hostile » (2007 : 34). Il empruntait à Pascale Casanova la notion de capitale littéraire, qu'elle décrit ainsi :

> Les villes où se concentrent et s'accumulent les ressources littéraires deviennent des lieux où s'incarne la croyance, autrement dit des sortes de centres de crédit, des « banques centrales » spécifiques. Ramuz définit ainsi Paris comme « la banque universelle des changes et des échanges » littéraires. La constitution et la reconnaissance universelle d'une capitale littéraire, c'est-à-dire d'un lieu où convergent à la fois le plus grand prestige et la plus grande croyance littéraire, résultent des effets réels que produit et suscite cette croyance. Elle existe donc deux fois : dans les représentations et dans la réalité des effets mesurables qu'elle produit (2008 : 45).

De ce passage, Boudreau retient que « la naissance d'une capitale littéraire se fonde sur une croyance, c'est-à-dire sur l'adhésion à un mythe et que cette croyance produit en retour des effets dans la réalité » (2007 : 35).

Gérald Leblanc est justement à l'origine d'une telle croyance pour Moncton. Il lui dédit une part énorme de son œuvre, suivant en cela la stratégie employée par les écrivains catalans qui avaient su « donner à [Barcelone] un prestige littéraire, une existence artistique, en l'intégrant à la littérature même, en la littérarisant, en proclamant son caractère romanesque » (Casanova, 2008 : 349). En effet, « [c]omment suggérer que Moncton peut faire une place à la littérature, sinon en lui faisant une place dans la littérature ? », souligne Boudreau (2007 : 39). Le mythe monctonien construit par Leblanc est si puissant qu'à sa suite plusieurs auteurs, acadiens et même québécois, y adhèrent en intégrant Moncton

Francophonies d'Amérique, n° 34 (automne 2012), p. 105-135

à leurs écrits[1]. Leblanc avait auparavant contribué à l'accumulation de capital littéraire institutionnel à Moncton en participant à la création des Éditions Perce-Neige en 1980 (initiative de l'Association des écrivains acadiens dont il est aussi l'un des membres fondateurs), pour lesquelles il remplira les fonctions de directeur littéraire de 1995 à 2007. Le poète prend ainsi part à ce « processus constitutif de l'émergence et de l'institutionnalisation d'une littérature » (Boudreau, 2007 : 36) qu'est la construction d'une capitale littéraire pour l'Acadie.

En Ontario français, le rôle de Daniel Poliquin rappelle celui de Leblanc pour Moncton. Il contribue au prestige littéraire d'Ottawa en faisant paraître six livres dont l'action s'y déroule : *Nouvelles de la capitale* (1987), *Visions de Jude* (1990), *L'écureuil noir* (1994), *Le Canon des Gobelins* (1995), *La kermesse* (2006) et *L'historien de rien* (2012). Contrairement à Leblanc, Poliquin n'a pas à fonder les institutions littéraires de la ville, puisque celles-ci sont déjà bien établies. Son œuvre sur Ottawa aura toutefois des répercussions du même ordre que celles de Leblanc sur Moncton en ce qu'elle incitera d'autres auteurs franco-ontariens à écrire sur la capitale fédérale. À la suite de Patrick Leroux, Michel Ouellette devient l'un de ces auteurs : sa pièce *King Edward* (1999) met en scène plusieurs lieux ottaviens qui figurent aussi dans le roman *Visions de Jude*, réédité en 2000 sous le titre *La Côte de Sable.* Malgré ce recoupement de l'espace représenté (Hotte, 2000b : 337), les images d'Ottawa dans *King Edward* et dans *La Côte de Sable* ne se correspondent pas. L'étude de l'espace structurant (Hotte, 2000b : 337)[2] dans ces deux

[1] Boudreau mentionne les poètes québécois Nicole Brossard, Claude Beausoleil, Jean-Paul Daoust et Yolande Villemaire, qui ont participé à un numéro spécial de la revue *Éloizes* sur Moncton (2007 : 47); les poètes acadiens Mario Thériault, Jean-Marc Dugas, Marc Poirier, Mario LeBlanc, Paul Bossé, Georges Bourgeois, Marc Arseneau, Sarah Marylou Brideau ainsi que les romanciers acadiens Jean Babineau, Ulysse Landry, Hélène Harbec, Évelyne Foëx et, bien sûr, France Daigle (2007 : 48-49).

[2] Lucie Hotte distingue trois types d'espace en critique littéraire : « l'espace représenté, c'est-à-dire "la description ou la *représentation verbale* d'un lieu physique"; l'espace de la représentation, plus précisément l'espace de la création et de la réception et, finalement, l'espace "en tant qu'élément constitutif du roman au même titre que les personnages, l'intrigue ou le temps" » (2000b : 337). Hotte enchaîne : « Cet espace, que j'appellerai structurant, désigne une "topographie inscrite dans l'œuvre", où s'effectue la "transformation romanesque du lieu en élément de signification" » (2000b : 337). Elle cite ici, dans l'ordre : Michael Issacharoff, *L'espace et la nouvelle : Flaubert, Huysmans, Ionesco, Sartre, Camus*; Roland Bourneuf, « L'organisation de

textes permettra de constater les limites du mythe ottavien issu de l'œuvre de Poliquin et de mieux cerner le rôle d'Ottawa dans l'espace littéraire de l'Ontario français.

Ottawa, capitale institutionnelle de la littérature franco-ontarienne

« Ottawa est une ville tellement rangée que les journalistes sont obligés d'emprunter leurs faits divers juteux aux villes du Québec » (Vaillancourt, 1982 : 151). Cette phrase tirée d'*Ottawa ma chère!* de Madeleine Vaillancourt, romancière québécoise mais longtemps résidente de la région d'Ottawa, résume bien la réputation de la ville véhiculée dans le discours public. Davantage associée à l'arène politique du Canada composée d'une forte concentration de fonctionnaires plutôt qu'à une scène culturelle ou à une vie nocturne animées, la capitale nationale porte depuis longtemps l'étiquette de ville ennuyeuse où il ne se passe jamais rien. Sa communauté francophone, qui représente moins du cinquième de sa population[3], ne lui a pas encore permis de décrocher le titre de ville officiellement bilingue. C'est sans oublier la situation géographique d'Ottawa : séparée du Québec par la rivière des Outaouais, la ville se tient plutôt à l'écart des autres centres urbains de l'Ontario. Somme toute, la capitale nationale semble à tous les points de vue dépourvue des qualités nécessaires pour en faire un pôle artistique de l'Ontario français.

Peu étonnant alors que les premières institutions littéraires franco-ontariennes élisent domicile ailleurs. Au début des années 1970, c'est Sudbury qui devient le premier point d'ancrage d'une littérature franco-ontarienne en voie d'autonomisation. La production d'une première création collective par des étudiants de l'Université Laurentienne dirigés par André Paiement, *Moé j'viens du Nord, 'stie*, mène à la fondation du Théâtre du Nouvel-Ontario en 1971 et des Éditions Prise de parole en 1973 (Hotte et Melançon, 2010 : 62). Sudbury devient alors le centre du Nord

l'espace dans le roman », et Michel Crouzet, *Espaces romanesques*. Isabelle Tremblay s'est déjà penchée sur l'espace structurant de *La Côte de Sable,* mais pour « expliquer comment l'espace sert de dispositif à la quête identitaire des personnages » (2006 : 33). Il s'agira ici de faire en partie l'inverse, c'est-à-dire d'examiner la trajectoire des personnages pour étudier l'espace structurant du roman.

[3] La population francophone d'Ottawa s'élevait à 146 360 personnes et représentait 17,5 % de l'ensemble en 2006 (Gilbert et Brosseau, 2011 : 472).

de l'Ontario, ou Nouvel-Ontario, décrit par Johanne Melançon comme un « terreau propice à la création » : « d'espace réel, il est devenu un espace imaginé, c'est-à-dire inventé, construit par une communauté qui cherchait à s'affirmer, se transformant même en espace imaginaire, c'est-à-dire fictif ou *mythique*, en particulier à travers certaines œuvres » (2008-2009 : 50, je souligne).

Une grande ambiguïté entoure cependant cette ville dans plusieurs textes qui la mettent en scène, comme l'illustre le narrateur du *Pays de personne* de Patrice Desbiens, qui hésite entre « sauter dans l'autobus pour / Sudbury ou sauter devant / l'autobus pour Sudbury » (1995 : 50). Desbiens est alors l'un des chefs de file de ce que François Paré nomme la littérature de la conscience, un courant littéraire ancré dans le Nord de l'Ontario qui « marque et martèle l'origine du groupe culturel dont elle émane » (2001 : 163). Les concepts « de *norditude*, d'oralité, de classe et d'aliénation » (Paré, 1994 : 18) qui lui sont associés seront pourtant considérés comme « vieillis » par Paré en 1994, date de la parution de *Théories de la fragilité* :

> [I]l m'apparaît clair que la littérature franco-ontarienne actuelle est définie par un déplacement important de ses lieux géographiques. En effet, dès le tournant des années 90, Ottawa a recommencé à jouer le rôle matriciel que la ville avait adopté dès les premières œuvres franco-ontariennes au XIXe siècle (1994 : 17)[4].

Paré précise que désormais, c'est principalement à Ottawa « que la production des œuvres et leur inscription institutionnelle s'effectueront » (1994 : 18).

En fait, les lieux de production et de diffusion de la littérature franco-ontarienne tendent à se déplacer du nord à l'est de la province dès la fin des années 1970. Plusieurs compagnies de théâtre et maisons d'édition sont alors fondées à Ottawa ou y déménagent. Le Théâtre d'la Corvée, devenu le Théâtre du Trillium, y est créé dès 1975, suivi par Vox Théâtre en 1979. La même année, le Théâtre de la Vieille 17 voit le jour à Rockland, mais s'installe dans la capitale nationale quatre ans plus tard, tout juste après la mise sur pied des premières maisons d'édition

---

4 Paré semble ici considérer toutes les œuvres littéraires produites en Ontario comme « franco-ontariennes », tandis que pour Lucie Hotte et Johanne Melançon, seules les œuvres parues en Ontario après 1970 le sont ; les œuvres produites entre 1867 et 1969 étant plutôt qualifiées de « canadiennes-françaises », et les œuvres précédentes, de « coloniales » (2010 : 13-63).

francophones d'Ottawa, L'Interligne en 1981 et le Vermillon en 1982. Le Nordir, maison d'édition créée en 1988 à Hearst, dans le Nord de l'Ontario, vient les rejoindre à Ottawa l'année suivante. Ce mouvement suit son cours jusqu'au début de la décennie suivante : en 1992 et 1993 sont fondés le Théâtre la Catapulte et les Éditions David[5]. Encore aujourd'hui, la ville d'Ottawa abrite trois des six maisons d'édition à vocation littéraire de l'Ontario français ainsi que quatre de ses sept compagnies de théâtre, regroupées depuis 1999 au centre de théâtre francophone d'Ottawa, La Nouvelle Scène (Hotte et Melançon, 2010 : 64-67)[6].

En somme, l'institution littéraire de la région d'Ottawa se porte très bien dès le début des années 1980, comme en témoigne cette remarque de Joël Beddows :

> [E]n raison de la force et de l'organisation croissante de la pratique franco-ontarienne à Ottawa, deux de ses créateurs les plus importants – Jean Marc Dalpé et Brigitte Haentjens – partent en 1981 pour relancer le théâtre de création au TNO qui était devenu, depuis la mort d'André Paiement en 1978, un organisme de diffusion (2001 : 66).

Que des créateurs aient jugé utile de quitter Ottawa pour revitaliser Sudbury confirme que cette première ville est parvenue à faire concurrence à la seconde sur la scène littéraire. Le duo formé de Dalpé et de Haentjens relancera l'imaginaire du Nord ontarien par des créations marquantes telles que *1932, la ville du nickel : une histoire d'amour sur fond de mines* (1984), qu'ils coécrivent, et *Le chien* (1987), une pièce écrite par Dalpé et mise en scène par Haentjens. Cette revitalisation sera néanmoins de courte durée : tous deux quitteront Sudbury pour Montréal une dizaine d'années plus tard, tandis qu'Ottawa fait son entrée dans les textes littéraires franco-ontariens.

---

[5] Ces données sont tirées des tableaux de Lucie Hotte et de Johanne Melançon présentés dans leur introduction à l'ouvrage collectif *Introduction à la littérature franco-ontarienne* (2010 : 64-67).

[6] Les Éditions Le Nordir ont annoncé leur fermeture en mars 2012 à la suite du décès de Robert Yergeau, fondateur et directeur de la maison. Les trois autres maisons d'édition franco-ontariennes sont les Éditions Prise de parole à Sudbury (1973), les Éditions du Gref à Toronto (1987), et les Éditions Chardon bleu à Plantagenet (1994), dans l'est de la province. Les trois autres compagnies de théâtre franco-ontariennes sont le Théâtre français de Toronto (1967), le Théâtre du Nouvel-Ontario à Sudbury (1971) et le Théâtre la Tangente à Toronto (1994) (Hotte et Melançon, 2010 : 64-67).

L'Ottawa de Daniel Poliquin : représenter la capitale fédérale

Ottawa possède déjà une forte concentration de capital littéraire institutionnel lorsque Daniel Poliquin fait une première fois de la ville le cadre de ses *Nouvelles de la capitale* (1987). Ce recueil de nouvelles ainsi que les deux premiers romans de Poliquin, *Temps pascal* (1982) et *L'Obomsawin* (1987), ancrés quant à eux dans le Nord de l'Ontario, « répondent à une pulsion idéologique : le besoin de prouver qu'il existe en Ontario français une littérature propre à la communauté franco-ontarienne » (Hotte, 2010 : 207)[7]. L'œuvre de Poliquin tend alors vers la littérature de la conscience, dont il devra s'éloigner dans les nouvelles et romans subséquents sur Ottawa afin d'en faire une capitale littéraire distincte de Sudbury.

C'est ce qu'il entreprend avec *La Côte de Sable*. Ce roman ottavien s'engage dans une nouvelle voie littéraire qui s'inscrit, selon Lucie Hotte, dans le courant de l'« individualisme », dont les œuvres « peuvent avoir pour scène l'Ontario, mettre en scène des Franco-Ontariens [...] sans que soient présents pour autant les thèmes franco-ontariens traditionnels, telles l'assimilation, la marginalisation et l'aliénation » (2002 : 44). Le glissement de Poliquin vers cette esthétique était annoncé dès *Temps pascal*. Dans la postface de la réédition, Hotte commente le déplacement de l'espace dans le roman, tout en faisant allusion au cheminement de l'auteur : « quitter le Nord pour l'Est, c'est abandonner une vision collective du monde et de l'identité pour adopter une vision plus individualiste » (2003 : 160).

Roman à plusieurs voix, *La Côte de Sable* favorise effectivement la parole individuelle : Marie Fontaine, Maud Galland, madame Élizabeth et Véronique Fontaine (la fille de Marie) racontent à tour de rôle leur « vision de Jude », explorateur de renom avec qui elles ont chacune entretenu une relation amoureuse. Ces récits successifs tracent également le portrait de la Côte de Sable, où les narratrices ont habité à divers moments entre 1960 et 1990. Les personnages de Poliquin se présentent ainsi comme les « dépositaires de la mémoire urbaine » : « C'est par eux que le lecteur

---

7 Dans la préface de la réédition de *Temps pascal*, Poliquin affirme : « Mon roman allait être ma réponse tardive au rapport Durham [...]. À la différence que mon Durham à moi n'était pas le lord anglais des manuels d'histoire, mais des Québécois et des Franco-Ontariens en chair et en os qui ne croyaient pas dans l'avenir d'une culture française en Ontario et répondaient à nos velléités créatrices par des sourires amusés » (2003 : 8).

constate les changements et le dynamisme des processus urbains dans la ville » (Vachon, 1996 : 134). Cependant, pour reconstituer l'évolution sociale, physique et culturelle du quartier, le lecteur doit comparer les quatre chapitres entre eux, car aucune des narratrices ne s'en fait la porte-parole. Plutôt que de livrer le récit urbain en entier, elles le racontent par fragments sans déborder le cadre de leur expérience personnelle. Le rapport à la ville et à son histoire ne semble donc pas collectif, comme dans la littérature de la conscience, mais bien individuel.

Par ailleurs, les personnages de *La Côte de Sable* rejettent toute possibilité d'identité collective. Pour François Ouellet, c'est en ce sens qu'il faut comprendre la légende des écureuils noirs que Jude raconte à Maud puis à Véronique. Selon cette légende, qui correspond à une nouvelle que Poliquin fait paraître dans *L'Apropos* en 1984 et qu'il reprend dans *Le Canon des Gobelins*, les rats d'Ottawa, en voie de disparition, sont placés devant l'alternative suivante :

> Mourir rat ou vivre écureuil. Voir [sa] tribu, [ses] enfants, s'éteindre sans lendemain. Ou alors, prendre les devants : se réincarner tout de suite, se réinventer en une nouvelle race, pour assurer à chacun, ainsi qu'il le mérite, *le salut individuel* (Poliquin, 2001 : 175, je souligne).

Métaphore de l'assimilation des Franco-Ontariens, la légende illustre également « une vision de l'identité qui non seulement accorde à l'individu une importance première, mais aussi qui estime que rien d'autre ne compte réellement » (Ouellet, 2011 : 17). Comme l'explique Ouellet :

> Pour l'écrivain, l'identité est foncièrement affaire d'affranchissement. Du passé, du territoire, de la culture et de la famille. Cette vue des choses est à peu près inverse, selon Poliquin, à ce que prêche l'identité nationaliste, qui se caractérise par ses références au temps historique, son appartenance à l'espace national, la valorisation communautaire et la défense des droits collectifs (2011 : 17).

Du reste, il n'est jamais question de l'identité franco-ontarienne ni de l'Ontario français dans *La Côte de Sable*[8]. La légende des écureuils noirs associe plutôt Ottawa à une identité souple et variable que seul l'individu peut déterminer[9].

---

[8] La narration mentionne pourtant les origines acadiennes de Maud et de Jude.

[9] Lucie Hotte souligne que chez Poliquin, « l'identité n'est jamais fixe, rien n'est déterminé d'avance : les personnages peuvent choisir qui ils veulent être, en autant qu'ils prennent les moyens pour que les Autres les reconnaissent comme tels » (2000a : 178).

Bien qu'elle soit présente, la ville d'Ottawa n'a pas de rôle dans la trame narrative du roman. Les descriptions de l'espace urbain, fréquentes dans le premier chapitre, s'estompent par la suite. Marc Vachon explique ce « decrescendo » des « éléments de représentation de la ville » (1993 : 80)[10] par l'unité d'espace du roman : « [P]lus on avance dans la lecture, plus les mêmes lieux se retrouvent. C'est donc la première perspective spatiale qui établit l'ensemble du territoire urbain du roman et ensuite, on ne fait plus que visiter les mêmes lieux » (1993 : 80). Il en conclut que l'espace, chez Poliquin, « n'est pas intimement lié au développement des personnages, il sert plutôt de cadre dans lequel ceux-ci agissent et circulent » (1993 : 80). Cette explication recoupe le concept d'espace-cadre, type d'espace qui « accompagne les personnages, leur sert d'"environnement" sans vraiment en conditionner les actes » (Bourneuf, 1970 : 92).

L'importance d'Ottawa dans *La Côte de Sable* n'en est pas minimisée pour autant : le changement de titre qui accompagne la réédition accentue la volonté de Poliquin d'ancrer son roman dans l'espace de la ville par l'entremise d'un de ses quartiers[11]. Écrire sur Ottawa à partir de la Côte de Sable, peu connotée dans l'imaginaire collectif, permet de contourner les clichés qui ont cours sur la capitale fédérale et, par un procédé métonymique, de les subvertir. Le Parlement, auquel se résume trop souvent l'ensemble de la ville, joue ici un rôle négligeable. Bien que Poliquin y ait passé la majeure partie de sa carrière d'interprète, il ne s'agit plus que d'un lieu de promenade agréable pour les personnages. Le roman situe plutôt le cœur d'Ottawa dans la Côte de Sable, quartier éponyme dont les caractéristiques s'étendent à l'ensemble de la ville.

Pour madame Élizabeth, qui y tient une pension, la Côte de Sable est un lieu transitoire :

> [C]'est un quartier où l'on ne met que cinq ou six ans pour compter parmi les anciens. Il ne vit ici que des étudiants qui repartent leurs études faites, des diplomates qui restent le temps d'une affectation, des fonctionnaires vite mutés. Il n'y a qu'une poignée de sédentaires anonymes pour une légion

[10] J'aimerais remercier Marc Vachon de m'avoir autorisée à citer des passages de son mémoire de maîtrise.

[11] Questionné sur ce changement de titre en entrevue, Poliquin explique : « [*Visions de Jude*] est un titre d'abord que je n'ai jamais aimé. [...] Quand on a réimprimé le roman, j'ai voulu lui donner un titre que j'aime, *La Côte de Sable*. Le roman se passe dans la Côte de Sable, mon "village" natal : c'est ma façon de lui rendre hommage et, en ce sens, c'est un choix affectif » (Ouellet, 2002 : 408).

> de nomades pacifiques. Trois ans après être devenue madame Holoub de la rue Blackburn qui loue des chambres, celle que ses pensionnaires appellent affectueusement « madame Élizabeth », je faisais partie du paysage. Même la gentrification récente du quartier n'a pas cristallisé la population, car la plupart des propriétaires revendent au bout de quelques années, une fois leur profit fait (Poliquin, 2000 : 205)[12].

À la manière des habitants de la Côte de Sable, les personnages de Poliquin « ne sont jamais fermement ancrés ou enracinés dans la ville » (Vachon, 1996 : 131). Le professeur Pigeon illustre bien leur constante mobilité : « Né à Ottawa, docteur de la Sorbonne à l'époque où ça se voyait peu, il vivait à Ottawa comme d'autres vivent en colonie huit mois par année, pour passer ensuite le congé d'été en Europe à courir les conférences savantes et les beaux monuments » (*CDS* : 54). Même à Ottawa, le professeur ne tient pas en place. Premier pensionnaire de madame Élizabeth, il est chassé en raison de ses avances répétitives et loue ensuite un « appartement dans le vieil immeuble à fausses colonnes grecques de la rue Laurier » (*CDS* : 181). Lorsque Véronique fait sa connaissance, Pigeon est devenu un « vagabond de grande classe » (*CDS* : 276) : il veille sur les maisons cossues de différents quartiers en l'absence de leurs propriétaires.

Les parcours de Jude et de Maud sont similaires. Après avoir fait connaissance chez madame Élizabeth, ils multiplient les destinations. Jude transite par Londres, Edmonton, Vancouver et Winnipeg; Maud, par Vienne, Détroit, Philadelphie et Chicago. Ils se retrouvent à la gare d'Ottawa au moment où « il partait pour Toronto, [elle] pour Montréal » (*CDS* : 154). À son retour à Ottawa, Jude, géographe aventurier, habite un lieu à son image, le Musée des sciences humaines, autrefois appelé le Musée de l'Homme. Dans la lignée des ambassades et des résidences étudiantes de la Côte de Sable, cet espace public représente « tout l'aspect nomade et transitoire » de la ville (Vachon, 1996 : 132). En outre, Jude n'y restera pas. À la toute fin du livre, Véronique a perdu sa trace : « On ignore où il vit : Bruxelles, New York, Stockholm » (*CDS* : 303). Pour les personnages de *La Côte de Sable*, la mouvance est la règle et non l'exception. Leurs allées et venues mettent la ville en relation avec les plus grandes métropoles du monde. Escale parmi tant d'autres, la capitale

[12] Dorénavant, les références à cet ouvrage seront indiquées par le sigle *CDS*, suivi du folio.

fédérale vue par Poliquin est une « ville de passage cosmopolite » (Vachon, 1996 : 131).

Cosmopolite, la ville l'est certainement : alors que les personnages de *La Côte de Sable* parcourent le monde, ce dernier est lui aussi convoqué à Ottawa. En témoignent les fréquentations de Marie et de Véronique, qui choisissent des hommes de toutes les provenances. Tandis que la première fait contrepoids à son mariage ennuyeux en prenant pour amant le Berbère du Del Rio, restaurant de la rue Rideau, puis « un petit Brésilien beau comme l'Amazone » (*CDS* : 46), la seconde se vante d'avoir aimé « des Grecs, des Libanais, des Haïtiens et un Yougoslave » (*CDS* : 261). Mère et fille rejoignent ainsi Marie, « réceptacle des divers espaces-cultures », comme le souligne Isabelle Tremblay : « De la nourriture aux hommes, Marie goûte à l'espace. Turc, Polonais, Italien, Africain, Américain et Afghan, ses amants incarnent des espaces autres. Des restaurants chinois aux restaurants indiens, la nourriture s'inscrit comme prolongement de l'ailleurs » (Tremblay, 2006 : 49). Les personnages de Poliquin recherchent l'ailleurs tant dans leur lit que dans leur assiette, car ils croient, comme le dit Véronique, qu'« [i]l faut mélanger les cultures des fois, la vie a meilleur goût ainsi » (*CDS* : 257).

La diversité à l'œuvre chez Poliquin renvoie plus précisément au micro-cosmopolitisme de Michael Cronin[13] puisqu'il relève principalement de la maison de madame Élizabeth. Contrairement au macro-cosmopolitisme, qui « se caractérise par une tendance à situer le moment cosmopolite dans la construction des empires, dans l'évolution des grandes nations (France, Grande-Bretagne, États-Unis, Allemagne) » (Cronin, 2005 : 18)[14], le micro-cosmopolitisme ne cherche pas à « opposer les petites entités aux grandes », mais à « complexifier, diversifier le petit » (Cronin, 2005 : 21). Il en résulte que « le même degré de diversité se retrouve autant dans des entités jugées petites ou insignifiantes que dans des grandes entités » (Cronin, 2005 : 21).

Reprenant l'idée d'une pluralité dans le minuscule, Tremblay décrit la pension de la rue Blackburn comme un « microcosme international »

---

[13] Il en va ainsi de l'œuvre de Gérald Leblanc. S'inspirant de Cronin, Clint Bruce s'intéresse à la « *poétique* micro-cosmopolite pratiquée par Gérald Leblanc » (2005 : 207).

[14] Ce point de vue est également celui de Casanova, pour qui le cosmopolitisme fait d'une grande capitale culturelle comme Paris « une nouvelle "Babel", une "Cosmopolis", un carrefour mondial de l'univers artistique » (2008 : 56).

(2006 : 50). Au fil des ans, la fête annuelle organisée par madame Élizabeth pour célébrer le Nouvel An ukrainien a pris l'allure d'un véritable « banquet des nations » (*CDS* : 64) :

> Des étudiants de plusieurs nationalités sont passés chez madame Élizabeth, et chacun a laissé sa marque au menu : on y trouve de la vodka finlandaise, de la bière belge, du champagne de Crimée servi avec du caviar russe, du vin de l'Oregon et de Bulgarie, des poissons fumés de l'Ungava, des grands plats de légumes au cari parfumés à la thaïlandaise, du cassoulet, des haricots noirs du Mexique au cumin, du roquefort d'Irlande, du bœuf zoulou, du couscous, du porc malgache, des cidres, des eaux-de-vie de toutes sortes, même si les pensionnaires qui ont introduit ces aliments ou ces liqueurs ont cessé de venir (*CDS* : 64).

Lors de cette fête, la maison est ouverte à tout le monde de sorte que « les invités de madame Élizabeth sont aussi hétéroclites que le buffet » (*CDS* : 66). Marie y croise notamment :

> le grand poète kleptomane d'Alberta, Ian Broom ; un cinéaste polonais dont le nom comptait une voyelle et neuf consonnes ; une lexicographe québécoise qui rédige le premier dictionnaire tamoul-français pour se remettre d'un chagrin d'amour qu'elle a vécu à Madras il y a vingt ans ; et le plus beau sujet de tous, le conseiller culturel de l'ambassade du Japon, qui a appris le français en Gaspésie, capable de réciter par cœur les monologues d'Yvon Deschamps et de longues scènes de Marcel Dubé, et qui a accompli le tour de force d'apprendre à jouer des cuillers et de l'égoïne pour accompagner les rigodons (*CDS* : 66).

Comme Élizabeth a elle-même cumulé les différentes identités et nationalités avant de refaire sa vie dans la Côte de Sable, il va de soi que « [t]ous les espaces convergent en sa maison. Lieu central et centralisateur où transitent tous les personnages, elle constitue l'âme de la Côte-de-Sable » (Tremblay, 2006 : 40).

Tout comme le micro-cosmopolitisme à l'œuvre, la récurrence des lieux et des personnages d'un récit à l'autre donne l'impression que la ville d'Ottawa est en réalité un grand village. Cette madame Barabé, par exemple. Commère du quartier quand Marie était jeune, elle refait surface lorsque Maud se promène au bras de Jude dans le marché By : « Une vieille dame, madame Barabé, s'est approchée de nous et a demandé que je lui sois présentée : elle m'a dit que j'avais bien de la chance » (*CDS* : 142). De même, le poète kleptomane de l'Alberta et le conseiller culturel de l'ambassade du Japon que Marie rencontre chez madame Élizabeth sont d'anciens copensionnaires de Maud :

> Bonne comme toujours, madame Élizabeth a organisé mon déménagement en réquisitionnant l'aide des autres pensionnaires : le professeur Pigeon, Blaise Pascal, l'aspirant économiste haïtien qui me faisait les yeux doux depuis le mois d'octobre, *Ian Broom, aujourd'hui poète très connu, un petit étudiant japonais* (*CDS* : 138, je souligne).

Les personnages de Poliquin partagent un réseau de connaissances parce qu'ils fréquentent les mêmes endroits, ce qui donne lieu à de nombreuses rencontres impromptues, trait emblématique du village plutôt que de la métropole. En faisant des courses au marché By, pourtant dépeint comme le quartier le plus urbain d'Ottawa, Jude tombe sur Hélène, que Maud lui avait présentée chez madame Élizabeth. C'est également dans un restaurant du coin, Au clair de lune, que Véronique et Anne font la connaissance du célèbre explorateur. Il avait auparavant donné une conférence à l'école que fréquentent les deux jeunes femmes, le Lycée Claudel, et elles le reverront tout près, sur la rue Dalhousie, lors des festivités de la Saint-Jean.

La ville dans *La Côte de Sable* tient aussi du village une certaine homogénéité linguistique. En effet, la mise en récit d'Ottawa par Poliquin s'accompagne d'une importante entreprise de francisation de l'espace, et ce, dès *Nouvelles de la capitale*. Alors que le narrateur du recueil fait mention du quartier « New Edinburgh » dans la première nouvelle, il se reprend dans la dernière : « Mes parents habitent maintenant dans le Petit Édimbourg, qu'on appelait autrefois le "New Edinburgh" ou tout simplement le "Burgh". On francise beaucoup de nos jours » (Poliquin, 2001 : 114). L'explication ironique n'est pas reprise dans *La Côte de Sable* où la francisation, pourtant plus importante, se fait plutôt en filigrane, comme si elle allait de soi. Ici aussi des équivalents français se substituent aux toponymes anglais : la All Saints Anglican Church de la rue Blackburn devient « l'église anglicane de la Toussaint » (*CDS* : 65). La volonté de mettre le français de l'avant est aussi indiquée par le titre du roman : en réalité, les Ottaviens tendent à désigner le quartier par son nom anglais, Sandy Hill. Cependant, en décrivant la ville depuis ce quartier, où se trouve justement l'Université d'Ottawa, institution unilingue française à l'origine, Poliquin parvient à en donner une image francophone.

Tout en amplifiant l'importance du français dans l'espace public d'Ottawa, le romancier laisse quelques traces de la présence d'une majorité anglophone et de ses tensions avec la communauté francophone. Enfant, Jude souhaite « battre tous les méchants de l'école et tous les Anglais du voisinage » (*CDS* : 213). L'époux de Marie Fontaine souligne la « chance formidable » qu'il a d'avoir une « femme bilingue » (*CDS* : 42). En racontant que madame Élizabeth aime montrer le livre d'or de sa maison dans lequel Oscar Wilde a écrit : « Dans la littérature, il faut tuer le père. O. W. 16 mai 1882 », Marie Fontaine rapporte : « C'est écrit en français, qui était pour Wilde la langue de l'esprit conquérant et pour son hôtesse la langue du conquis » (*CDS* : 64). N'empêche que ce commentaire, tout en rapportant l'opinion de la maîtresse de la maison sur la langue française, la désamorce par la filiation établie entre les francophones et Wilde.

Poliquin contourne le problème de l'intolérance à l'endroit du fait français en le déplaçant « à une centaine de kilomètres d'Ottawa » (*CDS* : 278). Là se situe le village fictif d'Orangetown, référence à l'ordre d'Orange[15], où habite le père de Jude :

> À l'entrée, il y a une petite taverne avec un écriteau sur la porte où on lit : *No French spoken here*. Tous les vieux cons d'Orangetown sont membres de l'*Alliance for the Preservation of English in Canada* : dans ce coin de l'Ontario, les gens croient que le français est la langue du diable et qu'on risque de contracter la syphilis à l'apprendre (*CDS* : 293).

Restreint à « ce coin de l'Ontario », le discours anti-francophone est enrayé une fois de plus, puisque Véronique met en doute l'intellect des habitants d'Orangetown, ces « vieux cons ». Mis à part ce passage, l'anglais cohabite avec le français à une seule autre reprise dans le roman, où il sert habilement à renforcer l'impression qu'Ottawa est une ville francophone. À l'Exposition d'Ottawa, la foire annuelle, Maud se retrouve face à face avec une connaissance :

> Pendant qu'il [Jude] s'appliquait à jouer au tireur d'élite, un monsieur m'a accostée :
>
> — *Maud! Good to see you! How have you been?*
>
> C'était Lazarus, le cousin d'un ami de Montréal. J'étais heureuse de le revoir. Il était accompagné de sa femme et de ses enfants que j'avais déjà rencontrés à une fête de famille. Nous avons causé quelques instants.
>
> — *Extend my best regards to Toby!*, leur ai-je dit.
>
> Ils sont repartis (*CDS* : 118).

[15] L'ordre d'Orange est une société protestante d'origine irlandaise qui s'installe à Brockville, en Ontario, dès 1830. Connue principalement pour son discours anti-catholique – associé à un discours anti-francophone par extension – elle est très influente jusqu'au XXe siècle (Bock et Gervais, 2004 : 81).

D'une part, cet échange suggère que les personnages communiquent toujours dans la langue de la narration[16], c'est-à-dire en français. Que l'usage de l'anglais soit ici rapporté donne à croire qu'il le serait à d'autres endroits si cette langue apparaissait ailleurs dans la diégèse. D'autre part, il sous-entend que le français est la langue commune de tous les habitants d'Ottawa, malgré leurs origines diverses – le seul anglophone unilingue étant seulement de passage.

Dans le temps présent de la fiction, la langue française est toujours celle du conquérant, comme la conçoit Wilde, puisqu'elle envahit le seul quartier majoritairement anglophone représenté dans *La Côte de Sable.* Le Glebe étant décrit au départ comme un « quartier riche et huppé que l'on visite en passant lors des promenades au bord du canal » (Vachon, 1996 : 120), il est plutôt significatif que Maud y emménage à la fin du roman, d'autant plus qu'elle est devenue mère monoparentale. Vachon voit là le « discours latent de l'appropriation de l'espace par les francophones qui fait que le Glebe, où se concentrent le pouvoir et la différence, n'apparaît plus comme l'espace de l'Autre, de l'Étranger » (1996 : 122). Cette appropriation du quartier s'effectue aussi par l'ajout d'un commerce francophone fictif, un bar-laverie nommé « *Bar-Lavoir* en l'honneur de Zola » (*CDS* : 300). L'origine du toponyme est fournie par Véronique sans aucun étonnement de sa part, comme si les noms des entreprises ottaviennes étaient couramment tirés de la culture française.

La ville d'Ottawa telle qu'elle figure chez Poliquin tient certainement de l'utopie, mais le lecteur l'oublie aisément : les nombreuses références à l'espace physique assurent un effet de réel (Barthes, 1968 : 88). Outre les rues, quartiers, parcs et commerces d'Ottawa, le romancier prend plaisir à mentionner les domiciles de son enfance, tels que le 238 et le 240 de la rue Wilbrod, où résident respectivement un certain journaliste du nom de Poliquin (clin d'œil au père de l'auteur) et madame Élizabeth, durant quelques années (Saleh, 2009 : 26e min). Intégrés à la fiction, ces lieux dont l'existence peut être vérifiée réduisent l'écart entre la ville réelle et la ville imaginée. Malgré les éléments utopiques, cet écart est d'emblée peu important : le personnage de madame Élizabeth de même que sa pension sont inspirés d'une véritable maison de la rue Blackburn, découverte alors

[16] Genette distingue la narration, c'est-à-dire « l'acte de narrer pris en lui-même », de la diégèse, qu'il définit comme « la succession d'évènements, réels ou fictifs, qui font l'objet [du] discours » (1972 : 71).

que Poliquin se promenait dans le quartier (Saleh, 2009 : 17e min). Ville bien ancrée dans le réel et présentée comme étant ouverte sur le monde, mouvementée, accueillante et francophone, l'Ottawa de Poliquin a toutes les qualités d'une capitale littéraire.

Dans le sillage de Daniel Poliquin : Fadel Saleh et Patrick Leroux[17]

À la suite de la parution du roman *L'écureuil noir*, le cinéaste Fadel Saleh fait de la représentation d'Ottawa dans l'œuvre de Poliquin le sujet d'un documentaire pour l'Office national du film du Canada[18]. Il embauche Patrick Leroux, directeur artistique et cofondateur du Théâtre la Catapulte, pour le seconder. Vraisemblablement séduit par l'œuvre de Poliquin, Leroux décide à son tour de se pencher sur Ottawa, lui qui avait pourtant juré de ne jamais mettre en scène l'espace franco-ontarien (Leroux, 2007 : 299)[19]. Il souhaite maintenant « nommer cette ville où [il a] élu domicile, lui rendre hommage, la reconnaître sur scène » (1999 : 11) au moyen des contes urbains. Mis au point par Yvan Bienvenue et Stéphane F. Jacques du Théâtre Urbi et Orbi à Montréal, le concept des contes urbains consiste en une réactualisation du conte oral traditionnel. Sa particularité est d'investir l'espace de la ville, connu et reconnu par les membres du public, qui sont ainsi de connivence avec le conteur (Bienvenue, 2008 : 52). Leroux va cependant plus loin en conférant à ce genre littéraire le pouvoir de recréer la ville d'Ottawa comme espace francophone :

> Par ces *Contes urbains*, nous nous approprions l'espace qu'il nous reste. Nous nommons, en français, ces lieux que nous fréquentons. Notre ville, avec le voisinage, est à l'honneur. Nous sommes donc à l'honneur, non pas comme de simples figurants dans l'histoire des autres, des dominants, des gagnants, mais comme des héros ou antihéros de nos propres récits inscrits dans le sol et le béton de notre métropole (1999 : 11).

---

17 J'aimerais remercier Patrick Leroux qui m'a mise sur la piste de ce qui suit.

18 Le film, également intitulé *L'écureuil noir*, est un documentaire-fiction qui combine divers entretiens ainsi que la mise en scène de quelques extraits de l'œuvre de Poliquin. Ce dernier a lui-même participé au tournage : en plus d'être interviewé, il incarne certains de ses personnages.

19 En note, Leroux reconnaît avoir dérogé de ses principes avec les *Contes urbains : Ottawa* et, plus tard, avec les *Contes d'appartenance* (2007 : 299).

Rédigés par Jean Marc Dalpé, Marie-Thé Morin, André Perrier, Yvan Bienvenue et Patrick Leroux[20], les contes sont présentés pour la première fois à la Cour des Arts d'Ottawa le 28 janvier 1998.

Contes urbains : Ottawa n'aura malheureusement pas l'effet escompté par Leroux. Les critiques littéraires Pamela Sing et Danièle Vallée relèvent toutes deux la gratuité de certaines références spatiales ainsi que la présence de clichés dans l'un ou l'autre des textes (Sing, 2000 : 194; Vallée, 1998 : 34). La conclusion de Sing énonce des doutes quant aux résultats obtenus, signalant ce que l'exercice n'a pas réussi à accomplir :

> Sans avoir rien de folklorisant, le conte urbain, pour enchanter, doit tout de même renouer avec le conte ancien en conduisant à une certaine appropriation du réel. L'innovation intelligente du langage stimulant notre imaginaire, la force de l'imaginaire du conteur doit nous aider à ordonner le chaos de l'univers, éclairer les obscurités de la vie et, pourquoi pas, conjurer la menace de la marginalisation. Produisant du sens là où il n'y en a pas, mais sans pour autant faire oublier la fragilité et le caractère provisoire de ce sens, il peut rendre la ville plus habitable. Si, toutefois, il s'avérait que sa pratique en milieu minoritaire rendait cela impossible, espérons du moins que l'*angst* urbain sera conté en communicant [*sic*] un certain « plaisir du texte » (2000 : 195).

Autrement dit, les contes sur Ottawa ne parviennent pas à rendre la ville plus habitable malgré les intentions de Leroux. N'empêche que cette initiative lancera toute une série de contes urbains dans les autres communautés franco-canadiennes[21]. Leroux, quant à lui, poursuivra son exploration de la capitale fédérale dans le cadre du spectacle *Ottawa, vu par…* pour lequel il écrit *La nuit blanche de Martin Shakespeare*[22], une pièce qui, ironiquement, se déroule dans le Vieux-Hull[23]. Il approche

[20] Daniel Poliquin ainsi que le dramaturge Robert Marinier auraient été envisagés comme collaborateurs au projet : leurs noms raturés apparaissent sur une liste d'auteurs potentiels déposée au fonds d'archives du Théâtre la Catapulte (Université d'Ottawa, Centre de recherche en civilisation canadienne-française, Fonds Théâtre la Catapulte, C140-1/5/12).

[21] Ils seront suivis des *Contes d'appartenance*, une édition pancanadienne créée au printemps 1998, et des *Contes sudburois*, créés à l'hiver 1999, de même que de deux éditions des *Contes albertains*, en 1999 et 2001, et des *Contes urbains, contes torontois*, en 2002 et 2005. Seuls les *Contes albertains* demeurent inédits.

[22] La pièce est inédite, mais plusieurs versions peuvent être consultées au fonds d'archives du Théâtre la Catapulte.

[23] Écrire sur Ottawa à partir de Hull n'est peut-être pas si surprenant. S'intéressant à la perception de la frontière provinciale qu'ont les minorités de langues officielles de la région de la capitale nationale, Gilbert et Brosseau notent : « La carte que redessinent

aussi Michel Ouellette et lui commande une pièce sur Ottawa, qui deviendra *King Edward*. Les deux pièces feront l'objet d'une mise en lecture-spectacle par le Théâtre la Catapulte au Studio du Centre national des Arts les 13 et 14 novembre 1998, mais elles ne seront jamais créées.

King Edward de Michel Ouellette : la capitale impossible

Lorsque Michel Ouellette reçoit la commande de Patrick Leroux, il est installé dans la région de la capitale nationale (mais du côté québécois) depuis quelques années. Comme ses textes « semblent suivre son itinéraire personnel » (Moss, 2002 : 85), il va de soi qu'il s'intéresse désormais à Ottawa et à Gatineau. Jusqu'alors, l'œuvre de Ouellette relève principalement de la littérature de la conscience : sa pièce *French Town*, qui lui a valu le Prix du Gouverneur général en 1994, s'inscrit dans la lignée des deux autres pièces les plus marquantes de cette esthétique, *Lavalléville* d'André Paiement et *Le chien* de Jean Marc Dalpé. Mais l'association entre le dramaturge et le Théâtre du Nouvel-Ontario à Sudbury vient de prendre fin avec le départ de Sylvie Dufour à la direction artistique. C'est l'occasion pour lui de renouveler sa pratique littéraire, ce qu'il fera en procédant par contraintes auto-imposées (Ouellette, 2007 : 62).

Ouellette écrira donc sur Ottawa en se servant de la marche : « Pendant une douzaine de jours, j'ai marché [*sic*] l'artère routière d'Ottawa, l'avenue King Edward, m'inspirant des lieux et des moments, à la recherche d'une histoire et de personnages » (2007 : 62)[24]. Le parcours de l'auteur sera repris à la fois par le personnage principal de *King Edward* et dans la structure du texte. Tous les matins, Édouard quitte sa maison de Gatineau pour se rendre à Ottawa, où il a grandi. L'autobus le dépose sur l'avenue King Edward à la hauteur de la rue Rideau. Tandis que dans la première partie de la pièce, « Au sud de Rideau (Côte-de-Sable) », Édouard remonte l'avenue jusqu'à l'Université d'Ottawa pour convaincre Wallis, son ancienne amante, de renouer avec lui, dans la seconde partie,

---

les Franco-Ontariens étire ainsi la frontière vers le nord, pour inclure l'île de Hull, qui constitue le centre-ville de Gatineau, dans Ottawa. [...] Ils ne se sentent pas franchir la frontière lorsqu'ils se rendent dans cette partie de Hull » (2011 : 483).

[24] Cette méthode n'est pas sans rappeler celle éprouvée par Michel Ouellette et Laurent Vaillancourt quelques années plus tôt. L'album *100 bornes* (1995) invite les lecteurs à découvrir les cent milles parcourus par le dramaturge et l'artiste visuel entre Hearst et Smooth Rock Falls.

« Au nord de Rideau (Basse-Ville) », il la parcourt dans l'autre direction afin d'élucider le meurtre de son père, le docteur Georges Roy. Les scènes des deux parties portent le nom des rues perpendiculaires à l'avenue King Edward, reflétant ainsi le déplacement de l'action dans ces lieux, tout en reproduisant la carte du centre-ville d'Ottawa.

En se dirigeant vers l'Université d'Ottawa, Édouard croise plusieurs rues qui figurent aussi dans *La Côte de Sable*, de sorte qu'on peut imaginer les personnages de Ouellette et de Poliquin les sillonnant simultanément et s'y croisant. Mais ces rencontres se révèlent impossibles, ne serait-ce qu'à cause de l'écart temporel (une dizaine d'années) qui sépare l'action de *La Côte de Sable* de celle de *King Edward*. À cela s'ajoute une difficulté plus grande : les deux œuvres, qui présentent des points communs pour ce qui est de l'espace représenté, n'en ont pas du tout dans le cas de l'espace structurant. Sur ce second point, les deux représentations d'Ottawa coïncident si peu qu'il pourrait s'agir de villes différentes. Quoique la pièce de Ouellette ait été écrite à la demande de Leroux, lui-même inspiré par l'œuvre de Poliquin, *King Edward* n'emboîte aucunement le pas à celle-ci : elle dépeint la ville non pas pour lui accorder une reconnaissance, mais pour mieux la rejeter.

Pour Lucie Robert, *King Edward* appartient à cette catégorie de pièces qui inversent le rapport entre personnages et espace, en ce sens que les personnages ont comme fonction première de faire vivre l'espace, seul propos de l'action dramatique :

> Quand cette inversion se produit, c'est que l'espace lui-même a atteint une valeur métaphorique, en tant que mémoire morte d'une activité antérieure qui ne demeure au présent que par fragments : noms des rues, des parcs ou des quartiers, construction vide. En restituant des personnages et parfois une action dans cet univers devenu statique, l'auteur dramatique donne la vie, reconstitue l'histoire dans ce qui n'est plus que la mémoire (2000 : 592).

Dans *King Edward*, la tâche de raviver la mémoire urbaine incombe aux deux personnages que le protagoniste croise quotidiennement dans les rues d'Ottawa. C'est un mendiant, figure marginalisée s'il en est, qui est porteur de la version officielle. King Edward, double d'Édouard Roy, raconte des bribes d'histoire locale à qui lui fait la charité. De la construction du canal Rideau par le colonel By aux épidémies de typhoïde et de choléra des années 1830 et 1840, tout le passé de la ville est évoqué pour la somme d'un « [*l*]*oonie or toonie* », d'un « [h]uard ou ourson »

(Ouellette, 1999 : 117)[25]. Comme son nom l'indique, King Edward est la mémoire même de la ville, qui se raconte à travers lui : dans son délire, l'alcoolique est persuadé non seulement d'habiter Ottawa depuis sa fondation, mais d'être l'incarnation de l'avenue éponyme.

L'autre personnage, Jean-Baptiste, vient corriger la version de King en mettant l'accent sur celle, méconnue, de la communauté francophone. Il rappelle que les rénovations urbaines des années 1960 ont eu pour effet de détruire la Basse-Ville, quartier francophone du centre-ville. D'entrée de jeu, Jean-Baptiste énonce clairement les intentions de son groupe de militants : « Nous voulions faire élire notre candidat. Un homme porteur de nos valeurs catholiques et canadiennes-françaises. Notre homme *pour regagner le terrain perdu dans notre ville* » (*KE* : 111, je souligne). C'est alors que se produit l'inversion décrite par Robert : la ville, objet de la quête de Jean-Baptiste, porte-parole de la communauté canadienne-française, passe d'espace-cadre comme dans *La Côte de Sable* à espace-sujet, sans lequel « personnages, action et récit cessent d'exister » (Bourneuf, 1970 : 93). Elle devient même ce qu'on pourrait nommer un espace-enjeu en ce qu'elle pose problème – du point de vue de Jean-Baptiste – pour ses habitants francophones. Au fil des scènes, la pièce ne cesse d'osciller entre littérature de la conscience et individualisme, la première de ces esthétiques étant représentée sur l'espace scénique par Jean-Baptiste et la seconde, par Édouard.

Candidat désigné, le personnage principal est confronté au même choix que son homonyme, le roi Édouard VIII : poursuivre sa relation amoureuse avec Wallis ou assumer les devoirs politiques hérités de son père, « un ardent défenseur de la foi et de la langue » (*KE* : 112). Le dilemme est imposé par Jean-Baptiste, pour qui Wallis est une « femme maudite » (*KE* : 111), car elle ne partage pas les valeurs canadiennes-françaises et catholiques. Divorcée et remariée, Wallis a surtout le défaut d'appartenir à la communauté ennemie, les anglophones, que Jean-Baptiste accuse d'être responsable de la destruction de la Basse-Ville et à l'origine d'un complot visant à en expulser les francophones :

> JEAN-BAPTISTE. Regarde le dommage qu'ils [les anglophones] ont fait à notre communauté canadienne-française. Regarde. L'avenue King Edward coupe la Basse-Ville en deux. C'est tellement large que c'est une aventure de la traverser à pied. [...]

[25] Dorénavant, les références à cet ouvrage seront indiquées par le sigle *KE*, suivi du folio.

> ÉDOUARD. J'en ai rien à foutre!
>
> JEAN-BAPTISTE. Pourquoi ils ont décidé d'élargir la King Edward? Pour vider la Basse-Ville! C'était ça le dessein diabolique. Vider la Basse-Ville de sa population canadienne-française et catholique.
>
> ÉDOUARD. C'était pour améliorer la circulation routière.
>
> JEAN-BAPTISTE. Elle mène où, la King Edward? Pas à la Côte-de-Sable? En haut de Rideau, la route est restée étroite. Non. C'est de l'autre bord qu'il faut regarder. Là où tu vis maintenant. La province de Québec (*KE* : 128).

Pour Jean-Baptiste, toute ouverture à la majorité anglophone est inconcevable et menace de contaminer la communauté francophone. Voyant qu'Édouard s'apprête à renoncer à sa carrière politique par amour pour Wallis, il sabote leur relation. Que Wallis soit parfaitement bilingue et originaire des Bahamas n'importe pas. Aux yeux de Jean-Baptiste, elle appartient tout de même à ce qu'il nomme « l'establishment anglo » (*KE* : 127). Quant à Édouard, il aura beau remonter quotidiennement l'avenue King Edward en direction de l'Université d'Ottawa, il ne parviendra pas à opérer un rapprochement avec la communauté anglophone : depuis l'intervention de Jean-Baptiste, Wallis persiste à le rejeter. Il renoncera peu à peu à elle pour se tourner vers Vicky, une Gatinoise dont les parents ont été expropriés de la Basse-Ville. À l'ouverture à l'autre, centrale chez Poliquin, succède un repli sur soi.

Les nuances présentées par Édouard ne sont pas suffisantes pour contrer la théorie du complot de Jean-Baptiste. Au lieu de proposer une autre version des faits, Édouard paraît endosser celle de son interlocuteur en affirmant : « C'est du passé, ces histoires-là » (*KE* : 128). La réplique est catégorique : « C'est aujourd'hui aussi. On vit avec ça. Aujourd'hui » (*KE* : 128). Dans la pièce, peu de résistance est opposée à Jean-Baptiste, d'autant plus que la parole n'est pas donnée aux anglophones accusés. Le manque d'opposition et l'absence de témoignage font en sorte que seul prime le point de vue de Jean-Baptiste.

Dans la perspective de Jean-Baptiste, Ottawa n'est pas un territoire traversé par la multiplicité comme dans *La Côte de Sable*, mais divisé en deux camps homogènes et hermétiques : la Basse-Ville, francophone, et le reste de la ville, anglophone[26]. Cette perception de la ville s'apparente à ce

---

[26] Pour un tout autre portrait d'Ottawa façonné à partir de la Basse-Ville, lire *Angel Square* (1984) de Brian Doyle. Dans ce roman pour la jeunesse, la Basse-Ville d'avant

que Sherry Simon nomme « *divided city* » par opposition à « *cosmopolitan city* », notion qui rappelle plutôt l'Ottawa de Poliquin : « *The sensibility of the divided city is different from that of the multilingual, cosmopolitan city, where one strong language* [le français dans *La Côte de Sable*] *embraces all the others* » (2006 : XIII). Les « *divided cities* » qui intéressent Simon sont bien souvent aussi des « *colonial cities* », caractérisées par leur « *spatial segregation* » (2006 : 22) et dont les communautés « *live in relations of "proximate strangeness," or "intimate otherness"* » (2006 : XIII) – comme dans *King Edward*, où elles sont, pour Jean-Baptiste, « *physically close but culturally distant* » (2006 : XIII).

À Montréal, ainsi que le montre Simon, les divisions internes de la ville engendrent une « *in-between culture* » (2006 : 8) qui prend racine dans le Mile-End, quartier à la frontière des secteurs anglophones et francophones. Chez Ouellette, cependant, le découpage de l'espace urbain n'a pas le même effet : les deux communautés d'Ottawa ne sont pas suffisamment sur un pied d'égalité pour entretenir des liens de réciprocité. La Basse-Ville de *King Edward* correspond en fait à un « espace conquis » au sens où l'entend Sylvain Rheault : « Presque tout ce qu'on y trouve appartient aux individus du groupe de la normalité, plus influent » (2006 : 38).

En effet, selon Jean-Baptiste, le réaménagement de la Basse-Ville a eu comme résultat d'affaiblir la communauté francophone et de faire disparaître ses points de repère dans la ville :

> Regarde le pouvoir qu'on avait avant la grande rénovation urbaine. Il y en a des vestiges partout dans la Basse-Ville. Des vestiges encore vivants, d'autres morts. Nos institutions. Catholiques et canadiennes-françaises. La basilique Notre-Dame. L'Académie LaSalle [*sic*]. L'Institut canadien-français. L'Institut Jeanne-D'Arc. L'école Guigues. La Maison mère des Sœurs Grises. Le Centre Élizabeth-Bruyère. L'église Sainte-Anne... [...] On était forts. Majoritaires et forts (*KE* : 134).

Ce passage tend à confirmer l'atopie des cultures diasporales, comme celle de l'Ontario français :

les rénovations urbaines est habitée à la fois par des Canadiens français catholiques, des Juifs et des Irlandais catholiques. Les oppositions entre les groupes ne se forment plus tant en fonction de l'appartenance linguistique que de l'appartenance religieuse. Ces divisions sont néanmoins suffisamment souples pour être transcendées par le jeune narrateur, Tommy, dont la famille n'appartient à aucune confession.

> En réalité, les ruptures diasporales entraînent la fracture même de l'espace urbain. Il ne restera du quartier que des traces mémorielles : un square, un arbre à paroles, un café, un lieu festivalier où pour un temps l'espace convivial est recréé (Paré, 2003 : 91).

Des traces mémorielles ou des vestiges, c'est tout ce qui s'offre à Jean-Baptiste. Pour Édouard, qui souhaitait racheter la maison de son grand-père, il ne reste rien : « Même la rue n'existe plus. Elle est ensevelie sous la promenade Sussex et les échangeurs du pont Macdonald-Cartier » (*KE* : 138). L'absence d'enracinement, positif dans *La Côte de Sable*, devient tragique dans *King Edward* puisqu'il est imposé : les personnages ont été arrachés de leur communauté. En fin de compte, seul le texte, par sa structure, demeure ancré dans la ville.

Ainsi détruit par l'ennemi, le quartier francophone ne peut plus être évoqué qu'avec nostalgie : « Avant le bruit des chars pis le vacarme des camions. Une rue ornée de beaux grands arbres tout le long. Des grands ormes. Si beaux. Des oiseaux dans les branches. Des amoureux sur des bancs. King Edward. La voie royale », raconte King (*KE* : 123). Il n'en restera qu'un « mur de bruit » (*KE* : 128) et des « ormes malades » (*KE* : 144). Les signes d'une potentielle revitalisation du quartier francophone sont quant à eux ignorés : la construction de La Nouvelle Scène dont King fait mention passe tout à fait inaperçue auprès des autres personnages.

King Edward met plutôt l'accent sur le passé colonial de la ville, rappelant que « [c]'est la reine Victoria qui a décidé qu'Ottawa serait la capitale » (*KE* : 118). De ce passé subsistent nombre de toponymes britanniques, que la pièce se charge de souligner. Elle révèle, par exemple, que le pont Alexandra tient son nom de l'épouse de « *King Edward the seventh* » (*KE* : 119), qui a lui-même légué le sien à l'avenue homonyme. En réactualisant ces signes ainsi qu'en reproduisant l'histoire d'amour entre Édouard VIII et Wallis Simpson, Ouellette fait d'Ottawa non plus une ville francophone comme chez Poliquin, mais une ville doublement étrangère, à la fois anglophone et britannique. Comme dans *La Côte de Sable*, ce parti pris est énoncé dès le titre de la pièce, « résolument anglophone et royaliste » (O'Neill-Karch, 2006 : 8).

La représentation d'Ottawa comme ville anglophone a pour conséquence de rendre la langue de la majorité plus présente dans le roman. Outre les quelques jeux de mots de King – « *God bless you!...* Que le bon Dieu te blesse ! » (*KE* : 107) –, l'anglais est utilisé par Wallis lorsqu'elle enseigne la biologie. Ironiquement, sa description du système nerveux, en anglais, donne raison à Jean-Baptiste de vouloir protéger ses acquis francophones : « *But living is not only the integration of information from the outside world, it is also the preservation of the integrity of the inside world* » (*KE* : 150). Jean-Baptiste s'est lui-même anglicisé à son insu. Dans son énumération des institutions canadiennes-françaises déchues se glisse une faute dans le nom « Académie LaSalle » (*KE* : 134), qui est une mauvaise traduction de « *LaSalle Academy* ». Il faudrait plutôt lire « Académie de La Salle », comme on le rencontre chez Poliquin (2001 : 28).

La domination anglophone n'est toutefois pas la seule cause de l'expulsion des francophones de la Basse-Ville : c'est parce qu'il a été « frappé d'ostracisme » (*KE* : 148) par Jean-Baptiste et ses amis qu'Édouard a quitté son quartier natal pour Gatineau. Lorsque Jean-Baptiste prend conscience que ses convictions portent atteinte à la communauté francophone, il est trop tard. Édouard refuse de s'enraciner de nouveau à Ottawa en renouant avec Wallis et en reprenant possession de la maison familiale dans la Côte de Sable. Ses attaches à Gatineau ne sont pourtant pas très solides : il ne peut s'empêcher de rentrer tous les jours à Ottawa. Là, il ne fait qu'errer dans les rues avant de regagner sa « belle grande maison » de la Côte d'Azur, que Vicky, chargée de la dépersonnaliser tout à fait en la repeignant en blanc, décrit comme « [u]n peu vide » (*KE* : 108). Au fil des déplacements d'Édouard de part et d'autre de la rivière des Outaouais – auxquels correspond un va-et-vient entre Wallis et Vicky, postées aux deux extrémités de la scène –, la ville d'Ottawa n'est plus insérée dans un réseau de métropoles internationales comme chez Poliquin, mais prise dans un face-à-face avec la ville de Gatineau.

En accordant une telle importance à Gatineau, Ouellette ne positionne pas Ottawa de façon favorable contre l'hégémonie québécoise, tel que le faisait Leblanc pour Moncton (Boudreau, 2007 : 44). *King Edward* fait plutôt le constat qu'il n'y a pas de salut possible pour les francophones du côté ontarien de la frontière, une réalité inscrite à même l'espace depuis le réaménagement de la Basse-Ville : « Allez-vous-en au Québec si vous tenez tant que ça à être catholique [*sic*] et canadien-français [*sic*]. C'est ça qu'elle veut dire, l'avenue King Edward », affirme Jean-Baptiste (*KE* : 128). Les deux provinces se révèlent d'ailleurs tout aussi inhabitables l'une que l'autre pour le personnage principal[27].

---

27 On pourrait voir là le retour de l'homme invisible de Patrice Desbiens, personnage franco-ontarien qui, dans *L'homme invisible/The Invisible Man*, n'est chez lui ni en Ontario ni au Québec.

Le dénouement de *King Edward* ne permet pas de résoudre la tension entre Ottawa et Gatineau ni de démêler le vrai du faux concernant la destruction de la Basse-Ville lors des rénovations urbaines. Les dernières scènes transforment la pièce en intrigue policière permettant à Édouard d'élucider le meurtre de son père, Georges Roy. Le coupable n'est nul autre que King, dont l'épouse était l'amante de Georges. Démasqué, le vagabond affirme avoir reçu une somme d'argent de la part de Jean-Baptiste pour tuer le père d'Édouard. Fervent catholique, Jean-Baptiste ne supportait pas que le « bon docteur [quitte] sa femme pis son enfant pour vivre avec [s]a douce Agathe » (*KE* : 160). Cette version des faits est contredite par Jean-Baptiste : la somme devait servir à éponger les dettes de King, qui aurait tué par jalousie. Quoique les accusations de King mettent en doute la crédibilité de Jean-Baptiste depuis le début de la pièce, les deux hommes quittent la scène sans qu'il soit possible de trancher nettement entre leurs deux témoignages. La pièce se clôt tandis que Wallis et Vicky déclarent simultanément leur amour pour Édouard, qui lui, s'est effondré, vraisemblablement victime d'un arrêt cardiaque.

Les critiques littéraires ne s'entendent pas sur la signification de ce dénouement. Pour Mariel O'Neill-Karch, « [l]e drame personnel d'Édouard se joue donc contre [la] trame historique qui permet à tous les fils de sa vie de se renouer, résolvant ainsi sa crise d'identité et laissant la place libre à l'amour » (2006 : 8). Pourtant, les dernières répliques de la pièce amplifient, plutôt qu'elles ne le résolvent, l'écartèlement du protagoniste entre les deux femmes et les villes qu'elles représentent. D'après Jane Moss, *King Edward* annonce « le désir de s'enraciner dans la ville, revendiquant l'espace urbain occupé autrefois par les Franco-Ontariens » (2002 : 87). Cette affirmation est valide si l'on songe à Vicky, née à Hull mais conçue à Ottawa : « Avant de vous rencontrer, dit-elle à Édouard, ça avait pas d'importance ce détail-là. Mais vous m'avez forcée à examiner mes origines » (*KE* : 160). Pour les autres personnages, toutefois, la réappropriation de l'espace francophone n'a pas lieu et ne semble pas possible.

Il revient à Lucie Robert et à Dominique Lafon d'avoir le mieux interprété l'ensemble de la pièce en fonction de son dénouement. Contredisant Moss, Robert voit dans *King Edward* « l'histoire [...] d'un détachement » : « À la fin, Édouard aura renoncé à tout : à sa ville, à la maison familiale, à la cause des francophones d'Ottawa, à Wallis et même à sa maison de Gatineau où il n'est pas rentré depuis trois jours » (2000 : 594). Poursuivant dans la même voie, Lafon note que « [l]a référence collective s'évanouit dans le drame intime, l'affirmation individuelle l'emporte sur le devoir de communalité » (2001 : 270), puisqu'Édouard découvre que son père n'a pas été assassiné en raison de ses convictions politiques. *King Edward* se classe alors de justesse dans le courant individualiste que Poliquin tente d'ancrer à Ottawa. Cependant, contrairement aux romans et nouvelles de ce dernier, la pièce de Ouellette n'adopte pas cette esthétique de plein gré mais par dépit, faute de vie collective possible.

Il importe néanmoins de tenir compte de la problématisation de l'espace chez le dramaturge. De ce point de vue, *King Edward* rappelle davantage *French Town*, pièce phare de Ouellette et représentative de la littérature de la conscience, que l'œuvre individualiste de Poliquin. Les prémisses de *French Town* sont les mêmes que celles de *King Edward* : les habitants du quartier francophone d'une ville anglophone – il s'agit de Timber Falls, espace fictif calqué sur Smooth Rock Falls dans le Nord de l'Ontario – ont été expulsés après sa destruction par le groupe majoritaire, un incendie remplissant cette fois la fonction des rénovations urbaines[28]. Ouellette investit donc la ville d'Ottawa de la même manière qu'il investissait le Nord de la province dans ses œuvres antérieures. Les caractéristiques associées à l'espace urbain dans *King Edward* le sont d'ailleurs déjà dans *French Town* :

> Dès ses premières pièces, *Corbeaux en exil*, *French Town*, *L'homme effacé* et *Le bateleur*, le théâtre de Michel Ouellette situe ses personnages dans un rapport de tension entre le Nord ontarien rural francophone et l'Ailleurs urbain. Cet Ailleurs urbain étranger, anglophone ou anglophile, est à la fois civilisation et exil, tentation et perdition. [...] La tension naît de la coexistence de la nordicité et de l'urbanité, du français et de l'anglais, du désir d'appartenir et de celui d'abdiquer et de disparaître [...] (Leroux, 2009 : 58).

Le malaise qui entoure la ville dans *King Edward* ne s'inscrit peut-être pas explicitement dans un rapport au Nord de l'Ontario[29], mais il n'en

---

[28] À l'origine, Vicky devait même être une parente de Simone, personnage de *French Town*, tel que l'indique Ouellette dans ses notes sur *King Edward* (Michel Ouellette, Université d'Ottawa, Centre de recherche en civilisation canadienne-française, Fonds Michel-Ouellette, P338-1/6/23).

[29] C'était pourtant le cas dans une version préliminaire de la pièce, datée du 12 avril 1998, où le Nord de la province est connoté de façon idyllique en référence à la commune de la Coopérative des artistes du Nouvel-Ontario (CANO), dont a fait

demeure pas moins irrésolu : l'urbanité, dans cette pièce, « rime toujours avec déchéance » (Leroux, 2009 : 58).

En renouant avec une tradition littéraire issue de Sudbury, Ouellette cherche peut-être à indiquer que la ville d'Ottawa ne lui paraît pas suffisamment accueillante envers sa minorité francophone pour devenir une capitale littéraire de l'Ontario français. À l'hiver 1998, tandis qu'il écrit *King Edward*, l'espace francophone d'Ottawa est menacé et doit être défendu :

> [Ouellette] renoue ici avec le *in media res* de sa première pièce, d'autant plus manifestement qu'à l'ordre du jour de l'actualité du moment à Ottawa, figure la campagne pour la sauvegarde de l'hôpital Montfort, seul hôpital francophone de la capitale, menacé de fermeture par le gouvernement Harris (Lafon, 2001 : 269)[30].

« [D]ernière tentative d'engagement collectif du dramaturge » (Lafon, 2001 : 269), *King Edward* ne participe peut-être pas à la construction d'Ottawa comme capitale littéraire, mais annonce néanmoins un virage important dans l'œuvre de Ouellette, qui se détachera progressivement de la littérature de la conscience par la suite. Il a déjà entrepris à ce moment-là une ébauche du *Testament du couturier*, drame futuriste créé en 2003, qui constitue une « première tentative de rupture radicale avec ce qui la précède » (Leroux, 2009 : 63).

Conclusion

L'existence d'Ottawa dans la littérature franco-ontarienne tient toujours à une petite poignée de textes, dont la majorité est de Daniel Poliquin.

---

partie André Paiement. Au cours d'une scène qui se déroule en 1973, Agathe invite Édouard à tout lâcher pour déménager dans le Nord de l'Ontario. Lorsqu'Édouard lui demande si c'est pour mourir, elle répond : « Pour vivre ! Je m'en vais vivre dans une commune dans le Nord. Ils font l'élevage du bison là-bas. [...] J'étais comme toi avant. J'étais comptable pour une grosse compagnie. J'étais pognée dans mon tailleur bleu marine, esclave de mon agenda. Là, je suis libre. J'ai tout lâché. Tout vendu. Je me suis payé une Volkswagen pis je pars à l'aventure. [...] Ça te tente pas de courir tout nu dans un champ ? De grimper dans les arbres ? De te baigner dans un lac sauvage ? » (Michel Ouellette, Université d'Ottawa, Centre de recherche en civilisation canadienne-française, Fonds Michel-Ouellette, P338-1/6/21 : 28).

[30] Au même moment, Ouellette travaille aussi à un manuscrit intitulé *À ceux qui luttent*, qu'il écrit en s'inspirant des articles sur la lutte contre la fermeture de l'hôpital Montfort parus dans *Le Droit*. La pièce, inédite, est disponible au Centre des auteurs dramatiques (CEAD) à Montréal ainsi qu'à partir du site Web *Auteurs dramatiques en ligne* (www.adelin.qc.ca).

Quoique celui-ci soit bien parvenu à « placer la ville d'Ottawa dans le champ des villes littéraires » (Vachon, 1996 : 136) de même qu'à inciter Patrick Leroux et Michel Ouellette à écrire sur la capitale fédérale, ses adeptes, trop peu nombreux, n'ont pu alimenter un mythe d'envergure suffisante pour entraîner des effets importants dans la réalité. La reconnaissance d'Ottawa comme capitale littéraire est d'autant plus problématique qu'elle ne fait pas consensus : de *La Côte de Sable* à *King Edward*, la ville perd de son prestige littéraire. Les stratégies d'écriture employées par Poliquin pour pallier les défauts d'Ottawa ne sont pas reprises par Ouellette.

Au contraire, outre les espaces représentés qui sont communs aux deux œuvres, la représentation d'Ottawa dans *King Edward* est l'antithèse de celle de *La Côte de Sable*. Carrefour cosmopolite, animé et francophone sous la plume de Poliquin, Ottawa devient une ville étrangère, hostile et inhabitable chez Ouellette. De façon paradoxale, elle acquiert une importance actancielle non pas chez l'auteur qui la valorise, pour qui elle ne sert que de cadre, mais chez celui qui la repousse, puisque Ouellette lui donne un rôle central dans l'intrigue. Par contre, en représentant Ottawa de manière à souligner son déclin, *King Edward* ne peut contribuer à en faire une capitale littéraire.

Dans la rivalité qui l'oppose à Sudbury, Ottawa devra miser sur son poids institutionnel plutôt que sur son prestige littéraire. Au contraire, Sudbury possède une bonne longueur d'avance pour ce qui est de sa littérarisation : non seulement s'agit-il de « la ville la plus souvent mentionnée dans les œuvres franco-ontariennes » (Hotte, 2009 : 345), mais elle tire également profit du capital symbolique de la région dont elle relève, le Nord de l'Ontario. Les ensembles littéraires comme l'Ontario français où rivalisent deux capitales ne sont pas étrangers à Casanova :

> Dans certains espaces littéraires nationaux, l'autonomie relative des instances littéraires peut être aperçue dans la présence (et la lutte) de deux capitales, l'une – souvent la plus ancienne – concentrant les pouvoirs, la fonction et les ressources politiques, où s'écrit une littérature conservatrice, traditionnelle, liée au modèle et à la dépendance politique et nationale, l'autre, quelques fois beaucoup plus récente, souvent ville portuaire, ouverte sur l'étranger, ou ville universitaire – revendiquant une modernité littéraire [...] (2008 : 350).

Si, en Acadie, le partage des ressources entre Moncton et Caraquet « obéit grossièrement au schéma établi par Casanova entre ancienne et nouvelle capitale » (Boudreau, 2007 : 39), ce modèle est moins adéquat pour saisir la relation entre Sudbury et Ottawa. En effet, à ces deux villes ne correspondent pas tant deux types de littérature, l'une conservatrice et l'autre moderne, que deux fonctions : tandis que Sudbury est avant tout la capitale symbolique de l'Ontario français, Ottawa en est la capitale institutionnelle.

La relation entre Sudbury et Ottawa coïncide d'autant moins avec le schéma de Casanova que la cartographie littéraire de l'Ontario français se révèle plus complexe : il n'y figure en réalité pas deux, mais trois petites capitales. C'est ce que suggère, entre autres, le parcours de Mireille Messier. Ayant d'abord fait découvrir la capitale fédérale à ses lecteurs dans *Une twiga à Ottawa* (2003), l'auteure pour la jeunesse investit avec les mêmes personnages deux autres centres urbains de l'Ontario dans *Coupe et soucoupe à Sudbury* (2006) et, auparavant, *Déclic à Toronto* (2004). Centre de la production artistique du Canada anglais, la ville de Toronto détient une portion non négligeable des ressources institutionnelles franco-ontariennes, en plus d'avoir fait l'objet de maintes représentations. Mais la lutte, pour reprendre le vocabulaire de Casanova, n'est pas encore perdue pour la capitale nationale, récemment revalorisée dans le dernier récit de Pierre Raphaël Pelletier, *Entre l'étreinte de la rue et la fièvre des cafés* (2012). De par les errances urbaines et la fréquentation des cafés du centre-ville surgissent les réflexions sur l'art et la beauté, faisant d'Ottawa un réel lieu de création pour l'Ontario français.

BIBLIOGRAPHIE

Archives

Université d'Ottawa, Centre de recherche en civilisation canadienne-française
Fonds Michel-Ouellette, P338
Fonds Théâtre la Catapulte, C140

Livres et articles

BARTHES, Roland (1968). « L'effet de réel », *Communications*, vol. 11, n° 11, p. 84-89.

BEDDOWS, Joël (2001). « Tracer ses frontières : vers un théâtre franco-ontarien de création à Ottawa », dans Hélène Beauchamp et Joël Beddows (dir.), *Les théâtres professionnels du Canada francophone : entre mémoire et rupture*, Ottawa, Le Nordir, p. 49-68.

BIENVENUE, Yvan (2008). « Le phénomène des contes urbains », *Québec français*, n° 150 (été), p. 51-52.

BOCK, Michel, et Gaétan GERVAIS (2004). *L'Ontario français : des Pays-d'en-Haut à nos jours*, Ottawa, Centre franco-ontarien de ressources pédagogiques.

BOUDREAU, Raoul (2007). « La création de Moncton comme "capitale culturelle" dans l'œuvre de Gérald Leblanc », *Revue de l'Université de Moncton*, vol. 38, n° 1, p. 33-56.

BOURNEUF, Roland (1970). « L'organisation de l'espace dans le roman », *Études littéraires*, vol. 3, n° 1 (avril), p. 77-94.

BRUCE, Clint (2005). « Gérald Leblanc et l'univers micro-cosmopolite de Moncton », *Études canadiennes = Canadian Studies : revue interdisciplinaire des études canadiennes en France*, vol. 58, p. 205-220.

CASANOVA, Pascale (2008). *La République mondiale des lettres*, édition revue et corrigée, Paris, Seuil.

CRONIN, Michael (2005). « Identité, transmission et l'interculturel : pour une politique de micro-cosmopolitisme », dans Jean Morency, Hélène Destrempes et Denise Merkle (dir.), *Des cultures en contact : visions de l'Amérique du Nord francophone*, Québec, Éditions Nota bene, p. 17-31.

DESBIENS, Patrice (1995). *Un pépin de pomme sur un poêle à bois*, précédé de *Grosse guitare rouge*, précédé de *Le pays de personne*, Sudbury, Éditions Prise de parole.

GENETTE, Gérard (1972). *Figures III*, Paris, Seuil.

GILBERT, Anne, et Marc BROSSEAU (2011). « La frontière asymétrique : Franco-Ontariens et Anglo-Québécois dans la région de la capitale nationale », *The Canadian Geographer = Le Géographe canadien*, vol. 55, n° 4 (hiver), p. 470-489.

HOTTE, Lucie (2000a). « Entre l'Être et le Paraître : conscience identitaire et altérité dans les œuvres de Patrice Desbiens et de Daniel Poliquin », dans Yvan G. Lepage et Robert Major (dir.), *Croire à l'écriture : études de littérature québécoise en hommage à Jean-Louis Major*, Orléans (Ontario), Éditions David, p. 163-178.

HOTTE, Lucie (2000b). « Fortune et légitimité du concept d'espace en critique littéraire franco-ontarienne », dans Robert Viau (dir.), *La création littéraire dans le contexte de l'exiguïté*, Beauport (Québec), Publications MNH, p. 335-351.

HOTTE, Lucie (2002). « La littérature franco-ontarienne à la recherche d'une nouvelle voie : enjeux du particularisme et de l'universalisme », dans Lucie Hotte (dir.), *La littérature franco-ontarienne : voies nouvelles, nouvelles voix*, Ottawa, Le Nordir, p. 35-47.

HOTTE, Lucie (2003). « Un écrivain nous est né ! », postface, dans Daniel Poliquin, *Temps pascal*, Ottawa, Le Nordir, p. 157-160.

HOTTE, Lucie (2009). « La mémoire des lieux et l'identité collective en littérature franco-ontarienne », dans Anne Gilbert, Michel Bock et Joseph Yvon Thériault (dir.), *Entre lieux et mémoire : l'inscription de la francophonie canadienne dans la durée*, Ottawa, Les Presses de l'Université d'Ottawa, p. 337-367.

Hotte, Lucie (2010). « Le roman franco-ontarien », dans Lucie Hotte et Johanne Melançon (dir.), *Introduction à la littérature franco-ontarienne*, Sudbury, Éditions Prise de parole, p. 199-237.

Hotte, Lucie, et Johanne Melançon (2010). « Introduction », dans Lucie Hotte et Johanne Melançon (dir.), *Introduction à la littérature franco-ontarienne*, Sudbury, Éditions Prise de parole, p. 5-70.

Lafon, Dominique (2001). « Michel Ouellette : les pièges de la communalité », dans Hélène Beauchamp et Joël Beddows (dir.), *Les théâtres professionnels du Canada francophone : entre mémoire et rupture*, Ottawa, Le Nordir, p. 257-276.

Leroux, Patrick (1999). « Préface », dans Yvan Bienvenue *et al.*, *Contes urbains : Ottawa*, Hearst, Le Nordir, p. 9-11.

Leroux, Louis Patrick (2007). « L'influence de Dalpé (ou comment la lecture fautive de l'œuvre de Dalpé a motivé un jeune auteur chiant à écrire contre lui) », dans Stéphanie Nutting et François Paré (dir.), *Jean Marc Dalpé : ouvrier d'un dire*, Sudbury, Éditions Prise de parole et Institut franco-ontarien, p. 293-305.

Leroux, Louis Patrick (2009). « Michel Ouellette, l'œuvre correctrice du ré-écrivain », *Voix et images*, vol. 34, n° 3 (printemps-été), p. 53-66.

Melançon, Johanne (2008-2009). « Le Nouvel-Ontario : espace réel, espace imaginé, espace imaginaire », *Québec Studies*, vol. 46 (automne-hiver), p. 49-69.

Moss, Jane (2002). « L'urbanité et l'urbanisation du théâtre franco-ontarien », dans Lucie Hotte (dir.), *La littérature franco-ontarienne : voies nouvelles, nouvelles voix*, Ottawa, Le Nordir, p. 75-90.

O'Neill-Karch, Mariel (2006). « Nouveaux espaces ludiques : quelques réflexions sur le théâtre franco-ontarien depuis 1992 », *Liaison*, n° 132 (été), p. 5-8.

Ouellet, François (2002). « Le roman de "l'être écrivant" entre l'anonymat et la reconnaissance : entretien avec Daniel Poliquin », *Voix et images*, vol. 27, n° 3 (printemps), p. 404-420.

Ouellet, François (2011). *La fiction du héros : l'œuvre de Daniel Poliquin*, Québec, Éditions Nota bene.

Ouellette, Michel (1999). *King Edward*, précédé de *Duel*, précédé de *La dernière fugue*, Hearst, Le Nordir.

Ouellette, Michel (2007). « Parcours sous influence », *Recherche théâtrale au Canada = Theatre Research in Canada*, vol. 28, n° 1 (printemps), p. 54-66.

Paré, François (1994). *Théories de la fragilité*, Ottawa, Le Nordir.

Paré, François (2001). *Les littératures de l'exiguïté*, Ottawa, Le Nordir.

Paré, François (2003). *La distance habitée*, Ottawa, Le Nordir.

Poliquin, Daniel (2000). *La Côte de Sable*, Montréal, Bibliothèque québécoise.

POLIQUIN, Daniel (2001). *Nouvelles de la capitale*, suivi de *Le Canon des Gobelins*, Ottawa, Le Nordir.

POLIQUIN, Daniel (2003). « Préface à la réédition du Nordir », dans *Temps pascal*, Ottawa, Le Nordir, p. 7-12.

RHEAULT, Sylvain (2006). « L'espace urbain francophone littéraire : un lieu de combat et de rencontre », *Francophonies d'Amérique*, n° 21 (printemps), p. 31-42.

ROBERT, Lucie (2000). « Faire vivre l'espace », *Voix et images*, vol. 25, n° 3 (printemps), p. 592-599.

SALEH, Fadel (2009). *L'écureuil noir*, Montréal, Office national du film du Canada, DVD.

SIMON, Sherry (2006). *Translating Montreal: Episodes in the Life of a Divided City*, Montréal, McGill-Queen's University Press.

SING, Pamela V. (2000). « *Contes urbains : Ottawa* de Patrick Leroux (dir.) », *Francophonies d'Amérique*, n° 10, p. 191-195.

TREMBLAY, Isabelle (2006). « *La Côte de Sable* de Daniel Poliquin ou l'espace comme matériau de la quête identitaire », *Revue du Nouvel-Ontario*, vol. 31, p. 33-54.

VACHON, Marc (1993). *L'image de la ville d'Ottawa dans le roman* Visions de Jude, thèse de maîtrise, Ottawa, Université d'Ottawa.

VACHON, Marc (1996). « Daniel Poliquin et la mémoire urbaine d'Ottawa », dans Lucie Hotte et François Ouellet (dir.), *La littérature franco-ontarienne : enjeux esthétiques*, Ottawa, Le Nordir, p. 117-137.

VAILLANCOURT, Madeleine (1982). *Ottawa ma chère !*, Montréal, Libre Expression.

VALLÉE, Danièle (1998). « Les hauts et les bas des *Contes urbains* », *Liaison*, n° 96, p. 34-35.

La signature frontalière de l'identité franco-ontarienne[1]

Anne Gilbert
Université d'Ottawa

Les interprètes de l'Ontario français sont unanimes : un fossé profond sépare les sociétés québécoise et franco-ontarienne, même si elles sont issues de la même souche (Allaire, 1999; Bock, 2007). Le rapport inégal au territoire en serait la cause première, la modernisation et les transformations de l'appareillage institutionnel la cause plus immédiate. Les États généraux du Canada français de 1967-1969, fortement traversés par le projet d'indépendance du Québec, constituent le symbole de cette séparation. On a observé, depuis ces états généraux, la consolidation de références différentes au Québec et dans le reste du Canada français dans la mesure où les Québécois se sont donné un nouveau discours identitaire où ils ont érigé la province en territoire presque national, qu'ils voient comme correspondant à l'idéal qu'ils se font de la francophonie nord-américaine. Les Franco-Ontariens, privés de ce territoire auquel s'était raccroché jusqu'ici leur sentiment d'appartenance nationale, se sont repliés sur une identité provinciale, alimentée par le projet de construire des institutions et des réseaux sociaux solides capables de soutenir, au quotidien, leur existence dans la langue de la minorité (Dumont, 1997; Beauchemin, 2004; Thériault, 2008). Si bien qu'une identité distincte s'est installée dans la durée, alimentée par diverses escarmouches découlant des déclarations intempestives d'intel-

[1] Cette analyse s'inscrit dans un projet plus large sur l'effet de frontière entre Gatineau et Ottawa, mené conjointement avec Marc Brosseau, Brian Ray, Luisa Veronis et Caroline Andrew (CRSH 410-2007-0734; 2007-2010). Nous les remercions de leurs précieux commentaires sur ce texte, de même que les nombreux étudiants qui ont participé au projet. Nous tenons à souligner la contribution de Marie Lefebvre et Christine Mousseau, qui ont fait la transcription des entretiens utilisés dans le cadre de cet article et qui en ont présenté une analyse préliminaire.

Francophonies d'Amérique, n° 34 (automne 2012), p. 137-154

lectuels québécois, dont René Lévesque, plus ou moins sceptiques quant à l'avenir de la communauté franco-ontarienne.

La région de la capitale nationale du Canada, où le Québec et l'Ontario français sont non seulement voisins, mais partagent aussi une histoire riche en liens et en échanges et une forte identité locale, n'y échappe pas. Même si les territoires franco-ontarien et québécois y sont fortement interreliés et que Québécois et Franco-Ontariens s'y côtoient au quotidien, dans leur vie privée et dans l'espace public, les différences qui les opposent sont d'autant plus fortement perçues qu'elles sont alimentées par leur rencontre de part et d'autre de la frontière. Les occasions sont en effet nombreuses de constater, nous a-t-on dit, que les uns et les autres ne parlent pas tout à fait la même langue et ne s'abreuvent pas à la même culture. On présente même comme logique, nécessaire et inévitable, voire légitime qu'une identité franco-ontarienne distincte se soit développée et qu'elle résiste aux multiples occasions qu'ont les deux groupes de se rencontrer dans la vie quotidienne. Ainsi s'est trouvée confortée la thèse d'une signature frontalière de l'identité franco-ontarienne[2].

Cette étude vise à faire l'analyse des processus par lesquels la frontière nourrit l'identité franco-ontarienne[3]. Elle s'intéresse à la façon dont elle est modulée par la rencontre des Franco-Ontariens et des Québécois dans de mêmes lieux, au quotidien. Nous utilisons les témoignages d'une trentaine de Franco-Ontariens de la région de la capitale nationale sur leur vie quotidienne à la frontière, recueillis lors de quatre entretiens de groupe menés à Ottawa en juin 2010. Formés grâce à la technique « boule de neige » d'échantillonnage, les trois premiers groupes étaient composés de jeunes adultes franco-ontariens nés, ayant grandi et vivant toujours à Ottawa pour le premier, venus à Ottawa pour leurs études ou le travail pour le deuxième, et établis de façon temporaire ou plus permanente à Gatineau pour le troisième. Le quatrième groupe était formé de représen-

---

[2] C'est le titre que je donnais à une communication faite dans le cadre du colloque *Penser la ville : Ottawa, lieu de vie français*, tenu à l'Université d'Ottawa en novembre 2011.

[3] Pour d'autres dimensions de l'effet de frontière sur le vécu franco-ontarien dans la région, voir Gilbert et Brosseau (2011). Gilbert et Veronis (2013) ont analysé cet effet sur les Anglo-Québécois de Gatineau, alors que Veronis et Ray (2013) ont étudié les stratégies développées par les familles immigrantes dans le contexte transfrontalier de la région.

tants d'organismes franco-ontariens de la région. L'étude porte sur leurs représentations d'eux-mêmes en présence de Québécois, telles que saisies à l'aide d'une indexation thématique faite avec NVivo.

La première partie du texte porte sur ce que ressentent les Franco-Ontariens lorsqu'ils se rendent à Gatineau. Le fait d'y côtoyer les Québécois sur leur territoire offre, chez nos interlocuteurs, de nombreuses occasions de s'identifier comme Franco-Ontariens et de consolider leur fierté. La seconde partie du texte décrit les sentiments que suscite, au contraire, la présence de Québécois dans les institutions francophones et bilingues d'Ottawa. Elle fait état de l'exclusion que ressentent les Franco-Ontariens lorsque les Québécois s'amènent sur leur propre terrain, révélant un côté moins lumineux de l'effet de frontière sur l'identité franco-ontarienne. Dans les deux cas, le discours identitaire franco-ontarien puise dans ce sentiment d'exclusion des arguments fort convaincants. Nous l'illustrerons par des citations particulièrement évocatrices de la hiérarchisation à laquelle conduit la rencontre et de ses effets sur la construction d'une identité franco-ontarienne distincte. Le contexte particulier de la région de la capitale nationale sera discuté, en guise de conclusion.

Lorsque les Franco-Ontariens traversent à Gatineau : l'éloge de la différence

Les Franco-Ontariens d'Ottawa sont nombreux à traverser les ponts. Certains travaillent à Gatineau qui, depuis le tournant des années 1970, accueille plusieurs ministères du gouvernement fédéral. Ils en fréquentent les commerces, profitant souvent de prix moins élevés dans l'alimentation, le vêtement et l'ameublement que du côté ontarien de la frontière. D'autres y recherchent la vie française. Ils forment une partie non négligeable de la clientèle de ses cinémas, théâtres, concerts et festivals. Ils choisissent les restaurants et cafés, les bars du centre-ville. Ils diront que ce bain de français les repose jusqu'à un certain point de la lutte quotidienne qu'ils ont à mener à Ottawa. La légèreté de la vie en français à Gatineau leur est très agréable.

La géographie des réseaux sociaux contribue, par ailleurs, à rendre la frontière transparente pour d'autres Franco-Ontariens de la région. Parents et amis se répartissent de part et d'autre de la frontière, et on leur rend visite sans toujours prendre conscience qu'on franchit une frontière.

Les attraits naturels de l'Outaouais québécois jouent aussi, puisque de nombreuses familles franco-ontariennes font du ski ou de la randonnée dans le parc de la Gatineau, y jouent au golf quand elles n'y possèdent pas un chalet dans les municipalités qui jouxtent Gatineau au nord.

Rares sont ceux cependant qui s'installeraient outre-frontière. Celles et ceux parmi les Franco-Ontariens rencontrés qui se sont établis à Gatineau soulignent presque tous que leur migration sera temporaire[4]. C'est que, sauf exception, on ne se sent pas vraiment chez soi au Québec. Les propos d'un des participants à notre étude en témoignent. Sans vouloir faire de lui – nous l'appellerons ici Benoît – un cas représentatif de l'éventail des représentations alimentées par la rencontre des Franco-Ontariens et des Québécois dans l'espace public de Gatineau, son discours n'en est pas moins particulièrement éclairant sur l'identité franco-ontarienne vécue à la frontière.

> J'ai eu une mauvaise expérience à Gatineau. Je n'étais pas dans le bon quartier et on s'est fait cambrioler. De toute façon, je n'étais pas confortable là-bas. Par la suite, j'aurais eu beaucoup de difficulté à me sentir en sécurité dans un quartier comme celui-là, dans le Vieux-Hull. J'irais même jusqu'à dire que quand j'étudiais en… à Ottawa et qu'on m'envoyait au palais des congrès à Gatineau, je ne me sentais pas chez moi. Je ne me sentais pas accepté. Je ne me sentais pas bien dans ma peau. Je me sentais même jugé, parce que mon français est franco-ontarien et qu'il y a peut-être un peu « d'English » dedans. Je ne sais pas…

> J'ai habité du côté du Québec pendant 2 mois dans le Vieux-Hull. Si vous êtes déjà allés, vous comprenez pourquoi je suis resté seulement quelques mois. Moi, un constat que j'ai fait ici dans le centre-ville d'Ottawa, c'est qu'il y a un effort de la part des commerçants et des entreprises de vouloir servir la communauté autant en français ou uniquement en anglais selon le besoin. Pour faire une comparaison, si tu te promènes par exemple sur le boulevard Saint-Joseph, si tu vas à un resto ou à la Cage aux Sports, j'ai trouvé une résistance. J'étais là avec des amis anglophones pour regarder la joute de hockey et on sait qu'il y a beaucoup d'ambiance là-bas et ils commandaient la bouffe en anglais et le serveur était comme [ahhh, soupir…]. Tandis que du côté ontarien, si je m'adresse en français et la personne peut pas me répondre, elle me dit *Hold on a second, I'll go get somebody who can speak French…*[5]

---

[4] Un des entretiens visait, rappelons-le, des Franco-Ontariens qui résidaient à Gatineau au moment de l'entretien.

[5] Né dans le Nord de l'Ontario, ce jeune homme est venu pour la première fois à Ottawa il y a sept ans pour étudier à la Cité collégiale. Il y a côtoyé plusieurs Québécois. Il a habité quelques mois à Gatineau, pour s'installer ensuite à Ottawa, tout en

Les propos de Benoît mettent en lumière plusieurs des enjeux de la rencontre entre Franco-Ontariens et Québécois lorsque les premiers traversent à Gatineau. Se côtoyer consacre dans un premier temps la distinction entre les deux groupes, tant sur le plan linguistique que sur le plan culturel; la rencontre suscite aussi leur hiérarchisation, en vertu de laquelle les Franco-Ontariens se voient plus ouverts et tolérants, ce qui entraîne une mythification de l'expérience franco-ontarienne du territoire, marquée par la lutte historique pour se doter de lieux de vie français. La fierté collective devant cette lutte est ici exacerbée par le sentiment de la facilité avec laquelle les Québécois peuvent vivre en français, d'autant plus ressentie qu'on peut la constater au quotidien dans l'espace public gatinois. Aussi suscite-t-elle une certaine envie qui donne lieu à une volonté à peine masquée chez certains d'intégrer la société québécoise, du moins temporairement. D'autres, au contraire, la rejettent systématiquement. Chacune de ces dimensions du processus par lequel la frontière participe à la consolidation de l'identité franco-ontarienne dans la région sera explorée.

La distinction

C'est autour de la langue que les différences entre Québécois et Franco-Ontariens sont les plus visibles. Benoît en fait un enjeu premier de sa rencontre avec les francophones de Gatineau, qui le reconnaîtraient à son français « franco-ontarien », qu'il dit lui-même truffé d'anglais. Il se sent mal à l'aise en présence de Québécois, mal accepté par ces derniers par lesquels il se sent jugé. L'accent franco-ontarien, que les Québécois associent à l'anglais, revient sans cesse dans les entretiens, où chacun a son histoire à raconter quant à la façon dont on l'a étiqueté comme anglophone, alors qu'il a grandi et a été éduqué en français et qu'il mène encore aujourd'hui une bonne partie de sa vie publique en français.

Ainsi, la distinction entre les deux groupes se construirait d'abord autour de la question linguistique. Franco-Ontariens et Québécois ne parleraient pas la même langue, qu'il s'agisse des accents, du recours à des mots anglais, de la syntaxe. Et les premiers seraient victimes d'un certain dénigrement, de la part des Québécois, en raison de la langue

continuant de fréquenter l'Outaouais québécois pour divers motifs. Il est aujourd'hui commerçant à Orléans où une bonne partie de sa clientèle est francophone. Ses réseaux sociaux s'y concentrent.

qu'ils parlent. Ce dénigrement prendrait les formes les plus inusitées, comme le montre cet extrait du témoignage d'une jeune femme qui, tout en alléguant de bonnes relations avec les Québécois qu'elle fréquente, n'en relève pas moins leur façon particulière d'agir avec elle :

> Moi, je n'ai pas vu cette rivalité [entre Québécois et Franco-Ontariens]. Les gens me parlent et ils sont vraiment gentils. La seule chose que j'aie vue, c'est quelque chose du genre : sois plus patient avec elle, parce qu'elle vient de l'Ontario. Comme si on connaissait moins de choses en français parce qu'on vient de l'Ontario.

Cette distinction, soi-disant faite par les Québécois, est fortement intégrée par les Franco-Ontariens de la région, qui hésitent à parler leur langue en présence des premiers. Plutôt que d'être identifiés comme différents, ils préfèrent se taire pour pouvoir mieux se fondre dans la majorité. Si la différence est bien réelle, elle serait toutefois camouflable, comme pour d'autres minorités « audibles ».

Elle est amplifiée dans le cas qui nous intéresse par les différences culturelles qui reviennent aussi comme un leitmotiv dans les discours. On évoque le fait que Franco-Ontariens et Québécois n'ont pas les mêmes repères culturels, ce qui diminue les possibilités d'échanger. On ne s'abreuve pas à la même télévision, on n'écoute pas la même musique. On n'évolue pas dans le même environnement, si bien que les liens ne sont pas faciles à développer. Sans compter la méconnaissance du fait français hors du Québec, quand ce n'est pas le peu d'intérêt manifesté par les Québécois envers ce qui se passe au-delà de leurs frontières, qui occasionne souvent son lot de frustration.

La hiérarchisation

La différence ne tient cependant pas qu'aux accents et aux repères culturels. Elle prend un visage nettement plus politique. Ainsi Franco-Ontariens et Québécois n'auraient pas le même rapport au bilinguisme, louangé par les premiers, décrié par les seconds. L'expérience relatée par Benoît en témoigne. S'il tire son épingle du jeu à Gatineau, les anglophones qui l'accompagnent sont beaucoup moins bien acceptés là-bas. Et il ne se gêne pas pour critiquer cette fermeture des Québécois à l'Autre anglophone, qu'il s'empresse de comparer à celle des Ontariens anglophones, à ses yeux beaucoup plus tolérants envers le français que ne le sont les Québécois vis-à-vis du fait anglais.

L'identité linguistique des uns et des autres est un des éléments qu'ont souvent évoqué les participants à notre enquête pour se différencier des Québécois, faisant référence à leur propre identité linguistique, présentée comme plus fluide, plus mouvante d'une part, et aussi plus inclusive d'autre part. Ce faisant, ils rappellent la très grande tolérance qui caractériserait les Franco-Ontariens au chapitre de la langue :

> Une chose que j'ai comprise, c'est que la culture [franco-ontarienne] est différente de celle des Québécois. En Ontario, on est exposé à l'anglais depuis toujours. Ce qui nous donne une flexibilité énorme. On parle les deux langues, et c'est difficile pour nous de comprendre pourquoi quelqu'un ne voudrait qu'en parler une seule.

Ceux-ci aiment aussi souligner leur ouverture à la diversité culturelle. Le champ de leur expérience sociale serait beaucoup plus large que celle des Québécois, qu'on n'hésite pas à qualifier de racistes. Le discours est non équivoque à cet égard : les Franco-Ontariens se voient comme de meilleurs défenseurs du vivre-ensemble, à l'instar des autres Canadiens dont ils sont fiers de partager les valeurs de tolérance et de désir du compromis. Cet extrait l'illustre :

> Quand tu traverses la frontière, c'est vraiment la culture québécoise. Moi, j'ai beaucoup d'amis qui sont immigrants et ils ne veulent pas vraiment traverser la frontière, même si ce n'est que pour aller souper, aller dans un bar. Ils ne se sentent pas vraiment accueillis... Moi mon français commence à faire pitié et je trouve que quand je vais là-bas, même si les gens savent que je suis plus anglophone que francophone, je suis vraiment acceptée. Je ne me sens pas rejetée, mais je trouve que les immigrants, les minorités visibles ont un sentiment d'infériorité. Ils ne se sentent pas bien là-bas.

La vision du fédéralisme canadien, importante pomme de discorde entre Québécois et Franco-Ontariens, est un autre prétexte à la différenciation. Les Québécois sont dépeints comme étant particulièrement intransigeants à ce chapitre. Deux citations, tirées d'un échange sur les identités, en témoignent :

> Mais moi c'est vrai que du côté de Gatineau, je ne me sens pas confortable parce que je me considère canadienne ou franco-ontarienne. [...] Je n'aime pas le séparatisme, je ne suis pas d'accord avec cela... Alors c'est cela que je n'aime pas trop du côté du Québec : je suis canadienne, je me considère canadienne et je sais qu'ils pensent « elle n'est pas comme nous autres [Québécois] ».

> Pour moi, il n'y a pas de mal à être les deux. Je suis Franco-Ontarien et je suis Franco-Canadien aussi. Le Canada, c'est ma nation. Mais il faut que tu dises

> que tu es Franco-Canadien chez ma belle-mère [à Gatineau] parce qu'elle sort son « 12 ». Elle n'aime pas les Francos. Elle est super pro-Québécois. Elle n'est pas francophone, elle est Québécoise…

La mythification

On n'en évoque pas moins la combativité franco-ontarienne. Elle est sur toutes les lèvres, dès qu'il est question de culture, à un point tel qu'elle prend un caractère symbolique, qui relève quasiment du mythe. Elle trouve une de ses expressions les plus visibles en ce qui concerne le territoire. Les participants insistent en effet beaucoup sur la lutte historique qu'ont menée les Franco-Ontariens pour se donner des lieux de vie français, à Ottawa ainsi que partout ailleurs en Ontario. Le rapport différent au territoire en milieu minoritaire, sa nature volontaire donnent à celui-ci une spécificité qui, d'après nos interlocuteurs, rend toute comparaison avec le Québec difficile.

La lutte que doit mener le Franco-Ontarien pour vivre dans sa langue revient comme un leitmotiv dans les témoignages. Elle est un des principaux éléments par lesquels on caractérise la culture française en Ontario et probablement celui qu'on évoque le plus souvent pour l'opposer à la culture québécoise. La minorisation et la lutte à laquelle elle oblige pour survivre représentent, pour nos interlocuteurs, le principal point de fracture entre eux et les Québécois.

> On est sur la défensive. Tout ce qu'on fait comme Franco-Ontarien est politique. Le Québécois, il n'est pas obligé [de faire de la politique]. Le Québécois qui va magasiner au Loblaws en français, qui prend une revue en français, cela fait partie de son quotidien. Nous, pour les impôts, on va prendre une copie en anglais parce que c'est celle qui se retrouve là. Si on prend une copie en français ou si on demande une copie en français, c'est un geste politique.

La fracture serait d'autant plus grande que de tels gestes posés par les Franco-Ontariens n'auraient aucune résonance chez les Québécois, qui jouissent d'un territoire qu'ils ne doivent pas disputer quotidiennement avec une majorité souvent insensible à leurs besoins et aspirations : « On a l'impression que non seulement il n'y a pas là de conscience d'être minoritaire, mais aussi qu'il n'y a pas de sensibilité pour le combat du minoritaire. »

La lutte pour le territoire offre l'occasion de se comparer avantageusement avec les Québécois. Nos interlocuteurs tirent en effet une très grande fierté de la lutte menée pour assurer au français sa place dans l'espace public en Ontario. Les Québécois n'auraient pas à faire, collectivement, les mêmes efforts que les Franco-Ontariens pour vivre en français au quotidien, et ces derniers s'enorgueillissent de la bataille qu'ils doivent eux-mêmes livrer :

> En ce moment, ma coloc est québécoise... Puis elle, au secondaire, au cégep, elle n'a rien fait de parascolaire tandis que moi, j'ai fait du théâtre, des festivals, etc. Elle ne comprend pas pourquoi on a tout cela et elle nous trouve chanceux. Moi, je lui dis que c'est elle qui est chanceuse. Nous autres, on a cela pour célébrer le fait qu'on est français. On se donne des raisons pour se rassembler. Cela me rend plus fière. Oui, je me suis battue, et je suis en train de vivre en français, je travaille en français. Je suis encore plus fière maintenant que je vois jusqu'à quel point, ils l'ont eu facile.

Entre volonté d'intégration et rejet du Québec

Plusieurs ont rappelé ainsi la facilité avec laquelle les Québécois évoluent en français dans leur province. On évoque la douceur de vivre dans un environnement où le français n'est pas chaque jour l'objet d'une lutte quotidienne : « Eux vivent la vie que j'aurais souhaité vivre », de dire un de nos interlocuteurs, sur un ton rêveur.

> Souvent, j'ai plus d'affinité avec le côté québécois qu'avec le côté ontarien... On n'a pas l'impression, en fait, du côté québécois, que le simple fait de parler français, de commander un café ou une bière, quoi que ce soit, est un geste politique. Si on choisit de le faire ici, on n'est jamais certain de la réponse qu'on va recevoir, ni la réaction, ni l'attitude. Donc, il y a une légèreté du côté québécois, qui fait défaut du côté ontarien.

Même son de cloche chez les participants qui œuvrent dans les organismes franco-ontariens, chez qui on sent par moments une certaine lassitude devant la mobilisation exigée par la vie en milieu minoritaire :

> Présentement, on a beaucoup de gens qui nous disent qu'ils vont voir un spectacle au MIFO[6] pour encourager la cause francophone... Ce serait bien qu'ils viennent au MIFO parce que le spectacle est bon, parce qu'ils veulent passer une belle soirée. Ce ne devrait pas être important que ce soit en français, même si cela l'est... Ce serait intéressant que nos actes ne soient pas tous politiques...

Ainsi, les propos sont souvent teintés d'envie. Aux yeux de plusieurs des Franco-Ontariens que nous avons rencontrés, tout serait en effet facile pour les Québécois, qui oublient qu'à une autre échelle, ces derniers livrent aussi un combat de minoritaires. Et s'il atteste la solidarité

---

6 Salle d'Orléans n'offrant que des spectacles en français.

manifestée par les Québécois dans le dossier Montfort, leur discours sur le Québec est le plus souvent teinté d'amertume et fait souvent référence à la volonté de ne pas s'associer au Québec, avec lequel on ne se sent pas d'affinité particulière. La distinction entre Québécois et Franco-Ontariens à Gatineau donne ainsi lieu à deux processus contradictoires : alors que les uns iraient volontiers s'installer au Québec, du moins quelque temps, pour y vivre dans la douceur perçue du quotidien, d'autres n'envisageraient jamais une telle option, allant même jusqu'à préférer se tenir loin de la frontière, ne traversant jamais à Gatineau. Ce rejet du Québec s'exacerbe lorsqu'on se transporte du côté ontarien de la frontière, où les Québécois s'invitent la plupart du temps, d'après nos interlocuteurs, dans les institutions francophones et bilingues.

Quand les Québécois s'invitent à Ottawa : la condamnation de l'exclusion

Les résidents de Gatineau sont nombreux à Ottawa. Ils y viennent par milliers travailler chaque jour dans les bureaux du gouvernement fédéral, dans les musées et autres institutions nationales. Ils constituent une proportion importante de la main-d'œuvre des autres industries de la capitale, depuis la construction jusqu'à l'informatique et autres industries de pointe. Les Québécois sont particulièrement nombreux dans les emplois où le français est la langue de travail. Leur présence est notoire dans les institutions d'enseignement, qu'il s'agisse des écoles élémentaires et secondaires d'Ottawa, de la Cité collégiale ou de l'Université d'Ottawa, où ils sont plus nombreux que les Franco-Ontariens, non seulement chez les professeurs francophones, mais aussi parmi le personnel administratif. Ils constituent une bonne partie du personnel des entreprises du secteur culturel, y compris les médias de communication, tant de la presse écrite que de la radio et de la télévision. Enfin, ce sont des Québécois qui, par leur travail, ont consolidé bon nombre d'organismes communautaires et d'associations dont s'est dotée la francophonie locale au fil du temps. Les Québécois sont aussi de grands consommateurs des services privés et publics offerts du côté ontarien de la rivière des Outaouais. Ils fréquentent les hôpitaux et cliniques d'Ottawa, ses magasins et restaurants, ses cinémas. Ils sont des clients assidus de ses salles de spectacle, ses festivals, dont ils assurent souvent la survie économique. Bref, ils sont présents partout à Ottawa, notamment dans tous ces lieux autour desquels s'organise la vie française.

Quoi qu'on admette que la présence de Québécois à Ottawa assure la masse critique nécessaire à la survie de plusieurs institutions, la perception que les Québécois y occupent beaucoup, voire trop de place est très répandue, au point où les Franco-Ontariens ont souvent l'impression que leurs institutions leur ont échappé. De nombreuses remarques sur leur marginalisation au sein de leur propre territoire, remarques non sollicitées par ailleurs lors des discussions que nous avons organisées, en témoignent. Elles révèlent une face plus sombre de l'effet de frontière sur l'identité franco-ontarienne.

Les extraits qui suivent, provenant encore une fois des interventions de Benoît, sont particulièrement évocateurs de la façon dont cette appropriation par les Québécois de leurs institutions peut être vécue, au quotidien, par les Franco-Ontariens d'Ottawa. Ils montrent aussi de quelle façon elle marque les identités :

> Moi j'ai étudié à la Cité collégiale. Dans le programme de… on était 60 et il y en avait 45 du Québec…
>
> Moi, personnellement, dans ce programme-là, on m'identifiait comme le mouton noir. Même qu'à la graduation – la classe était rapetissée à 20-25 étudiants –, on était seulement 4 de l'Ontario. Ils nous ont placés à la table des Anglais au bal des finissants. Je me suis senti insulté. Premièrement, on s'est battu pour ce collège-là v'là 10-12-15 ans. On s'est battu pour et on l'a eu. Et finalement, c'est rendu québécois. C'est pas pour être insultant. Mais on s'est battu pour notre collège. Il a été fondé par le ministère de l'Éducation de l'Ontario.
>
> Pis j'arrive là, et je me fais traiter comme un « outsider », comme mouton noir, comme si je n'appartiens pas à cette « place » pour laquelle on s'est battu. *Anyway*, ça m'a dépassé…
>
> Pis par la suite, j'ai travaillé pendant trois ans comme promoteur du Collège Boréal juste pour balancer les affaires (Franco-Ontarien d'environ 30 ans, originaire du Nord de l'Ontario)…

Ces propos sont sans équivoque quant aux enjeux soulevés cette fois par la rencontre entre Franco-Ontariens et Québécois dans les institutions francophones de la capitale nationale. Non seulement ils y vivent séparés, mais ils s'y affrontent pour en conserver les leviers, avec des répercussions d'autant plus grandes que le sens qu'ils prêtent à ces institutions et la valeur qu'ils leur confèrent sont différents.

Divers processus se combinent pour créer un sentiment d'exclusion des Franco-Ontariens de leurs propres institutions : encore une fois, la cohabitation des deux groupes consacre leur distinction; dans le cas d'Ottawa, celle-ci se double d'une séparation qui s'exprime par la délimitation d'espaces réservés à chacun; la perception chez les Franco-Ontariens d'être exclus de leurs propres institutions ajoute à la frustration qu'ils ressentent; le sentiment d'aliénation qui en découle est d'autant plus profond qu'il est nourri par la conviction qu'il serait impossible de s'affranchir localement de la domination québécoise. Pour ce jeune Franco-Ontarien du Nord plus particulièrement, l'engagement dans les organismes de défense du français ne semble pas avoir réussi à contrebalancer le désir de partir et de transposer la lutte ailleurs, là où il semblait alléguer qu'elle avait plus de chance de réussir.

Nous analyserons tour à tour ces quatre dimensions du discours sur l'appropriation québécoise des institutions francophones d'Ottawa, en nous basant sur l'extrait qui précède ainsi que sur d'autres qui le rejoignent, tout en le complétant. Les opinions qu'ils révèlent sur la place qu'occupent les Québécois dans les institutions franco-ontariennes d'Ottawa sont particulièrement tranchées. D'aucuns pourront même les juger provocatrices. Rappelons que Benoît, pour ne mentionner que ce dernier, a fait état d'une bonne feuille de route comme activiste communautaire, une expérience qui peut avoir favorisé une telle mise à distance du Québec et des Québécois. Son témoignage illustre bien, selon nous, certains des processus qui sont à l'œuvre dans la construction identitaire franco-ontarienne, à la frontière.

La séparation

Le nombre de Québécois, ou plutôt leur surnombre dans les lieux de vie français d'Ottawa est incontestablement un enjeu. D'après notre interlocuteur, une institution comme la Cité collégiale, mise en place pour offrir une éducation supérieure en français aux Franco-Ontariens de l'Est de l'Ontario, serait envahie par les Québécois. La mention du nombre de Québécois – qu'il soit exact ou non – campe d'entrée de jeu le problème tel qu'il est perçu par Benoît : les Québécois sont beaucoup trop nombreux à la Cité collégiale, où ils constitueraient, d'après lui, la majorité. Et ils s'y comporteraient comme tels, au point où un Franco-Ontarien, comme Benoît, serait traité comme un « mouton noir » au sein du groupe des étudiants de son programme. Un tel commentaire est révélateur d'une dynamique assez particulière : celle voulant non seulement que Franco-

Ontariens et Québécois se distinguent au sein de l'institution, mais aussi que cette distinction soit imposée aux premiers par les seconds.

Dans l'exemple que nous avons retenu, l'espace matériel est mis à contribution pour consacrer cette distinction entre Franco-Ontariens et Québécois : les membres de chacun des deux groupes ne sont pas placés aux mêmes tables par les organisateurs – sous-entendus québécois – lors de cet événement marquant dans la vie des collégiens qu'est la remise des diplômes. Les uns et les autres occupent des espaces séparés que formalise l'attribution des places. Le fait que les Franco-Ontariens soient relégués à l'espace réservé aux anglophones s'ajoute à ce qui est vécu par Benoît comme une insulte, car elle rend visibles les préjugés des Québécois envers les étudiants franco-ontariens au sujet de leur appartenance linguistique et culturelle. Ceux-ci ne feraient pas partie de la famille francophone, ou du moins, s'ils en font partie, ils se trouvent à la marge du groupe, plus près en quelque sorte du monde anglophone que francophone. Ainsi, l'attribution des tables confirmerait non seulement la différence qui sépare les deux groupes, mais bien leur hiérarchisation, les seconds étant vus comme moins francophones que les premiers, au point de pouvoir être confondus avec les anglophones.

Il n'y a pas eu d'autres mentions d'une telle séparation spatiale entre Franco-Ontariens et Québécois dans les entretiens. On a souvent évoqué toutefois la mainmise des Québécois sur les institutions franco-ontariennes et le sentiment d'exclusion qui en découlait.

L'exclusion

L'exclusion de leurs propres institutions est donc fortement ressentie chez les Franco-Ontariens. Elle est revenue plusieurs fois dans les entrevues, à propos des médias locaux et régionaux et des lieux de diffusion de la culture notamment. Les deux extraits suivants, tirés de l'entretien avec les représentants d'organismes franco-ontariens, en témoignent :

> *Le Droit* ne nous dessert absolument pas. C'est comme l'Université d'Ottawa, qui était une création franco-ontarienne mise en place pour défendre nos droits franco-ontariens et qui n'en est plus une. C'est un commerce qui veut faire des profits, qui veut vendre des journaux. Et la population qui les achète est au Québec. *Le Droit* parle donc du Québec. Quand parle-t-on de nous dans *Le Droit*? Il n'y a à peu près rien sur nous, sauf peut-être quand les choses vont mal. S'il y a une crise des services en français à Ottawa, il y aura des articles qui en parleront. Sinon, quand tout va bien, si nous faisons un bon coup, il n'y a

> à peu près rien... *Le Droit* n'est pas intéressé quand on les invite à couvrir un lancement ou un autre événement du même type... Nous sommes mal desservis par le journal que nous avons nous-mêmes créé à cause du poids du Québec.
>
> On ne peut plus célébrer la Saint-Jean-Baptiste au Festival franco-ontarien. Le Québec prenait beaucoup trop de place à la Saint-Jean-Baptiste alors que tous les artistes importants allaient la célébrer à Aylmer et à Gatineau. Donc, on se retrouvait sans personne. Le Festival franco-ontarien a été obligé de se déplacer d'une fin de semaine parce qu'il veut fêter avec le plus de monde possible, avoir du succès, attirer des artistes. Le Québec est comme un aimant, comme une éponge. Il s'approprie à peu près tout.

La marginalisation des Franco-Ontariens au sein de leur propre territoire est vécue comme un affront par nos interlocuteurs, qui en font un problème éminemment politique. « Ils nous ont placés à la table des Anglais. » Cette phrase assassine de Benoît évoque la mainmise des Québécois sur l'institution qu'ils fréquentent. Celle-ci échappe ainsi aux Franco-Ontariens qui l'ont pourtant créée. Il le souligne d'ailleurs avec éloquence :

> Premièrement, on s'est battu pour ce collège-là v'là 10-12-15 ans. On s'est battu pour et on l'a eu. Et finalement, c'est rendu québécois. C'est pas pour être insultant. Mais on s'est battu pour notre collège. Il a été fondé par le ministère de l'Éducation de l'Ontario.
>
> [...] comme si je n'appartiens pas à cette « place » pour laquelle on s'est battu.

Cette dernière allusion a ceci de particulier qu'elle lie à un contexte historique plus large la problématique de l'exclusion ressentie à la Cité collégiale. Celle-ci prend en effet tout son sens lorsqu'on rappelle les circonstances dans lesquelles l'institution a été créée au tournant des années 1990, après de longues années de revendications pour l'obtention du droit à une éducation postsecondaire en français en Ontario. La situation vécue au Collège Algonquin, collège bilingue de la capitale, en avait été le déclencheur. Cette lutte est fortement ancrée dans la mémoire collective, comme nous l'avons rappelé plus haut. Elle a, de toute évidence, marqué la façon dont notre interlocuteur perçoit « son » collège. Quelques mots suffisent pour caractériser la Cité collégiale non pas comme un collège francophone, mais bien comme un collège franco-ontarien issu de l'action et de la détermination de la communauté franco-ontarienne.

S'il ne le dit pas explicitement, il est clair que pour Benoît, les Québécois qui fréquentent la Cité collégiale le font à titre d'« étrangers ». Ils ne résident pas en Ontario, ne serait-ce que temporairement, comme le feraient les Québécois qui fréquentent le Collège Boréal, par exemple, ou les universités du Sud de la province. Ils se contentent de venir y décrocher un diplôme, ce qui ne les amène pas à chercher à s'investir autrement dans l'institution. Si Franco-Ontariens et Québécois se retrouvent à la Cité collégiale, les premiers l'habitent, dans le sens fort du terme, dans la durée, alors que les autres ne font qu'y passer. Cette perception d'un rapport différent au lieu est au cœur même du sentiment d'exclusion ressenti par notre interlocuteur.

L'aliénation

La domination québécoise serait telle à la Cité collégiale que ce sont les Franco-Ontariens qui s'y sentent des étrangers. Benoît utilise l'expression « *outsider* » pour faire référence à l'aliénation que subissent les Franco-Ontariens dans les institutions qu'ils se seraient eux-mêmes données : « La perception des francophones de l'Université d'Ottawa est qu'on privilégie les Québécois et, ma foi, c'est vrai », de dire une participante à un des entretiens. Celle-ci travaille au service des admissions de l'institution. Elle reconnaît aussi que la clientèle franco-ontarienne est insuffisante pour maintenir un large éventail de programmes en français. Les mesures en place pour attirer davantage de Franco-Ontariens n'y feraient rien, à son avis : on aura toujours besoin des finissants des cégeps du Québec pour maintenir un nombre suffisant d'étudiants francophones à l'Université d'Ottawa et on les sollicite activement par des campagnes publicitaires particulièrement dynamiques. Et on s'assurerait de leur plaire, lorsqu'ils fréquentent l'institution. La conversation a en effet aussi porté sur les contenus des cours dont on a souligné le contenu trop québécois.

Certains de nos interlocuteurs s'insurgent. Mais la plupart affichent plutôt un certain fatalisme, comme si les Québécois étaient à Ottawa pour de bon, quel que soit l'effet de leur présence sur la vie communautaire. Le sentiment qui se dégage des entretiens est qu'il ne peut en être autrement... Même s'ils reconnaissent l'arrogance des Québécois, la volonté d'un vivre-ensemble harmonieux semble étouffer, chez les Franco-Ontariens qui ont participé à nos entretiens, toute velléité de lutte pour reprendre le contrôle sur ce qu'ils considèrent pourtant comme leur territoire[7]. C'est

[7] Voir les travaux de Monica Heller et Normand Labrie (2003) sur l'idéologie de la conciliation qui semble s'être imposée en Ontario français au cours de la dernière décennie.

le cas notamment de Benoît, pour qui, apparemment, il ne faisait pas de doute qu'il devait partir.

Il est intéressant de noter dans ce contexte l'allusion qu'il fait à son travail au Collège Boréal, situé dans le Nord de la province. Il lui sera possible d'y « contrebalancer les affaires », c'est-à-dire d'y être chez lui, d'y prendre sa place, dans un milieu où, selon lui, les Franco-Ontariens seraient maîtres de leur territoire. Le propos n'est cependant pas que défaitiste : la cohabitation avec les Québécois a aussi suscité, entre-temps, chez notre interlocuteur, le désir de s'engager dans un organisme de défense du français, la Fédération des étudiants du secondaire franco-ontariens (FESFO), qui se consacre notamment au développement du leadership chez les jeunes :

> Donc moi, mon enfance et mon adolescence, je les ai beaucoup vécues en français. Je m'identifiais comme francophone. Pas plus franco-ontarien que franco-canadien ou de l'Amérique du Nord, ou de quelque régionalisme… Donc, c'est pour cela que quand je suis arrivé à la Cité collégiale, je me suis dit : « wooh », je ne suis pas seulement francophone, mais je suis aussi Franco-Ontarien. Et je suis un des seuls ici. Donc oui, la Cité m'a éveillé à cela. Puis là, j'ai travaillé à la FESFO. Je cherchais à m'impliquer comme Franco-Ontarien, à m'afficher…

Mais, visiblement, cet engagement n'aura pas suffi pour retenir Benoît à Ottawa.

Synthèse et conclusion

L'examen du discours des Franco-Ontariens sur leur rencontre avec les Québécois dans la région de la capitale nationale nous a servi à aborder une problématique fondamentale en contexte frontalier, soit celle du franchissement de la frontière et de ses effets politiques. Dans le cas qui nous intéresse, ce franchissement a un effet notoire sur l'identité franco-ontarienne. La rencontre quotidienne entre les Franco-Ontariens et les Québécois à Gatineau et à Ottawa établit une distinction entre les deux groupes. L'expérience vécue de différences considérées comme fondamentales entre les deux cultures contribue à la consolidation d'une référence distincte, lui conférant « une sorte de matérialité », pour reprendre une expression qu'utilise Guy Di Méo (2004), sans laquelle le fossé entre le Québec et l'Ontario français, souvent évoqué par les intellectuels, aurait peut-être moins de résonance.

La frontière ferait en sorte que les Québécois érigeraient ici une barrière beaucoup plus étanche avec les Franco-Ontariens qu'ailleurs au Québec. Alors qu'à Gatineau, voire à Ottawa, la présence franco-ontarienne rappelle aux Québécois la précarité du français au pays, elle serait plus facilement teintée d'exotisme à mesure qu'on s'éloigne du Canada anglais. Nos interlocuteurs ont souligné le caractère particulier de la région à cet égard, disant ressentir beaucoup moins de mise à distance envers eux lorsqu'ils se rendent à Montréal, où les gens sont plus ouverts au multiculturalisme, ou encore à Québec, où sont moins présents les enjeux linguistiques qui traversent le Canada. Ainsi, une frontière somme toute banale, qui a par surcroît très peu d'impact sur la mobilité des résidents de la région, représente une fracture importante entre des populations pourtant assez peu différentes. Elle agit comme un puissant déclencheur d'un processus de consolidation identitaire chez les Franco-Ontariens de la région, lequel, croyons-nous, ne serait pas étranger à son renforcement à d'autres échelles de la vie collective.

BIBLIOGRAPHIE

ALLAIRE, Gratien (1999). *La francophonie canadienne : portraits*, Québec, CIDEF-AFI ; Sudbury, Éditions Prise de parole.

BEAUCHEMIN, Jacques (2004). « De la nation à l'identité : la dénationalisation de la représentation politique au Canada français et au Québec », dans Simon Langlois et Jocelyn Létourneau (dir.), *Aspects de la nouvelle francophonie canadienne*, Québec, Les Presses de l'Université Laval, p. 165-188.

BOCK, Michel (2007). « Tradition et territoire dans le projet national canadien-français », dans Martin Pâquet et Stéphane Savard (dir.), *Balises et références : Acadies, francophonies*, Québec, Les Presses de l'Université Laval, p. 57-77.

DI MÉO, Guy (2004). « Composantes spatiales, formes et processus géographiques des identités », *Annales de géographie*, vol. 113, n° 638-639, p. 339-362.

DUMONT, Fernand (1997). « Essor et déclin du Canada français », *Recherches sociographiques*, vol. 38, n° 3, p. 419-467.

GILBERT, Anne, et Marc BROSSEAU (2011). « La frontière asymétrique : Franco-Ontariens et Anglo-Québécois dans la région de la capitale nationale », *The Canadian Geographer = Le Géographe canadien*, vol. 55, n° 4 (hiver), p. 470-489.

GILBERT, Anne, et Luisa VERONIS (2013). « Habiter Gatineau depuis la marge minoritaire : frontière et citoyenneté », *Revue ACME,* vol. 12, n° 3, p. 576-602.

HELLER, Monica, et Normand LABRIE (dir.) (2003). *Discours et identité : la francité canadienne entre modernité et mondialisation*, Cortil-Wodon, Éditions modulaires européennes.

THÉRIAULT, Joseph Yvon (2008). « À quoi sert la Franco-Amérique ? », dans Dean Louder et Éric Waddell (dir.), *Franco-Amériques*, Québec, Éditions du Septentrion, p. 355-365.

VERONIS, Luisa, et Brian RAY (2013). « Parcours de vie et mobilité : stratégies d'établissement des familles immigrantes dans la région transfrontalière Ottawa-Gatineau », dans Stéphanie Gaudet, Maurice Lévesque et Nathalie Burlone (dir.), *Repenser la famille et ses transitions : repenser les politiques publiques,* Québec, Les Presses de l'Université Laval, p. 119-147.

Unilinguisme québécois et bilinguisme acadien : les politiques linguistiques du Parti québécois et du Parti acadien, 1970-1978

Michael Poplyansky
Université Sainte-Anne[1]

« Nous ne sommes pas une minorité. » Tel est le refrain des nationalistes canadiens-français (québécois) et acadiens au cours des années 1970. Ces deux peuples ayant développé une identité territoriale ancrée au Québec ou dans une partie du Nouveau-Brunswick (Martel, 1997; Thériault, 1982), des formations politiques émergent ensuite pour promouvoir l'indépendance[2] ou l'autonomie du soi-disant « foyer national » : le Parti québécois (PQ) et le Parti acadien (PA).

Mais les ressemblances entre ces deux communautés sociopolitiques s'arrêtent là. En dépit du fait que le PA mobilise une partie importante de l'*intelligentsia* acadienne, il demeure une force relativement marginale, n'élisant aucun député à l'Assemblée législative du Nouveau-Brunswick. De plus, un écart important subsiste entre les politiques linguistiques des deux partis. Alors que le PQ revendique un Québec unilingue, aussi français que l'Ontario est anglais (Fraser, 2001 : 98; Laurin, 1977 : 137), le PA hésite à exiger de tels sacrifices de la part des anglophones qui continueraient à vivre sur un territoire acadien autonome.

Quels facteurs pourraient donc expliquer cette divergence ? Certes, en tant que « petit parti » dont la survie n'est pas assurée, le PA se concentre davantage sur des enjeux qui affectent directement son électorat

[1] La recherche sur laquelle est basé cet article a été réalisée grâce au financement de l'Université York et de l'Association des universités de la francophonie canadienne. Je tiens à remercier Marcel Martel de ses commentaires sur ce texte.

[2] En 1976, le PQ hésite devant le mot « indépendance » préférant le terme de « souveraineté-association » pour décrire son projet politique. Reconnaissant les nuances importantes qui séparent ces deux concepts, le parti souhaite néanmoins que le Québec devienne un pays indépendant. Nous employons donc les termes d'« indépendance » et de « souveraineté » de façon interchangeable.

francophone. Comme, par ailleurs, le Nouveau-Brunswick n'est pas une « terre d'immigrants » au même titre que le Québec, le PA n'a pas inscrit à son ordre du jour l'obligation pour les non-francophones d'apprendre le français. Pourtant, 40 % de la population d'une éventuelle province acadienne serait composée d'anglophones[3]. Que faudrait-il faire alors de cette minorité ? Il s'agit là d'une question à laquelle le PA ne fournit aucune réponse cohérente.

Alors que les politiques linguistiques du PQ ont fait l'objet de nombreux travaux (Corbeil, 2007; Fraser, 2001; Godin, 1997; Levine, 1990; Martel et Pâquet, 2010; McRoberts, 1988; Picard, 2003; Stevenson, 1999), les prises de position du PA à cet égard n'ont malheureusement pas été analysées. Les deux études consacrées au PA mentionnent à peine la question (Godin, 1983; Ouellette, 1992). Par ailleurs, il n'existe aucune analyse comparative entre le PA et le PQ.

Le présent article vise à montrer que l'incapacité du PA à développer une politique linguistique basée sur le modèle péquiste est attribuable au fait qu'il demeure prisonnier de la « mentalité de minoritaire », dont il tente de se défaire. Seul le PQ conçoit les Québécois comme une « majorité » normale, capable d'imposer sa langue aux minorités qui partagent son territoire national. En revanche, le PA ne cherche qu'à faire en sorte que les Acadiens continuent à parler le français eux-mêmes, sans nécessairement forcer les autres à l'apprendre également.

Il nous faut d'abord justifier cette comparaison en relevant d'importantes ressemblances entre ces deux partis politiques. L'article débute donc par un bref résumé de la montée du PQ et du PA. Il s'agit de montrer que les deux partis doivent leur existence aux mêmes forces sociales et politiques. Nous procédons ensuite à la comparaison des politiques linguistiques du PQ et du PA. Finalement, nous constatons la présence d'une « mentalité de minoritaire » au sein même de la direction du Parti acadien, ce qui expliquerait, en partie, la divergence entre les politiques linguistiques des deux formations.

[3] Cette province inclurait les comtés de Victoria, Madawaska, Restigouche, Gloucester, Northumberland, Kent et Westmorland (voir Thériault, 1982 : 167).

Le PQ et le PA, issus des mêmes sources

Formé en 1968, le PQ est le résultat d'une fusion entre le Mouvement souveraineté-association (MSA) de René Lévesque et le Ralliement national (RN), un parti indépendantiste de droite. Il devient rapidement une « grande coalition » pour tous les souverainistes québécois. Moins de deux semaines après le congrès de fondation péquiste, le Rassemblement pour l'indépendance nationale (RIN), une formation indépendantiste qui existait depuis 1960, se saborde et ses militants sont invités à adhérer au PQ. Le RIN est, d'ailleurs, très intransigeant en ce qui concerne la politique linguistique, en appelant à la révocation des droits (ou des privilèges, d'après le discours) linguistiques de la minorité anglophone (D'Allemagne, 1974; Nadeau, 2007). Comme nous le montrons plus loin, les anciens membres de ce parti continuent à exercer une certaine influence au sein du Parti québécois pendant les années 1970. Bien que le PQ ne gagne pas ses deux premières campagnes électorales, il prend toutefois le pouvoir en novembre 1976. En 1977, le parti met en œuvre sa politique linguistique avec l'adoption de la loi 101, qui sert à réaffirmer la spécificité du Québec au sein de la fédération canadienne. Le parti consacre les dernières années de son premier mandat à préparer le terrain pour le référendum de 1980 sur la souveraineté-association (Coleman, 1984 : 209)[4].

Précisons maintenant les événements qui mènent directement à la naissance du Parti acadien. Au Nouveau-Brunswick, les années 1960 sont marquées par une série de réformes enclenchées par le gouvernement de Louis Robichaud : programme de « Chances égales pour tous », création de l'Université de Moncton, Loi sur les langues officielles du Nouveau-Brunswick, entres autres (Belliveau et Boily, 2005). Mais ce programme n'est qu'un prélude à des revendications encore plus substantielles de la part des Acadiens. À partir de la fin de la décennie, André Dumont,

[4] Il y a d'ailleurs une tension au sein du gouvernement Lévesque, entre le premier ministre, qui souhaite se concentrer sur des questions « terre à terre » comme la réforme du financement des partis politiques, et plusieurs ministres, notamment Camille Laurin, qui veulent maintenir un programme législatif résolument nationaliste. La souveraineté, prendrait alors, selon eux, l'aura d'un couronnement quasi inévitable. Même si le résultat escompté n'advient pas, nul besoin de dire que c'est la thèse Laurin qui l'emporte au sein du gouvernement (Picard, 2003 : 261).

un instituteur de Petit-Rocher, réclame sur plusieurs tribunes, la création d'un parti politique pour défendre les intérêts des francophones du Nouveau-Brunswick. En janvier 1971, Dumont et six autres résidents du Nord-Est de la province, surtout affiliés au Collège de Bathurst, forment un comité (le Comité des Sept) qui explore la possibilité de fonder un tel parti politique. Bien que certains membres du comité hésitent, croyant que la population n'est pas encore suffisamment « sensibilisée », tous optent finalement pour la formation du Parti acadien. En novembre 1972, le PA tient donc son congrès de fondation. Euclide Chiasson, un professeur du Collège de Bathurst et membre du Comité des Sept, y est élu chef du parti par acclamation (Godin, 1983 : 35-36). Cent vingt-cinq militants se présentent pour marquer l'événement ; le parti ne dépassera jamais le seuil des mille membres[5].

Le PA présente treize candidats aux élections provinciales de 1974, recevant 5 % des suffrages exprimés. En 1975, Jean-Pierre Lanteigne, un médecin de Bathurst, succède à Chiasson comme chef du parti. Il est également élu par acclamation (Richard, 1975 : 3). En 1978, le PA mène une campagne électorale beaucoup plus organisée. L'objectif central de son programme est la création d'une province acadienne. L'existence d'une telle province pourrait servir de tremplin à d'autres changements dans le statut politique des Acadiens, si jamais le Québec devenait indépendant. Aux élections de 1978, le PA double ses appuis de 1974 et son candidat dans Restigouche-Ouest, Armand Plourde, vient à deux cents voix de remporter son comté (Ouellette, 1992 : 90-92).

L'année 1978 représente donc un point culminant, tant pour le PA que pour le PQ. Le PQ venait de mettre en œuvre sa politique linguistique, qui deviendrait un élément central de l'héritage du gouvernement Lévesque[6]. Quant au PA, il atteint son meilleur résultat électoral. Les

---

[5] D'après les recherches du politologue Roger Ouellette, on note un manque de militantisme chez les membres du PA. Même si le nombre total de membres est relativement stable au cours de l'existence de ce parti (entre 300 et 400 membres), 94 % d'entre eux n'occupent aucune fonction en son sein et « deux tiers ne sont actifs à aucun niveau ». Lorsque nous nous référons « aux militants du PA », il s'agit donc d'un groupe restreint d'individus qui prennent la peine de se déplacer aux congrès du parti et de voter sur ses orientations (Ouellette, 1992 : 52, 100).

[6] Nous n'oublions pas les autres éléments de l'héritage du gouvernement Lévesque, tels les réformes du financement des partis politiques et de l'assurance automobile.

années qui suivent apportent leur lot de déceptions aux deux partis. Le PQ perd le référendum de 1980, et le PA amorce son déclin irréversible qui mène à sa disparition en 1982.

Malgré leurs destins divergents, le PQ et le PA doivent leur existence aux mêmes forces sociales et politiques. Premièrement, les deux partis sont des fruits de la « Révolution tranquille »[7]. Tant le Québec que le Nouveau-Brunswick traversent une période de réformes modernisatrices pendant les années 1960. Les fonctions sociales remplies par le clergé – comme l'éducation, par exemple – sont transférées à l'État. En analysant cette période de l'histoire du Québec, Kenneth McRoberts constate que l'expansion du rôle de l'État mène directement à la montée du PQ. « *When the Quebec government [...] began to address so many concerns of Québécois in the 1960s, [...] it seemed only normal [...] that [it] should assume all the powers of a national government and that Quebec should at last become truly sovereign* », conclut-il dans *Quebec: Social Change and Political Crisis* (1988 : 37). Même si la Révolution tranquille néo-brunswickoise est dissociée du discours nationaliste (Belliveau et Boily, 2005), elle facilite pourtant l'émergence d'un groupe-cadre de jeunes Acadiens qui suivent les traces de leurs voisins québécois. Le PA et le PQ sont dominés par ce que McRoberts appelle « la nouvelle classe moyenne ». Ce sont les « professionnels » du secteur public : fonctionnaires, enseignants, chercheurs en sciences sociales. Plus des deux tiers des membres du PA représentent ce groupe démographique (Ouellette, 1992 : 49). Il en est de même pour le PQ; la moitié de ses candidats aux élections de 1970, 1973 et 1976 proviennent des rangs de la « nouvelle classe moyenne » (McRoberts, 1988 : 243).

Deuxièmement, le PQ et le PA représentent un désir de spécificité dans un monde qui devient de plus en plus homogène. Dans son livre *The Independence Movement in Quebec, 1945-1980*, William Coleman note que le désir perpétuel des Canadiens français de maintenir leur spécificité en Amérique du Nord ne peut plus être réalisé en préservant un mode de vie rural et conservateur. Coleman conclut que ce constat pousse les Québécois à affirmer leur caractère distinct d'une nouvelle manière. Le

---

[7] Bien que ce terme s'applique surtout au contexte québécois, il commence à être employé pour décrire le processus de modernisation qui a lieu simultanément en Acadie (voir Belliveau et Boily, 2005).

PQ représenterait donc une volonté de consolider l'unicité de la nation québécoise malgré le fait que celle-ci ressemble de plus en plus à d'autres sociétés occidentales (Coleman, 1984 : 18).

Les Acadiens font face à un dilemme similaire. Jadis, grâce en partie à d'importantes institutions confessionnelles, ils pouvaient compter sur un discours nationaliste faisant l'éloge « du retrait et de l'isolement » (Belliveau, 2008 : 57). Toutefois, à partir des années 1960, avec leur implication grandissante au sein des structures étatiques, il est universellement reconnu que ce genre de nationalisme traditionnel n'est plus soutenable. La crise de confiance atteint son apogée lors du Ralliement de la jeunesse acadienne, tenu à Memramcook en avril 1966. Convoqué par la Société nationale des Acadiens pour initier les jeunes à la « chose nationale », le ralliement est marqué par l'adoption d'une série de résolutions appelant à l'abandon des « signes traditionnels d'identification... [du] vieux nationalisme », tels le drapeau et l'hymne « Ave Maris Stella » (Hautecoeur, 1975 : 196-245). Tout comme les Québécois, les Acadiens du Nouveau-Brunswick cherchent donc une nouvelle façon de faire valoir leur spécificité par rapport à leurs concitoyens anglophones. Dans ce contexte, quel geste pourrait affirmer leur unicité avec plus de force que la création d'une nouvelle province acadienne[8] ?

Troisièmement, le PA et le PQ sont profondément liés au contexte politique mondial des années 1960. Depuis le début de la décennie, les indépendantistes québécois de tous les horizons idéologiques s'imprègnent du discours anticolonialiste pour justifier l'accession du Québec à la souveraineté. Bien que ce genre de discours diminue au cours des années 1970, la décolonisation crée néanmoins un climat favorable à l'émergence du PQ[9]. La fondation du PA ne peut pas non plus être dissociée des bouleversements politiques mondiaux. En fait, l'historien Joel Belliveau (2008) soutient que « l'esprit de 1968 » représente le facteur décisif qui pousse les jeunes Acadiens à rejeter la doctrine libérale des droits individuels et à s'affilier à un nouveau nationalisme dont le Parti acadien devient un important promoteur.

[8] Voir, par exemple, Jean-Paul Hautecoeur qui note, avec Fernand Dumont, que les « nouvelles valeurs des néo-nationalistes acadiens pourraient bien être... traditionnelles » (1975 : 307).

[9] Pour des études traitant de l'impact du discours anticolonialiste sur le mouvement nationaliste québécois, voir Lachaine (2007) et Mills (2010).

Il reste, bien sûr, une différence importante entre le PA et le PQ qui doit être dûment notée. Il s'agit de l'engagement des partis envers la création d'un État séparé. Tandis que, depuis sa fondation, le PQ revendique un Québec indépendant, le PA ne préconise pas la création d'une province acadienne avant 1977. Néanmoins, à partir de 1976, le PA commence à se transformer en « version acadienne » du PQ[10]. Son président, Jean-Pierre Lanteigne, félicite officiellement le PQ de sa victoire électorale et veut même organiser une réunion conjointe entre les exécutifs des deux partis[11]. Il reste, toutefois, que la politique linguistique du PA demeure toujours fondamentalement différente de celle du PQ.

Deux politiques linguistiques aux antipodes

Examinons d'abord la politique linguistique du PQ. La séance de négociations du 9 juin 1968 entre le MSA, le RN et le RIN, qui mène à la fondation du PQ, trace les lignes de faille qui traversent le parti durant les années 1970. Les trois « précurseurs » du PQ s'entendent sur le but ultime : le Québec deviendra un État unilingue français. Leurs dirigeants souhaitent que les anglophones et les allophones s'intègrent aux institutions de la majorité et que les différences ethnoculturelles entre les citoyens du Québec deviennent moins visibles.

Toutefois, les trois partis ne peuvent se mettre d'accord sur la manière dont il faut atteindre cet objectif. René Lévesque cherche à garantir aux anglophones l'accès à leurs propres institutions. Le futur premier ministre espère que grâce à ces concessions, ils accepteront plus facilement que le Québec devienne « une société où il faudrait gagner sa vie en français[12] ». Les nationalistes conservateurs du RN partagent ce point de vue, mais le RIN s'y objecte vigoureusement. Les représentants de ce dernier

---

[10] Notons que certains membres fondateurs du PA ne sont pas à l'aise avec le projet d'État acadien. Ils sont d'ailleurs beaucoup moins actifs au sein du parti à la fin des années 1970 (Ouellette, 1992 : 79-81).

[11] « Lettre de Jean-Pierre Lanteigne à Pierre Renaud, 4 avril 1978 », Société historique Nicolas-Denys (ci-après SHND), Fonds Parti acadien (ci-après Fonds PA), P-739, Dossier 1-88 ; « Communiqué de presse : Nous sommes très heureux de la victoire du Parti québécois, 15 novembre 1976 », SHND, Fonds PA, P-739, Dossier 1-88.

[12] « Compte rendu de la deuxième séance de négociations MSA-RN-RIN, 9 juin 1968 », p. 4. Bibliothèque et Archives nationales du Québec (ci-après BAnQ), Fonds Rassemblement pour l'indépendance nationale (ci-après Fonds RIN), P-300, boîte 11.

parti à la séance de négociations insistent sur le fait que seule l'abolition immédiate de tous les privilèges pour la minorité anglophone mènerait au type de société que Lévesque prétend promouvoir[13]. C'est surtout sur la base de ce désaccord sur la politique linguistique que le RIN n'est pas officiellement invité à se fusionner avec le PQ (Godin, 1997 : 380). Néanmoins, comme nous l'avons déjà mentionné, le RIN finit par se saborder et ses militants rejoignent individuellement les rangs péquistes.

Ainsi, les congrès du PQ au cours des années 1970 sont dominés par la question linguistique. En 1971, l'ancien candidat du parti dans la circonscription de D'Arcy McGee, Paul Unterberg, présente une résolution visant à abolir les écoles anglaises après l'indépendance. En menaçant de démissionner, René Lévesque s'assure que la résolution soit rejetée en assemblée plénière (Godin, 1997 : 537). Précisons que le débat qui oppose Lévesque et des militants comme Unterberg gravite autour des moyens et non des fins. Ainsi, le communiqué du PQ sur « la vie culturelle et les groupes ethniques », émis à la suite du congrès de 1971, cite des études montrant que « déjà un groupe important d'anglophones se reconnaissent comme Québécois et manifestent une volonté de s'intégrer au Québec, avec le français comme langue de communication[14] ». Tous les péquistes partagent une vision selon laquelle les anglophones adopteraient, de gré ou de force, la langue française et cesseraient de se distinguer de la majorité canadienne-française.

Un scénario semblable se joue au congrès de 1973. Selon *Le Devoir*, 18 % des délégués sont alors d'anciens membres du RIN (Leblanc, 1973 : 1). Ils sont toujours déterminés à éliminer le système scolaire anglophone. Lors de l'atelier sur la langue et l'éducation, plusieurs associations de comté soumettent des propositions à cet effet[15]. Toutefois, l'exécutif du parti réussit à les rassurer en présentant une résolution selon laquelle la diminution du nombre de personnes se déclarant « anglophones » entraînerait une réduction proportionnelle du financement des institutions anglaises. Même si, par hasard, la population anglaise augmentait, le nombre de places dans le système scolaire anglophone ne pourrait dépasser le plafond fixé en 1973. Le futur ministre d'État au développement culturel,

---

13 *Ibid.*

14 « La vie culturelle et les groupes ethniques, 1971 », BAnQ, Fonds de l'Association du Parti québécois du comté de Sherbrooke, P32, boîte 1, cartable 1.

15 « Cahier des résolutions », BAnQ, Fonds René Lévesque, P18, boîte 33, dossier : 4e Congrès du Parti québécois.

Camille Laurin, se montre confiant que le nombre d'enfants autorisés à fréquenter l'école anglaise ne peut que diminuer après l'indépendance. « *Some English-speaking residents will leave Quebec while others will send their children to French language schools because of the new status French would have in an independent Quebec* » (Macpherson, 1973 : 1).

Une fois arrivé au pouvoir en 1976, le PQ est en mesure de mettre en œuvre la politique linguistique envisagée par la direction du parti. Grâce à l'adoption du projet de loi 101, le gouvernement interdit l'affichage qui n'est pas en français et oblige tous les résidents du Québec (à l'exception des autochtones et des descendants des Anglo-Québécois) à fréquenter l'école française. La loi ne va pas nécessairement assez loin pour certains membres du PQ. Lors du congrès de mai 1977, l'atelier sur la politique linguistique et culturelle est divisé sur la question du financement public des écoles anglaises. Ce n'est que par un vote de 44 contre 39 que les délégués acceptent que la loi 101 soit suffisamment coercitive pour faire du Québec un État de langue française (Morissette, 1977 : 2).

En fin de compte, la loi contribue à calmer les angoisses des anciens membres du RIN[16]. Peut-être est-ce grâce aux interventions de Camille Laurin qui insiste sur le fait que les anglophones sont une « minorité parmi d'autres minorités ». Ils ont leurs propres écoles, non pas par privilège historique, mais simplement à cause de leur poids numérique (Laurin, 1977 : 146). Pour emprunter la terminologie du politologue Will Kymlicka, les allophones et les anglophones bénéficieraient de droits « polyethniques ». Ces derniers ne représenteraient pas une « minorité nationale » particulière[17]. À cette fin, Laurin affirme que toutes les minorités pourraient sauvegarder leur langue et certains aspects de leur culture d'origine. Il serait même bénéfique pour l'État québécois d'avoir des citoyens qui pourraient s'exprimer « non seulement en anglais, mais en espagnol, italien, grec, portugais, japonais, russe, etc. » (Laurin, 1977 : 150). En même temps, tel que Kymlicka le décrit dans *La citoyenneté multiculturelle*, les droits « polyethniques » ont pour effet d'assurer généralement la disparition *en douceur* des différences marquées entre groupes ethniques (2001 : 52).

---

[16] À titre d'exemple, constatons que l'abolition des écoles anglaises n'est plus revendiquée lors des congrès péquistes pendant les années 1980.

[17] Pour une définition des termes « droits polyethniques »et « minorité nationale », voir Kymlicka (2001).

La loi 101 représente la première tentative systématique des Canadiens français d'intégrer les minorités linguistiques vivant au Québec. Une fois ce processus établi, le gouvernement Lévesque ouvre volontiers les portes à une immigration non francophone. À partir de 1978, année où le Québec obtient le pouvoir de choisir ses immigrants grâce à une entente entre le ministre québécois de l'Immigration, Jacques Couture, et son homologue fédéral, Bud Cullen, Couture stipule que seulement 10 % de l'ensemble des points nécessaires à l'admission seront accordés en fonction de la connaissance de la langue française. Il n'y a pas de contestation ouverte face à cette prise de position au sein du PQ, telle est la confiance du parti que l'État provincial a les moyens d'imposer le français comme langue commune (Pâquet, 2005 : 224 ; Barbeau, 1978 : 1).

Pendant ce temps, au Nouveau-Brunswick, la politique linguistique du PA ne vise pas à imposer aux autres l'apprentissage du français. Elle est simplement destinée à s'assurer que les francophones continuent à parler la langue de leurs ancêtres. Avant de développer cette question, il nous faut apporter une nuance. Notre analyse n'enlève rien aux membres du PA, comme l'historien Léon Thériault, qui reconnaissent qu'une politique linguistique à la québécoise serait nécessaire, si jamais les Acadiens obtenaient leur propre État. Thériault défend vigoureusement cette prise de position dans son livre, *La question du pouvoir en Acadie* (1982 : 165). Pourtant, comme nous souhaitons le montrer, ce point de vue n'est pas répandu au sein du PA au cours des années 1970.

En mai 1972, le Comité des Sept publie un livre intitulé *Le Parti acadien* « pour faire connaître le projet et mobiliser des gens » (Godin, 1983 : 35). Le livre inclut des appels à l'autodétermination acadienne et des condamnations du bilinguisme officiel, considéré comme un tremplin vers l'assimilation. Pourtant, il n'encourage pas les anglophones à apprendre le français et à s'intégrer à la nation acadienne (Chiasson *et al.*, 1972 : 15).

Les auteurs du livre présentent plutôt les identités culturelles comme étant immuables. Même s'ils reconnaissent qu'une grande proportion de la population anglaise est « exploitée et souvent laissée pour compte autant que nous », ils concluent que la « mentalité est [si] différente chez les deux peuples [qu'on] ne peut pas [en] faire abstraction ». La séparation entre les communautés linguistiques du Nouveau-Brunswick est la solution privilégiée. L'on vise alors « un État à bivalence impeccable », avec la dualité des ministères. Il y aurait, par exemple, un ministère de l'éducation pour les anglophones et un autre pour les Acadiens (Chiasson *et al.*, 1972 : 103).

Cette même attitude demeure présente lors du congrès de fondation du PA. Certains militants regrettent que ce soit « presque toujours les francophones qui [soient] bilingues », ce qui conduit à l'assimilation de ces derniers[18]. Pourtant, à notre connaissance, ils n'appellent pas les anglophones à changer leur mode de vie et à apprendre le français. L'exécutif du PA réaffirme ces idées en 1973, dans un texte intitulé « Les principes du Parti Acadien sur le bilinguisme et les anglophones », un pamphlet à forte saveur nationaliste. « Apprendre le français pour les Anglais est un luxe; apprendre l'anglais pour les Français est une nécessité », y est-il écrit. Le document va encore plus loin : « il faut qu'on cesse de nous voir comme une minorité… nous ne sommes pas une minorité dans une province anglaise; nous sommes un peuple, le peuple acadien. » Pourtant, le parti s'abstient de demander des sacrifices aux anglophones qui vivent dans les régions acadiennes du Nouveau-Brunswick. D'ailleurs, ces régions ne sont pas explicitement définies avant 1977. La déclaration de l'exécutif sur « le bilinguisme et les anglophones » affirme plutôt que le PA n'est pas anti-anglais, « parce qu'il sait que l'exploitation et la pauvreté ne sont pas qu'acadiennes ». Le parti s'efforce donc de ne pas nuire aux droits des anglophones. Ces derniers doivent d'abord s'organiser entre eux; le Parti acadien sera alors « prêt à collaborer et à combattre ensemble[19] ».

Le désir du PA de maintenir une séparation entre les anglophones et les francophones du Nouveau-Brunswick s'étend au domaine scolaire. Le PA n'exige pas que tous les jeunes « des régions acadiennes du Nouveau-Brunswick » fréquentent l'école française. Il revendique plutôt la création de conseils scolaires homogènes, qui seraient responsables de l'éducation acadienne. Comme dans la plupart des écoles du Québec, le français y serait la seule langue d'enseignement. Pourtant, ces écoles françaises seraient destinées aux Acadiens. Les non-francophones pourraient continuer à envoyer leurs enfants aux écoles anglaises[20].

---

18 « Congrès 1972 : recueil d'opinions » (Document émis par l'exécutif du PA), SHND, Fonds PA, P-739, dossier 2-27. Pourtant, l'exécutif ne note pas quels militants ont exprimé quelles opinions.

19 « Les principes du Parti Acadien sur le bilinguisme et les anglophones, 1973 », SHND, Fonds PA, P-739, dossier 2-43.

20 « Mémoire du PA sur l'éducation, présenté au Forum sur l'éducation au Nouveau-Brunswick, mai 1975 », SHND, Fonds PA, P-739, dossier 2-48.

Il est à supposer qu'une telle politique linguistique serait rapidement abandonnée au moment où le PA commencerait à revendiquer une province acadienne. Le PA copierait alors, en toute logique, le modèle péquiste. Pourtant, ce virage ne se produit pas. Le PA reconnaît que l'éventuelle province acadienne inclurait des minorités anglophone et autochtone. Cependant, lors du congrès de 1977, où le PA opte officiellement pour une province acadienne, les militants ne débattent pas de l'abolition des institutions anglophones[21]. Il s'agit d'un contraste frappant avec ce qui se passe dans les rangs péquistes. La politique linguistique du PA ne cherche qu'à empêcher des « défections » de la part des francophones de souche.

L'attitude du PA envers l'affichage public en témoigne. Contrairement au PQ, le PA s'en prend à l'affichage unilingue anglais et non aux affiches bilingues. D'après son journal interne, *Le Parti acadien vous informe,* le PA se préoccupe surtout des francophones qui imitent « le conquérant anglo-saxon » en « plaçant eux-mêmes des enseignes anglaises à leur commerce ». Selon le PA, l'affichage en anglais de la part d'un Acadien est un geste « inconscient du colonisé qui reconnaît sa crainte de l'anglophone ». Le journal du PA ne mentionne ni le message qu'envoie l'affichage bilingue aux anglophones ou aux immigrants, ni la nécessité de les forcer à apprendre le français (Blanchard, 1978).

Une mentalité de minoritaire ?

Comment expliquer les différences entre les politiques linguistiques du PA et du PQ ? Rappelons que, contrairement aux Québécois, les Acadiens n'ont pas vécu dans un État où ils formaient une majorité démographique depuis le XVIIIe siècle. Ainsi, malgré son appel à une province acadienne, la direction du PA continue à percevoir les Acadiens comme minorité vulnérable au seuil de l'assimilation. La correspondance du président du PA, Jean-Pierre Lanteigne, fournit la meilleure preuve de cet état d'esprit. Cinq mois après le congrès de 1977, où le PA s'engage à lutter pour une province acadienne, Lanteigne écrit explicitement que les Acadiens ne sont pas en mesure d'intégrer les non-francophones.

Lanteigne fait cette déclaration dans une lettre à un sympathisant québécois du PA, Donald Boisvert. Boisvert lui demande s'« il y a une

---

[21] « Congrès 1977 : objectif national », SHND, Fonds PA, P-739, dossier 2-37.

immigration importante anglophone, italienne ou autre » qui augmente annuellement la population de Moncton, lui rappelant que « l'immigration étrangère faillit nous noyer à Montréal[22] ». La réplique de Lanteigne est tellement révélatrice qu'elle mérite d'être citée dans son ensemble :

> Le problème linguistique ne se pose pas de la même manière qu'au Québec. Les Acadiens sont une minorité au Nouveau-Brunswick. Nul doute qu'il y a de nouveaux arrivants dans la province qui ne sont pas d'origine francophone et doivent donc s'assimiler à la majorité anglophone. Le problème ici ce n'est pas d'assimiler les immigrants ; nous n'avons pas encore cette force, ni les instruments pour le faire. Le problème c'est tout simplement de résister, nous-mêmes, Acadiens, à l'assimilation[23].

Ainsi, comme le révèle la lettre de Lanteigne, le PA n'a aucun désir d'imposer quoi que ce soit aux non-francophones. Contrairement au PQ, qui insiste sur la participation des anglophones et des allophones au développement d'une nouvelle nation québécoise, le PA interpelle uniquement les francophones.

Ce positionnement demeure inchangé pendant la campagne électorale de 1978, moment où le PA est au sommet de sa popularité. Présentant l'unique candidat anglophone du parti, Patrick Clarke[24], *Le Parti acadien vous informe* sous-entend que même Clarke n'est pas invité à se considérer comme un Acadien. Le journal se limite à noter que « la cause acadienne n'attire pas que des Acadiens » et que les « deux groupes doivent vivre en harmonie tout en étant égaux[25] ». Le PA n'a donc pas l'ambition de remettre en question la connotation ethnique[26] du mot « Acadien » pour fonder une nouvelle identité à laquelle l'« anglophone de souche » pour-

22 « Lettre de Donald Boisvert à Jean-Pierre Lanteigne, 21 avril 1977 », SHND, Fonds PA, P-739, dossier 1-51.

23 « Lettre de Jean-Pierre Lanteigne à Donald Boisvert, 24 septembre 1977 », SHND, Fonds PA, P-739, dossier 1-51.

24 Formé en histoire à l'Université Laval, Patrick Clarke est attiré au PA à cause de son nationalisme et non à cause de son idéologie de centre-gauche. Même si Clarke affirme être bien accueilli au sein du parti et traité comme tout autre militant, le PA ne le voit pas comme un modèle et ne tente pas de recruter davantage de non-francophones (Correspondance de l'auteur avec Patrick Clarke, mars 2011).

25 « Le Parti acadien : Élections 1978 », SHND, Fonds PA, P-739, dossier 2-95.

26 Le PA ne prône, en aucun cas, un nationalisme racial. Le parti souhaite que les Brayons du Madawaska, par exemple, se considèrent comme des Acadiens, mais cet effort d'élargir la nation se limite à ceux qui sont déjà francophones (voir Couturier, 2005 : 46).

rait adhérer. Un tel projet paraît simplement inimaginable, non à cause d'une quelconque xénophobie, mais par le simple fait que le PA ne voit toujours pas les Acadiens comme constituant une majorité qui a le droit légitime d'imposer aux non-francophones un devoir d'intégration. Ainsi, d'après le PA, la seule façon pour les Acadiens d'empêcher leur propre assimilation est de développer une série d'institutions parallèles, séparées de celles des anglophones, une stratégie que les nationalistes québécois rejettent largement depuis le début des années 1960.

Conclusion

En résumé, le PA ne remet pas en cause le caractère biculturel du Nouveau-Brunswick. Il vise plutôt à modifier le rapport de force entre les deux communautés linguistiques de la province, de façon à ce que les francophones deviennent une majorité démographique au sein d'un nouvel État. Cela représente un contraste frappant avec le PQ. Pour ses adhérents, surtout ceux qui s'identifient à l'héritage du RIN, l'objectif ultime est de réduire la portée des notions de « minorité » et de « majorité ». Tous les citoyens du Québec devraient adopter le français comme langue de travail et commencer, lentement mais sûrement, à s'identifier à la nation québécoise.

Il n'est pas surprenant que les non-francophones affectés par la politique linguistique du PQ rejettent ce parti. Ils auraient sans doute préféré l'approche du laisser-faire du PA. Pourtant, il est à se demander si ce n'est pas le PQ qui assure avec le plus de succès la survie d'une société francophone sur le continent nord-américain. Percevant les Acadiens comme une minorité, le PA, même quand il exige un État séparé, ne met jamais les anglophones au défi de s'éloigner de leur langue maternelle. L'ambition limitée du PA semble correspondre au programme politique du premier ministre néo-brunswickois de l'époque, Richard Hatfield. En 1981, grâce à la loi 88 sur l'égalité des deux communautés linguistiques, son gouvernement enchâsse le droit des Acadiens de préserver leur propre langue, sans l'imposer aux autres. La loi garantit aux Acadiens leurs propres institutions scolaires, culturelles et sociales, qui seraient distinctes de celles de la majorité anglophone. Vraisemblablement, c'est tout ce que les militants du PA cherchaient à obtenir. Un an après l'adoption de la loi 88, le PA ainsi que le rêve d'un État acadien disparaissent de la scène politique. Depuis, malgré les efforts substantiels de la Société de l'Acadie du Nouveau-Brunswick (SANB) pour freiner les pressions assimilationnistes[27], l'anglais domine largement le paysage linguistique de la province. Selon le recensement de 2006, près de 70 % de tous les francophones (langue maternelle française) sont bilingues, comparé à 16 % des anglophones (Lachapelle et Lepage, 2011). Le PQ, en revanche, réussit à imposer la langue française à presque tous (95 %) les résidents du territoire québécois (Statistique Canada, 2006). Reste maintenant à savoir si cela représente un objectif que les Acadiens devraient (pourraient) viser à leur tour.

BIBLIOGRAPHIE

Archives

Bibliothèque et Archives nationales du Québec

Fonds de l'Association du Parti québécois du comté de Sherbrooke, P32
Fonds Rassemblement pour l'indépendance nationale, P300
Fonds René Lévesque, P18

Société historique Nicolas-Denys

Fonds Parti acadien, P-739

Livres et articles

BARBEAU, François (1978). « Le Québec obtient un certain droit en matière d'immigration », *Le Devoir*, 21 février, p. 1.

BELLIVEAU, Joel (2008). *Tradition, libéralisme et communautarisme durant les « Trente glorieuses » : les étudiants de Moncton et l'entrée dans la modernité avancée des francophones du Nouveau-Brunswick, 1957-1969*, thèse de doctorat (histoire), Montréal, Université de Montréal.

BELLIVEAU, Joel, et Frédéric BOILY (2005). « Deux révolutions tranquilles ? Transformations politiques et sociales au Québec et au Nouveau-Brunswick (1960-1967) », *Recherches sociographiques*, vol. 46, n° 1 (janvier-avril), p. 11-34.

[27] Dirigée par un ancien militant du PA, Jean-Marie Nadeau, la SANB cherche surtout à promouvoir la dualité administrative. Elle mène également la lutte pour l'affichage bilingue et une plus grande immigration francophone (voir Nadeau, 1992 et 2009).

BLANCHARD, Jean-Pierre (1978). « Pourquoi je dis oui à une province acadienne », *Le PA vous informe,* mars, p. 6.

CHIASSON, Euclide, *et al.* (1972). *Le Parti acadien,* Montréal, Éditions Parti pris.

COLEMAN, William (1984). *The Independence Movement in Quebec, 1945-1980,* Toronto, University of Toronto Press.

CORBEIL, Jean-Claude (2007). *L'embarras des langues : origine, conception et évolution de la politique linguistique québécoise,* Montréal, Éditions Québec Amérique.

COUTURIER, Jacques Paul (2005). « La République du Madawaska et l'Acadie : la construction identitaire d'une région néo-brunswickoise au XXe siècle », dans Maurice Basque et Jacques Paul Couturier (dir.), *Les territoires de l'identité : perspectives acadiennes et françaises, XVIIe-XXe siècles*, Moncton, Chaire d'études acadiennes, p. 25-54.

D'ALLEMAGNE, André (1974). *Le R.I.N. de 1960 à 1963 : étude d'un groupe de pression au Québec,* Montréal, Éditions l'Étincelle.

FRASER, Graham (2001). *René Lévesque and the Parti Québécois in Power*, Montréal, McGill-Queen's University Press.

GODIN, Pierre (1997). *René Lévesque : héros malgré lui,* Montréal, Éditions du Boréal.

GODIN, Rita (1983). *Le développement d'un tiers-parti : le Parti acadien de son origine à 1982,* mémoire de maîtrise (science politique), Québec, Université Laval.

HAUTECOEUR, Jean Paul (1975). *L'Acadie du discours : pour une sociologie de la culture acadienne,* Québec, Les Presses de l'Université Laval.

KYMLICKA, Will (2001). *La citoyenneté multiculturelle : une théorie libérale du droit des minorités,* Montréal, Éditions du Boréal.

LACHAINE, Alexis (2007). *Black and Blue: French Canadian Writers, Decolonization and Revolutionary Nationalism in Quebec, 1960-1969*, thèse de doctorat (histoire), Toronto, Université York.

LACHAPELLE, Réjean, et Jean-François LEPAGE (2011). *Les langues au Canada : recensement de 2006*, Ottawa, Patrimoine canadien et Statistique Canada.

LAURIN, Camille (1977). *Le français langue du Québec : discours prononcés par Monsieur Camille Laurin,* Montréal, Éditions du Jour.

LEBLANC, Gérald (1973). « Le congrès se rallie à la position de son leader sur la langue », *Le Devoir,* 26 février, p. 1.

LEVINE, Marc (1990). *The Reconquest of Montreal: Language Policy and Social Change in a Bilingual City*, Philadelphia, Temple University Press.

MACPHERSON, Don (1973). « PQ would set Limit on English School Places », *The Montreal Star,* 26 février, p. 1.

MARTEL, Marcel (1997). *Le deuil d'un pays imaginé : rêves, luttes et déroute du Canada français,* Ottawa, Les Presses de l'Université d'Ottawa.

MARTEL, Marcel, et Martin PÂQUET (2010). *Langue et politique au Canada et au Québec : une synthèse historique*, Montréal, Éditions du Boréal.

McRoberts, Kenneth (1988). *Quebec: Social Change and Political Crisis,* Toronto, Oxford University Press.

Mills, Sean (2010). *The Empire Within: Postcolonial Thought and Political Activism in Sixties Montreal,* Montréal, McGill-Queen's University Press.

Morissette, Rodolphe (1977). « Cinq ans pour abolir les subventions aux écoles privées », *Le Devoir,* 30 mai, p. 2.

Nadeau, Jean-François (2007). *Bourgault,* Montréal, Lux éditeur.

Nadeau, Jean-Marie (1992). *Que le tintamarre commence : lettre ouverte au peuple acadien,* Moncton, Éditions d'Acadie.

Nadeau, Jean-Marie (2009). *L'Acadie possible : la constance d'une pensée,* Québec, Éditions de la Francophonie.

Ouellette, Roger (1992). *Le Parti acadien : de la fondation à la disparition : 1972-1982,* Moncton, Chaire d'études acadiennes.

Pâquet, Martin (2005). *Tracer les marges de la cité : étranger, immigrant et État au Québec : 1627- 1981,* Montréal, Éditions du Boréal.

Picard, Jean-Claude (2003). *Camille Laurin : l'homme debout,* Montréal, Éditions du Boréal.

Richard, Paul Émile (1975). « Un médecin de Bathurst choisi leader du Parti acadien », *L'Évangéline,* 17 février, p. 3.

Statistique Canada (2006). « Population selon la connaissance des langues officielles, par province et territoire », « Population selon la langue maternelle, par province et territoire », [En ligne], [http://www12.statcan.gc.ca/census-recensement/2006/rt-td/index-fra.cfm].

Stevenson, Garth (1999). *Community Besieged: The Anglophone Minority and the Politics of Quebec,* Montréal, McGill-Queen's University Press.

Thériault, Léon (1982). *La question du pouvoir en Acadie,* Moncton, Éditions d'Acadie.

Sur la piste de Magali Michelet, femme de lettres et chroniqueuse de l'Ouest canadien[1]

Sathya Rao et Denis Lacroix
Université de l'Alberta

À la mémoire de Françoise Paretti

Un parcours biographique encore mal connu

Il reste aujourd'hui bien peu de traces de Magali (de son vrai nom Marie-Louise) Michelet dans la mémoire littéraire de la francophonie de l'Ouest canadien. La plus tangible de ces traces est un article que lui consacre le *Dictionnaire des artistes et des auteurs francophones de l'Ouest* (*DAAFO*). En substance, on y apprend qu'elle est née en 1889 en France et qu'elle a émigré au Canada en 1905 avec sa famille dans une concession située à La Calmette, non loin de Legal en Alberta. En 1906, Magali prend en charge la rubrique « Le Coin féminin » dans l'hebdomadaire francophone *Le Courrier de l'Ouest* dont son frère Charles-Alexandre (connu sous le nom d'Alex dans la communauté franco-albertaine) est le rédacteur en chef. En plus de sa chronique féminine, elle fera des contributions dans plusieurs journaux de l'Est, dont le célèbre *Journal de Françoise* fondé par Robertine Barry. Suite à la fermeture du *Courrier de l'Ouest* en janvier 1916, Magali donne des cours de français à l'école Lanarthenay tout en se consacrant avec succès à l'écriture. Elle remportera les concours de l'Alliance artistique en 1918 et de l'Action française en 1921. En 1922, les Michelet sont de retour en France, d'abord à Aups (Provence), où ils s'occupent d'élevage et de production d'huile d'olive, puis à Nice, où Magali et sa sœur aînée, Claudine, tiennent une pension de famille. En 1925, Magali publie un roman épistolaire intitulé *Comme jadis*… aux éditions de la Bibliothèque de l'Action française, qui avait également accueilli sa pièce *Contre le flot* trois ans plus tôt. La notice

[1] Cet article est la version remaniée d'une conférence présentée à la conférence annuelle du Conseil international d'études francophones (CIEF) le 15 juin 2012 à Thessalonique. Nous tenons à remercier notre assistant Trent Portigal pour son engagement exemplaire dans la recherche ayant nourri cette contribution.

biographique du *DAAFO* s'achève sur le décès de Magali en 1960 dans un accident de voiture à Nice.

Composée pour l'essentiel à partir des informations communiquées par Françoise Paretti, la nièce de Magali, en réponse à la demande de l'éditrice du *DAAFO*, cette notice comporte cependant quelques zones d'ombre et inexactitudes. En premier lieu, contrairement à ce qui y est indiqué, Magali n'est pas née en 1889, mais en 1883 si l'on se fie à son acte de naissance[2]. À ce titre, elle était l'aînée de la famille Michelet. Magali avait donc 22 ans et non 17 ans au moment où elle a entamé sa carrière de chroniqueuse au *Courrier de l'Ouest*, contrairement à ce qu'elle semble prétendre elle-même. En second lieu, la notice du *DAAFO* ne fournit aucun renseignement sur le profil socioéconomique des Michelet et sur les raisons de leur départ au Canada. François Michelet et Hélène Nobon, les parents de Magali, étaient très probablement de condition modeste. Originaire de Bergesserin en Saône-et-Loire, François a eu un parcours professionnel plutôt instable. On le retrouve relieur[3] en 1881, marchand de porcelaines en 1883[4] et marchand forain deux ans plus tard[5]. C'est comme fermier (*labourer*) que François Michelet se présente à son entrée au Canada[6]. C'est également sous cette profession qu'il apparaît dans le *Henderson's Winnipeg City Directory* de 1916[7]. Dans l'édition de l'année suivante, on le retrouve, sous le nom anglicisé de « Frank Michelet », comme fabriquant de jouets (*toy maker*). Quant à Hélène Nobon, la mère

---

2 Archives départementales de Saône-et-Loire, Registre des naissances de 1883, acte de naissance de Marie-Louise Émilie Michelet, 17 avril 1883, n° 156, commune de Mâcon, 5E 270/285.

3 Archives départementales de Saône-et-Loire, Registre des mariages de 1881, acte de mariage Michelet et Nobon, n° 24, 19 février 1881, commune de Mâcon, 5E 270/272.

4 Archives départementales de Saône-et-Loire, Registre des naissances de 1883, acte de naissance de Marie-Louise Émilie Michelet, 17 avril 1883, n° 156, commune de Mâcon, 5E 270/285.

5 Archives départementales de l'Ain, Registre des actes de naissance de 1885, acte de naissance de Charles Alexandre Michelet, n° 240, 28 juin 1885, commune de Bourg-en-Bresse, 2E 46537.

6 Liste des passagers du navire *Dominion* de 1905, Bibliothèque et Archives Canada, collection « Colonisation et exploration », RG 76, microfilm T-484, p. 15.

7 *Henderson's Directory* de 1916, Winnipeg, Henderson directories, p. 432, sur le site *Peel's Prairie Provinces*, [http://peel.library.ualberta.ca/index.html] (17 octobre 2012).

de Magali, c'est une pupille des hospices de Lyon[8] qui, au moment de son mariage avec François Michelet en 1881, exerçait la profession de domestique. À l'instar de milliers de colons français venus chercher fortune au Canada, les Michelet ont peut-être été séduits par la perspective d'une vie meilleure que faisaient miroiter à la fois la propagande diffusée dans le périodique *France-Canada* et les promesses dezs oblats venus recruter en Europe (Painchaud, 1986). À cette première hypothèse s'en ajoute une autre d'ordre plus idéologique, qui lui est complémentaire. Une coupure de presse trouvée dans les archives familiales[9] relate que François Michelet était à la tête d'une délégation de la section nantaise de l'organisation catholique de droite les Volontaires de la liberté[10] qui s'est rendue à Paris où elle fut accueillie par Édouard Drumont[11] et Gaston Méry. Peut-être est-ce pour fuir cette France laïcisée et en proie à la menace « socialiste » et « franc-maçonne » que les Michelet ont décidé d'émigrer au Canada où le catholicisme avait encore droit de cité. En troisième lieu, la notice biographique du *DAAFO* omet d'indiquer qu'après son départ du Canada, Magali a séjourné non loin d'Étampes[12], comme en témoigne une lettre envoyée en 1925 de Landreville[13] dans laquelle il est question du paiement des droits d'auteur de la pièce *Contre le flot*. Ce hameau, qui se situe dans la commune d'Ormoy-la-Rivière,

8 Archives départementales de Saône-et-Loire, Registre des mariages de 1881, acte de mariage Michelet et Nobon, n° 24, 19 février 1881, commune de Mâcon, 5E 270/272.

9 La coupure du journal en question ne comporte aucune référence. Cela dit, nous pensons qu'elle est tirée du journal d'extrême droite *La Libre Parole*, fondé par Édouard Drumont, et qu'elle date de 1903.

10 Le groupe des Volontaires de la liberté faisait partie de ces nombreuses organisations d'extrême droite qui prônaient le maintien du catholicisme, avaient une position antidreyfusarde et affichaient leur antisémitisme (voir Joly, 2005).

11 À titre informatif, on ne manquera pas de signaler que plusieurs journaux de l'Ouest ont publié des articles à caractère antisémite signés par Édouard Drumont ou se réclamant de sa pensée : « Meurtre rituel de Kiev, Russie », dans *La Liberté* du 11 novembre 1913; « Le Talmud en justice », dans *Le Patriote de l'Ouest* du 12 juin 1913, p. 6-7, ainsi que « La Bataille d'aujourd'hui », dans *La Liberté* du 18 août 1914, p. 1.

12 Cette localité était anciennement située dans le département de la Seine-et-Oise, devenu aujourd'hui l'Essonne.

13 Lettre de Magali Michelet en date du 8 mai 1925 à Monsieur Valleyrand, Institut pour le patrimoine de la francophonie canadienne de l'Ouest, Fonds Gamila Morcos, HERI.ELD.BIO 041, boîte 48.

revêt cependant une importance particulière puisqu'il s'agit du lieu de résidence de Gérard de Noulaine, l'un des deux protagonistes du roman *Comme jadis...* Enfin, la notice du *DAAFO* ne fait pas mention d'une courte pièce signée par Magali Michelet et publiée en 1922 sous le titre *Marraine de guerre* dans la collection MacMillan French Series[14].

Nos recherches sur l'auteure de *Comme jadis...* nous ont conduits sur les traces d'un autre Français expatrié, le docteur Charles Valéry, cousin éloigné de Paul Valéry, qui a entretenu une étroite relation avec les Michelet et Magali en particulier. Celle-ci lui dédiera même la pièce *Contre le flot* dont le protagoniste principal n'est autre qu'un médecin du nom d'André Lamarche. En ce qui concerne Charles Valéry, nous savons qu'il a débarqué au Canada en 1911 probablement dans la province de la Saskatchewan[15], trois ans après la famille Michelet. Les raisons de son départ demeurent d'autant plus mystérieuses qu'il jouissait en France d'une situation enviable, exerçant notamment comme médecin libéral dans la Nièvre. En 1913, Charles Valéry fait une demande de concession dont il obtiendra la propriété en 1918 à la suite d'un recours en justice initié par Alex Michelet[16], qui agissait alors comme son représentant légal, ce qui témoigne du lien de confiance qui unissait les deux hommes. Le *Henderson's Directory* de 1915 indique qu'il partageait le même domicile que François Michelet. Le formulaire du recensement de 1916 précise que le docteur Charles Valéry y avait le statut de locataire (*lodger*). On ne trouve plus traces de lui dans le *Henderson's Directory* de 1917 ni dans ceux qui suivent. Il est fort possible que le docteur Valéry n'ait pas réellement cohabité avec les Michelet puisqu'il fût parmi les premiers volontaires français à se rendre au front lors de la Première Guerre mondiale. Plu-

[14] Cette courte pièce, qui avait une visée pédagogique, était spécifiquement destinée à des étudiants apprenant le français. Il est probable que Magali ait accompagné son frère tout juste promu interprète à Washington en 1918 et y ait enseigné le français. Il convient de souligner que cette pièce a fait l'objet d'une réédition en 2010 par Nabu Press.

[15] Un article du *Courrier de l'Ouest* en date de 25 juin 1911 mentionne son nom, alors qu'il accompagne le père missionnaire Louis-Pierre Gravel dans une entreprise d'exploration dans la région de la rivière Blanche (L'Observateur du Sud, 1911 : 3). Cela étant, nous n'avons trouvé aucune trace d'une éventuelle correspondance entre les deux hommes dans les archives de l'archidiocèse de Regina.

[16] Archives provinciales de l'Alberta, Alberta Homestead Record, dossier de Charles Valéry, 3041153.

sieurs éditions du *Courrier de l'Ouest* publiées entre août et novembre 1914 retracent les exploits de guerre du docteur, de son affectation comme chirurgien-assistant à l'hôpital militaire d'Issy-Les-Moulineaux jusqu'à sa promotion au grade de Chevalier de la Légion d'honneur. On peut supposer que la relation d'amitié qui unissait Alex Michelet et Charles Valéry explique en partie cette large couverture médiatique. Conformes aux comptes rendus de presse, les états militaires du docteur[17] dépeignent un homme au courage et au dévouement exceptionnels qui, malgré une intoxication aux gaz lacrymogènes ayant considérablement altéré sa vue, continua d'exercer comme chirurgien. De toute évidence, ce portrait s'accorde mal avec celui que dresse Donatien Frémont des débuts laborieux du docteur Valéry dans l'Ouest canadien :

> Le cas du Dr Valéry est particulièrement typique. Ce poète-médecin, diplômé de la faculté de Paris, avait échoué, Dieu sait comment, à Val-Marie, ayant eu soin d'amener avec lui un couple marié pour son service domestique. Ne pouvant exercer légalement son art, faute de l'autorisation nécessaire, et tombé dans une misère noire, il fut réduit à travailler dans une buanderie chinoise. L'abbé [Cabanel] l'hébergea chez lui et l'engagea à pratiquer la médecine, offrant de lui servir d'interprète au besoin – sans trop penser aux situations délicates qui pouvaient en découler. Au bout de deux mois, le docteur, dénoncé, fut condamné à 300 dollars d'amende. Ce fut le curé qui paya pour éviter la prison (Frémont, 2003 : 156).

Si nos recherches ont permis à la fois de rectifier quelques inexactitudes historiques et d'éclairer un peu mieux le parcours de Magali Michelet, elles débouchent à leur tour sur de nouvelles questions plus fondamentales : qu'est-ce qui a poussé Magali vers l'écriture alors que ses origines modestes ne l'y prédisposaient pas[18] ? Quelle est la nature de la relation que cette dernière entretenait avec le docteur Charles Valéry tandis que leurs destinées ont convergé de l'Ouest du Canada jusqu'aux bords de la Méditerranée[19] ? Pourquoi Magali a-t-elle mis prématurément fin à sa carrière littéraire quelques années après son retour en France ? Enfin, quelle valeur édifiante de l'expérience canadienne a pu favoriser la venue de Magali à la littérature ?

---

[17] Service historique de la Défense (site de Vincennes, France), Dossier militaire de Charles Valéry, GRO 5YE149315.

[18] Dans une lettre (Michelet, 1925b : 387), Magali dit avoir obtenu la première partie de son « bachot », ce qui pourrait expliquer son niveau général d'érudition.

[19] Si Magali est demeurée célibataire jusqu'à sa mort prématurée dans un accident de voiture à Nice, Charles Valéry, quant à lui, s'est marié en 1922.

Magali Michelet, « canadienne et doublement française »

Si elles ne sont guère plus étudiées aujourd'hui, les œuvres de Magali Michelet ont pourtant fait l'objet d'une certaine reconnaissance critique. Ainsi la pièce non publiée « Jean Audrain » est-elle répertoriée dans le troisième tome de l'ouvrage d'Édouard G. Rinfret, *Le théâtre canadien d'expression française*. En ce qui concerne *Contre le flot*, elle est recensée dans le tome 2 du *Dictionnaire des œuvres littéraires du Québec* (Roy, 1980). On la retrouve également mentionnée dans plusieurs anthologies « classiques » portant sur le théâtre canadien-français, comme *L'histoire du théâtre au Canada* de Léopold Houlé (1945) et *Le théâtre canadien d'expression française* d'Édouard G. Rinfret (1975). Entre 1920 et 1940, la pièce de Magali Michelet a donné lieu à de nombreuses représentations à l'ouest comme à l'est du Canada, de même qu'à de nombreux comptes rendus parus notamment dans *La Presse* et *Le Devoir*. À l'instar de *Contre le flot*, le roman *Comme jadis…* bénéficie également d'une notice dans le *Dictionnaire des œuvres littéraires du Québec* (Gaulin, 1980). Sous le pseudonyme de « Le critique », le célèbre journaliste d'origine française Donatien Frémont lui consacre un compte rendu dans l'édition du journal manitobain *La Liberté* du 27 janvier 1926. C'est avant tout à la sincérité avec laquelle l'auteure restitue le quotidien « de la vie de la ferme, des saisons qui se succèdent […], des progrès de la petite colonie et du foyer d'influence française […] » (Frémont, 1926 : 3) que le journaliste est le plus sensible. Peut-être, faut-il voir en filigrane de cette appréciation une critique lancée à l'endroit d'un autre écrivain français, à savoir Maurice Constantin-Weyer, à qui Donatien Frémont reproche notamment d'avoir travesti la réalité de l'Ouest canadien dans ses romans[20].

> « Comme jadis… » n'est peut-être pas le premier roman en date de l'Ouest canadien, mais il est assurément le premier qui mérite l'attention de la critique. Sans nous étendre sur les qualités littéraires de Magali, disons que son style clair, concis, imagé, élégant, la classe au premier rang parmi nos écrivains qui se sont essayés dans la littérature d'imagination (Frémont, 1926 : 3).

---

[20] Voir, en particulier, *Sur le ranch de Constantin-Weyer*. À noter que dans cet ouvrage, Donatien Frémont renchérit sur la qualité du roman de Magali Michelet qui, bien qu'il soit « peu connu du public, renseigne mieux sur la vie des colons dans l'Ouest canadien que tous les livres de M. Constantin-Weyer » (Frémont, 1932 : 67). Cela dit, il n'est pas certain que l'ambition de Magali Michelet ait été de produire une œuvre à caractère exclusivement informatif sur la vie dans l'Ouest canadien.

Dans l'ensemble, la critique contemporaine s'accorde à voir dans l'œuvre dramaturgique et romanesque de Magali Michelet l'expression du nationalisme canadien-français caractéristique du début du xxe siècle. Toutefois, ce jugement se complique quelque peu si l'on considère que l'auteure est d'origine française... Ainsi pour Michel Gaulin, qui a signé la notice consacrée à *Comme jadis...* dans le *Dictionnaire des œuvres littéraires du Québec*, le roman demeure malgré tout l'« œuvre d'un écrivain étranger » (1980 : 263). Dans la même veine nationaliste, Max Roy reproche à l'auteur de *Contre le flot* son écriture « un peu maniérée », qui « trahit peut-être ses origines françaises » (1980 : 292). Le modalisateur « peut-être » apporte un semblant de nuance au jugement de valeur pour ne pas dire au stéréotype. Plus généralement, il ne fait aucun doute que les contributions d'auteurs d'origine française comme Magali Michelet, Georges Bugnet, Maurice Constantin-Weyer ou encore Pierre Maturié à la littérature canadienne-française demeurent hautement problématiques si l'on se borne à prendre en compte la seule logique des appartenances nationales (Lacroix et Rao, 2011 : 89-90). Cela est d'autant plus vrai dans le cas de Magali Michelet qu'elle a épousé la cause canadienne-française. Aussi n'est-il pas surprenant que, dans une lettre de « protestation » en date du 12 novembre 1925 adressée au directeur de l'Action française, l'abbé Lionel Groulx, Magali Michelet revendique haut et fort sa canadianité forte des quinze et non dix années[21] qu'elle a passées en Alberta :

> Parlant du lointain pays, où m'attachent tant de souvenirs inoubliables, il m'arrive souvent de dire « chez nous ». Et il me semble avoir quelques droits à cette expression. Je n'aurai pas l'orgueil de croire que j'aie contribué à la « construction » de ce foyer d'ardente pensée et d'action française élevé en Alberta-nord, mais invinciblement je songe avec un sentiment de fierté attendrie au « Coin féminin » du *Courrier de l'Ouest* et au champ de contours irréguliers... Tout paraissait devoir me lier à jamais au cher coin du pays adoptif [le Canada] ; la vie avec ses remous en a décidé autrement. Je suis partie, mais au Vieux Pays j'ai gardé, chaude, au cœur, la devise « Je me souviens ». D'être canadienne aussi, il me semble d'être doublement française (1925b : 387-388).

Il ne fait aucun doute que l'œuvre de Magali Michelet a trouvé une résonance particulière dans le projet politico-littéraire de l'Action française, comme le souligne à juste titre Michel Gaulin. Du reste, c'est à

---

[21] Le motif de la lettre était de rectifier l'erreur commise par Jacques Brassier sur le nombre d'années – bien entendu revu à la baisse – que Magali avait passées au Canada.

l'occasion du premier concours d'art dramatique lancé à l'initiative de cette dernière sur le thème de l'anglomanie que Magali Michelet gagne ses lettres de noblesse comme dramaturge, empochant au passage la somme de 200 $. Sans compter que c'est également l'Action française qui prendra en charge à la fois la publication de la pièce dans sa collection nouvellement établie et sa première création au théâtre (Hébert, 1992 : 228). Pourtant, Magali Michelet ne cesse de se heurter à tous ces fervents patriotes, en quête d'une authentique littérature du terroir, qui persistent à voir en elle une étrangère.

Si *Contre le flot* s'accorde parfaitement avec le discours patriotique de l'Action française, en préservant ultimement la communauté francophone de toute compromission (politique, économique et morale) avec le monde anglophone, il n'en va pas exactement de même avec « Jean Audrain » et *Comme jadis...* Ces deux œuvres ont en commun d'explorer les liens ténus entre la France et le Canada à travers des drames personnels. Le héros franco-canadien de la pièce éponyme se trouve déchiré entre, d'une part, le devoir impérieux de défendre sa patrie ancestrale contre la menace allemande et, d'autre part, son désir de s'installer avec la femme qu'il aime dans l'Alberta qui l'a vu naître. C'est un dilemme similaire qui sert de trame à l'échange épistolaire prenant place de part et d'autre de l'océan Atlantique entre Herminie et Gérard dans *Comme jadis...* Ce dernier choisira de partir au front tandis que son interlocutrice entrera au couvent. Ainsi qu'en témoignent de nombreux récits de pionniers à commencer par ceux de Pierre Maturié et de Marcel Durieux, ce choix s'est posé de façon tragique à nombre de pionniers français qui ont dû renoncer à leur rêve canadien pour répondre à l'appel de la patrie.

Contrairement donc à ce qu'affirment les critiques Michel Gaulin et Max Roy, l'œuvre de Magali Michelet ne saurait strictement se couler dans le programme nationaliste de l'Action française, précisément parce qu'elle s'efforce de jeter un pont entre le Canada et la France à travers les expériences universelles de la guerre et de l'amour. Dans le cas de *Comme jadis...*, la réalité géographique affecte la forme même du roman puisque ce dernier se présente sous les traits d'un échange épistolaire transatlantique. Au reste, comment ne pas établir un parallèle entre ces deux œuvres et le roman non publié d'Alex Michelet intitulé « La grande épinettière », dont l'héroïne, Jeanne Béliveau, s'efforce de vivre sans contradiction sa double identité française et canadienne[22]. À cet égard, les romans de Magali et d'Alex diffèrent des récits classiques de colons français installés dans l'Ouest comme ceux de Pierre Maturié, de Gaston Giscard et de Marcel Durieux en ce que les premiers intériorisent le motif de la lutte (contre la nature) pour lui donner la forme plus contemporaine – et même à certains égards postcoloniale – d'un conflit identitaire.

« Le Coin féminin » de Magali Michelet

C'est le 4 janvier 1906 que Magali Michelet signe la première chronique de la rubrique « Le Coin féminin » dont elle aura la charge pendant dix ans. Cette rubrique paraîtra à quelques exceptions près toutes les semaines, d'abord à la page 7, puis régulièrement à la page 3 du journal francophone *Le Courrier de l'Ouest* (qui comptait huit pages imprimées). Dans une lettre citée précédemment, Magali dépeint avec force détails les conditions de travail qui étaient alors les siennes :

> À dix-sept ans[23], j'ai débuté au *Courrier de l'Ouest* d'Edmonton, dont mon frère fut le rédacteur en chef pendant dix ans. Chaque semaine, quelque temps qu'il fît, chemins enneigés ou détrempés par la pluie, à cheval, en traîneau ou en voiture, je portais ma copie au bureau de poste éloigné de douze milles de la ferme de mes parents (Michelet, 1925b : 387).

La rubrique « Le Coin féminin » se compose en général d'une chronique qui aborde des thématiques traditionnellement féminines (mode, cuisine, économie domestique, hygiène, etc.), d'une section « petit courrier », dans laquelle Magali répond à ses lectrices, ainsi que de recettes de cuisine ou de conseils de beauté. À l'occasion, la chronique peut céder la place à des billets d'humeur, des instantanés, des contes et même des poèmes dont certains sont signés par Magali elle-même. Ainsi la chronique du 3 juin 1915 intitulée « Au pays de la chevalerie », qui associe un récit moyenâgeux et une lettre contemporaine de soldat au front sur le

---

22 Le manuscrit du roman a été déposé aux Archives provinciales de l'Alberta. Nous lui avons consacré une étude présentée dans le cadre du colloque du Centre d'études franco-canadiennes de l'Ouest (CEFCO), le 28 octobre 2012.

23 Comme nous l'avons mentionné précédemment, Magali n'avait pas 17, mais 22 ans au moment où elle prend en charge la rubrique, ce qui nous semble au demeurant plus crédible compte tenu de la maturité intellectuelle et de la maîtrise stylistique dont font montre ses chroniques.

thème commun du devoir, comporte-t-elle des ressemblances troublantes avec la trame narrative du roman *Comme jadis*... Aussi peut-on penser que cette rubrique servait de laboratoire aux expérimentations littéraires de Magali. Sporadiquement, Alex Michelet apporte sa contribution à la rubrique de sa sœur sous le pseudonyme de Jean de Nobon. Chaque fois, il s'agit de textes de fiction. Si la rubrique de Magali Michelet est conçue suivant un modèle relativement classique tant dans son organisation que dans les thèmes qu'elle aborde (Sullerot, 1963), elle se démarque par la place qu'elle laisse à la création littéraire.

La notoriété de Magali Michelet dépasse assez rapidement les frontières de l'Alberta puisque plusieurs de ses articles sont reproduits dans *Le Journal de Françoise*, et ce, dès septembre 1907. De fait, celle-ci acquiert une visibilité considérable qui bénéficie également à la réputation du *Courrier de l'Ouest*[24]. Il convient de rappeler que la revue de Robertine Barry comptait parmi ses collaborateurs des auteurs québécois de renom comme Laure Conan, Joséphine Dandurand, Émile Nelligan, Louis Fréchette et Albert Lozeau. Alex Michelet figurait également parmi les contributeurs réguliers.

Outre leur qualité littéraire, les chroniques de Magali constituent une véritable passerelle jetée entre l'Ouest et l'Est du Canada, laquelle prend pour assise la profonde amitié qui la lie à sa consœur québécoise Robertine Barry. Ainsi la chronique féminine du 8 mars 1906 s'intitule-t-elle « Pour Françoise » et exhorte les « femmes de l'Ouest » à lire *Le Journal de Françoise.* Dans une autre chronique intitulée « Le plébiscite du "Journal de Françoise" » en date du 3 décembre 1908, Magali répond directement à Françoise sur la question brûlante du droit de vote des femmes[25]. S'aventurant sur un terrain politique miné, Magali s'en tire par une pirouette intellectuelle en expliquant que c'est parce que les hommes n'ont pas été capables de bâtir une société juste que les femmes se trouvent désormais dans l'obligation d'avoir à voter en vue de l'améliorer, ce qu'elles sont parfaitement en mesure de faire à condition qu'elles soient

---

[24] On retrouve également des rééditions d'articles de Magali dans le *Bulletin de la Canadienne*, dont la finalité principale était de faire la propagande du Canada auprès du lectorat français.

[25] Il importe de préciser que Robertine Barry ne revendique pas la généralisation du droit de vote à l'ensemble des femmes; elle exige plutôt davantage de facilité pour les femmes locataires et propriétaires d'exercer leur droit de vote durant les élections municipales (Boivin et Landry, 1978 : 236).

instruites[26]. Sur ce point, Magali se conforme à la morale catholique en vigueur, tout en rejoignant les positions plus progressistes de Robertine Barry en faveur de l'accès des femmes à l'éducation. Enfin, la chronique du 10 février 1910 rend un hommage poignant à l'« intelligence » et à la « bonté » de Robertine Barry, décédée un mois plus tôt à Montréal.

Cette admiration est à l'évidence réciproque. En plus de publier régulièrement des textes de Magali Michelet dans son journal, Robertine Barry relate, dans un article narrant ses pérégrinations dans l'« Ouest lointain », le fait suivant :

> C'est au « Courrier de l'Ouest », le journal français, que je rends le premier, visite ; j'y rencontre M. E.-P. Lessard, autrefois de la Beauce et M. A. Boileau, de Québec qui me souhaitent une confraternelle bienvenue. « Le Courrier de l'Ouest », feuille hebdomadaire, fondée par M. le sénateur P. Roy, est déjà un journal en pleine voie de prospérité ; son progrès s'accentue constamment, auquel progrès, « Magali », l'intéressante chroniqueuse et directrice de la Page des Femmes, n'a certes pas nui. J'ai le regret de ne pouvoir l'embrasser et lui dire avec quel bonheur je lis régulièrement ses articles (Barry, 1906 : 114).

Il est difficile de mesurer exactement l'influence de Robertine Barry sur l'engagement tant social que littéraire de Magali. Cela dit, si l'on en juge par l'importance donnée à certains thèmes dans le « Coin féminin » comme l'éducation, la lecture et l'économie domestique, cette influence paraît décisive. Il ne fait aucun doute que l'échange auquel se sont livrées les deux journalistes leur a été mutuellement bénéfique. À travers ses chroniques, Magali a fait résonner la voix subversive de Robertine auprès du lectorat féminin de l'Ouest francophone. Quant à Robertine, elle a contribué à rehausser l'aura littéraire de Magali (et du *Courrier de l'Ouest*) en publiant ses textes – tout comme ceux de son frère d'ailleurs – dans sa prestigieuse revue.

Compte tenu du caractère très littéraire pour ne pas dire expérimental des chroniques publiées dans le « Coin féminin », on peut se demander si celui-ci était en phase avec les attentes de ses lectrices. Qui était donc ce lectorat à qui Magali destinait sa rubrique ? Avant tout, il convient de rappeler que *Le Courrier de l'Ouest* occupait une position dominante dans son aire de diffusion. Entre 1911 et 1916, son tirage variait entre

---

[26] Rappelons qu'en Alberta, les femmes ont obtenu le droit de vote en 1916 pour les élections provinciales. Depuis 1894, elles avaient le droit de vote aux élections municipales.

2 300 et 3 000 exemplaires (DeGrâce, 1980 : 106), ce qui en faisait le journal francophone le plus populaire dans l'Ouest canadien. Cette aire de diffusion couvrait aussi dans une certaine mesure l'Est du Canada, les États-Unis et même la France où le journal comptait une centaine d'abonnés. Les rubriques de Magali bénéficiaient donc d'un auditoire francophone relativement important et diversifié. Qu'en était-il de la proportion des Franco-Albertaines dans ce lectorat ?

À notre connaissance, il n'existe pas de travaux sur le profil de ce lectorat pour la période qui nous concerne. Nous ne pouvons qu'établir des conjonctures sur ses caractéristiques, à partir des données statistiques fournies par des recensements ainsi que quelques travaux universitaires comme la thèse de doctorat d'Anne C. Gagnon, intitulée *En terre promise : The Lives of Franco-Albertan Women, 1890-1940,* dont l'originalité est d'adopter une perspective anthropologique. En effet, cette recherche s'appuie sur les témoignages oraux de plus de 250 femmes appartenant à deux générations de Franco-Albertaines, dans le but de reconstruire le quotidien qui était le leur. Du reste, la période historique couverte par l'étude inclut les dix années durant lesquelles Magali a tenu sa rubrique, soit de 1906 à 1916. Dans les limites de cet article, nous nous contenterons d'évaluer sommairement le niveau d'adéquation entre les rubriques de Magali et leur public.

Selon l'étude d'Anne C. Gagnon, les Franco-Albertaines nées entre 1890 et 1940 demeurent fortement influencées par les idéaux religieux et moraux du catholicisme. Soumises à l'autorité absolue de l'homme qu'elles assistent parfois dans certaines tâches professionnelles (semailles, cueillette, etc.), elles constituent le pivot de l'unité familiale, qui compte en moyenne quatre à cinq enfants. Selon un modèle traditionnel de répartition des rôles, les femmes prennent en charge le ménage, l'éducation et la santé de leur progéniture et parfois de leurs parents proches, en plus de se livrer, à l'occasion, à des activités lucratives comme la vente de produits de la ferme, pour augmenter les maigres revenus du foyer. En règle générale, les femmes disposaient donc de très peu de temps pour les loisirs, lesquels étaient associés aux tâches ménagères. Cela dit, il semble que la tenue d'une correspondance ainsi que la lecture de journaux étaient de ces rares loisirs féminins sans lien direct avec les tâches quotidiennes :

> *Reading may have been the only recreational activity completely divorced from work that married Franco-Albertan women enjoyed. Many families, rural as well as urban received, through subscription from relatives, a variety of newspapers,*

> *from the Alberta-produced* La Survivance *to papers originating in Quebec City, Montreal and further. Women read them to keep in touch with developments in their former communities, as well as for pure enjoyment. A few were able to obtain French novels from relatives while those who could read English relied on local resources. Some women wanted more than escape; a number looked for spiritual solace and support in "Les Annales de Ste-Anne de Beaupré," for instance. All in all, it seems that married francophone women's leisure was somewhat limited and almost always involved work. The idea of leisure as a unit of time completely divorces from work may in fact have been foreign to them*[27] (Gagnon, 1997 : 164).

Malheureusement, Anne C. Gagnon n'accorde que très peu d'importance aux rubriques féminines des journaux francophones bien que ces derniers figurent dans sa bibliographie. Seule la rubrique d'Henriette Dessaules Saint-Jacques (alias Fadette), tirée du *Devoir* et publiée dans *La Survivance*, est mentionnée par une des participantes (Gagnon, 1997 : 170). Cette chercheure établit des rapprochements entre ces témoignages et un certain nombre de données statistiques dont, en particulier, celles fournies par le recensement de 1936. Si ces données sont moins pertinentes pour notre propos compte tenu de la période qui nous intéresse, elles peuvent néanmoins constituer un point de comparaison intéressant avec celles – moins complètes – fournies par les recensements de 1911 et de 1916[28].

La comparaison des données de ces deux recensements nécessite un certain nombre de mises au point. En effet, tandis que le recensement de

27 « La lecture a probablement été la seule activité récréative en rupture complète avec le travail, dont les femmes franco-albertaines mariées pouvaient profiter. Plusieurs familles, qui résidaient aussi bien en ville qu'à la campagne, recevaient, par des abonnements ou par l'intermédiaire de parents, une série de journaux, qu'il s'agisse de *La Survivance* publié en Alberta ou bien de journaux provenant de la ville de Québec, de Montréal et de plus loin encore. Les femmes les lisaient pour se tenir au courant de ce qui se passait dans leurs communautés d'origine ou bien par simple plaisir. Quelques-unes d'entre elles avaient la possibilité de recevoir des romans en français de la part de parents tandis que celles qui pouvaient lire en anglais utilisaient les ressources à leur disposition. Pour certaines femmes, la lecture n'était pas qu'un moyen de s'évader ; elles cherchaient un réconfort spirituel et un soutien dans « Les Annales de Ste-Anne de Beaupré ». Au final, il semble que les loisirs des femmes francophones mariées étaient rares et concernaient presque toujours le travail. Il est fort probable que la conception du loisir comme moment complètement distinct du travail leur était étrangère. » (Nous traduisons.)

28 Il convient de noter que tandis que le recensement de 1911 porte sur l'ensemble du territoire canadien, celui de 1916 ne concerne que les trois provinces des Prairies, à savoir le Manitoba, la Saskatchewan et l'Alberta.

1911 prenait en compte le niveau d'instruction des personnes de 5 ans et plus, celui de 1916 concernait celles de 10 ans et plus. En outre, les données du premier recensement ne sont pas encore disponibles dans leur intégralité sous format numérique. En prenant en compte ces facteurs, nous avons extrait un groupe de 302 femmes francophones âgées d'au moins 10 ans et vivant en Alberta de l'échantillon du recensement de 1911 à notre disposition[29]. L'âge de ce groupe offre l'avantage d'être homogène par rapport à celui du recensement de 1916, ce qui facilite la comparaison. Il appert qu'en 1911, les taux de littératie et d'alphabétisme du groupe des femmes francophones âgées de 10 ans et plus est supérieur à 95 % en milieu urbain et inférieur à 87 % en milieu rural. Ces données coïncident avec celles du recensement de 1916, qui offre l'avantage de distinguer entre différentes tranches d'âge. On note que c'est parmi les 10-14 ans et les 15-20 ans – anglophones et francophones confondues – que le niveau d'instruction est le plus élevé. En outre, le recensement de 1911 met en évidence un taux d'instruction plus élevé chez les femmes francophones nées hors du Canada, bien qu'elles soient moins nombreuses que les Canadiennes dans notre échantillon. Étant donné que la majorité des Franco-Albertaines vivaient en milieu rural et contribuaient activement à la vie du foyer et compte tenu du fait que l'accès aux écoles catholiques francophones était limité[30], on peut penser que, entre 1911 et 1916, le taux d'instruction chez ces femmes devait être plus bas que celui de leurs consœurs anglophones[31]. Le recensement de 1936 fait clairement apparaître une telle disparité qu'Anne C. Gagnon

[29] Les calculs statistiques ont été effectués au moyen du logiciel SPSS et à partir du fichier de microdonnées pour le recensement de 1911. Nous tenons à remercier Chuck Humphrey de son aide technique.

[30] Cet accès limité aux écoles francophones s'explique notamment par leur nombre limité et les problèmes d'éloignement géographique qui pouvaient découler de cette situation. En outre, l'enseignement en français était limité en vertu de la loi de 1901, qui autorisait son usage uniquement au niveau primaire. Il faudra attendre les *Instructions Concerning the Teaching of French in the Elementary Schools* de 1925 pour que l'enseignement du français soit possible au niveau de la première et de la deuxième année. Comme le souligne Anne C. Gagnon, les seules solutions qui s'offraient à de nombreuses jeunes femmes consistaient à fréquenter l'école anglaise, au risque de perdre leur identité francophone (1997 : 74), ou bien à fréquenter le couvent (1997 : 77).

[31] Cette conjecture pourrait faire l'objet d'une vérification statistique lorsque l'intégralité des données du recensement de 1911 sera disponible sous format électronique.

met sur le compte de la situation économique et sociale souvent plus enviable des familles anglophones (1997 : 71). On peut également y observer l'accroissement du taux de scolarisation, en particulier chez les femmes francophones résidant en milieu urbain (Gagnon, 1997 : 70).

À la lumière des données précédentes, qui gagneraient à être contextualisées dans le cadre d'une étude historique plus vaste, l'on peut penser que les chroniques de Magali Michelet s'adressaient en premier lieu à un public assez restreint de Franco-Albertaines, plutôt jeunes, relativement éduquées, ayant le temps ainsi que les capacités de lire (et/ ou de correspondre) et résidant surtout en milieu urbain. D'une manière générale, la rubrique de Magali accompagne le mouvement sociohistorique qui voit l'élévation du niveau d'instruction chez les jeunes femmes, de même que le basculement vers un mode de vie moderne et industriel qui leur confère une plus grande autonomie. Dès ses débuts, « Le Coin féminin » préfère au ton inquisiteur de la morale, celui plus intime, voire léger de la confidence. Sa vocation est ainsi d'être « un ami discret fidèle, qui chassera l'heure morose et auquel vous songerez à recourir en quelque circonstance que ce soit » (Michelet, 1906 : 3). En outre, la rubrique du courrier des lectrices offre un espace symbolique particulièrement adapté aux pratiques d'écriture du lectorat féminin comme la correspondance, qui constitue, avec la lecture, un des rares loisirs (Gagnon, 1997 : 163).

Conclusion

Femme de lettres et chroniqueuse de l'Ouest canadien, Magali Michelet n'a jusqu'à présent fait l'objet d'aucune étude d'envergure. La plupart des critiques contemporains ont vu dans ses textes l'illustration du nationalisme littéraire qui animait jadis le mouvement de l'Action française. Pourtant, il nous semble que l'œuvre de Michelet, si elle est indéniablement guidée par un fort patriotisme francophone et une allégeance au catholicisme découlant en partie de son éducation[32], ne saurait pour autant s'y ramener complètement. Des œuvres comme « Jean Audrain » et *Comme jadis…*, dont la « canadianité » a pu être contestée par ces mêmes représentants de l'Action française, témoignent chez leur auteure d'un questionnement qui transcende les seules considérations nationales. Aussi le continuum

32 Comme nous l'avons vu, son père se situait à l'extrême droite de l'échiquier politique.

spatiotemporel entre la France et le Canada se métamorphose-t-il en un véritable espace littéraire (*topos*) qui influence tant le fond que la forme des œuvres de Magali. Ce qui ajoute davantage à la singularité du parcours littéraire de Magali, c'est son œuvre, considérable et à bien des égards unique dans l'Ouest canadien, de chroniqueuse[33] dont nous réservons l'étude systématique à un article à venir. Une analyse préliminaire de ces chroniques montre qu'elles se conforment dans l'ensemble à la morale de leur temps, en particulier sur le statut de la femme et son rôle social; en ce sens, elles n'ont rien de révolutionnaire. Ainsi la question du vote des femmes y est présentée comme une obligation imputable à l'homme plutôt que comme un vecteur d'émancipation. Cela dit, l'admiration que Magali éprouve à l'endroit de Robertine Barry trahit un certain positionnement critique, notamment en lien avec la question féministe. Ce positionnement s'éclaire à l'occasion de la chronique que Magali signe en hommage à sa consœur récemment décédée :

> Dans certains clans, on a accusé Françoise de féminisme. Est-ce une accusation dont il faille la défendre? On peut dire que Françoise fut l'amie des femmes de sa nationalité; qui peut dire les tristes confidences qu'elle reçut, quels martyrs on lui laissa deviner? Elle, seule, put sonder la profondeur de l'abîme où la faiblesse féminine entraîne celles qui doivent compter sur leur travail et dont le législateur n'a cure, parce que l'effort féminin ne connaît pas la force du groupement, de la coalition. Françoise n'avait rien de commun avec ses [*sic*] émancipées qu'on ne saurait assez ridiculiser, elle a créé, parmi les femmes, un mouvement intellectuel et social : oserait-on lui reprocher d'être l'initiatrice de cette Fédération nationale dont la Province-mère attend le relèvement de l'idéal national et la collaboration efficace contre le fléau alcoolique (Michelet, 1910 : 3).

Il nous semble que c'est dans cette optique d'un féminisme raisonné (plutôt qu'exhibitionniste), englobant un projet à la fois social (inspiré en partie par le catholicisme social) et littéraire, qu'il faut resituer l'œuvre de Magali Michelet dont le célibat s'accordait mal du reste avec la morale ambiante. En outre, on pourra se demander dans quelle mesure cette visée proprement littéraire – qui transparaît clairement dans ses chroniques – aura pu faire office de force de subversion, en particulier

33 À l'instar de Magali, d'autres femmes de lettres de l'Ouest canadien, à commencer bien sûr par Gabrielle Roy, ont également mis leur plume au service de la presse écrite. Cette double profession de foi est loin d'être unique, comme le montre l'exemple emblématique de la romancière George Sand, qui fut également journaliste.

par rapport au genre institué de la chronique féminine. En conséquence, il nous paraît difficile de généraliser au cas particulier de Magali Michelet les conclusions plutôt tranchées auxquelles Luc Côté arrive dans son étude sur les chroniques féminines du journal manitobain *La Liberté* : « Dans *La Liberté*, l'identité féminine franco-catholique se définit par une résistance à la modernité culturelle nord-américaine et par une adhésion, sinon une soumission, au projet national canadien-français » (Côté, 1998 : 77). Après la fermeture du *Courrier de l'Ouest* en 1916, « Le Coin féminin » laissera la place à d'autres chroniques féminines comme celle de Germaine dans le journal *La Survivance* (1928), puis celle d'Henriette Dessaules Saint-Jacques (alias Fadette), reprise du *Devoir* et publiée sous la rubrique « Propos religieux, littéraires et féminins : le Royaume de l'intérieur », ce qui en dit long sur l'idéologie qui l'anime...

Comme nous l'avons vu, littérature et journalisme sont étroitement imbriqués dans l'œuvre de Magali Michelet. Tandis que sa chronique constitue le lieu d'une expérimentation littéraire qui prépare son œuvre à venir, sa pièce *Contre le flot* met en scène – peut-être en hommage à son frère – le rédacteur du journal *L'Avenir canadien,* par l'intermédiaire duquel la voix unifiée de la communauté francophone se fera finalement entendre. En résumé, « Le Coin féminin » s'est trouvé investi de différentes fonctions qui ont contribué à en faire un espace singulier dans le paysage de la presse francophone de l'Ouest : premièrement, il a permis à l'écrivain en devenir qu'était Magali Michelet de peaufiner son style, tout en lui assurant une certaine visibilité ; deuxièmement, il a fait résonner une voix féminine dans un espace public traditionnellement dominé par l'homme ; troisièmement, il a contribué à accroître le prestige du *Courrier de l'Ouest* notamment à l'Est du Canada, où les chroniques de Magali rencontraient un certain succès ; quatrièmement, enfin, il a été un carrefour d'échanges culturels et intellectuels entre la France, d'où était originaire Magali Michelet, le Québec et l'Ouest du Canada.

BIBLIOGRAPHIE

Archives

Archives départementales de Saône-et-Loire (France)
Registre des mariages de 1881
Registre des naissances de 1883

Archives départementales de l'Ain (France)
Registre des actes de naissance de 1885

Archives provinciales de l'Alberta
Fonds Alexandre Michelet, SL 2666
Alberta Homestead Record, dossier de Charles Valéry

Bibliothèque et Archives Canada
Collection « Colonisation et exploration », RG 76

Institut pour le patrimoine de la francophonie canadienne de l'Ouest
Fonds Gamila Morcos

Service historique de la Défense (site de Vincennes, France)
Dossier militaire de Charles Valéry, GRO 5YE149315

Livres et articles

BARRY, Robertine [pseudonyme : Françoise] (1906). « L'Ouest lointain », *Le Journal de Françoise*, 5e année, n° 8, 21 juillet, p. 114-118.

BOIVIN, Aurélien, et Kenneth LANDRY (1978). « Françoise et Madeleine, pionnières du journalisme féminin au Québec », *Voix et images*, vol. 4, n° 2 (décembre), p. 233-243.

BUREAU DU RECENSEMENT ET DE LA STATISTIQUE (1911). Sous-ensemble compilé à partir d'un fichier de microdonnées à grande diffusion, Statistique Canada (producteur), [En ligne], [http://http://ccri.library.ualberta.ca] (9 novembre, 2012).

BUREAU DU RECENSEMENT ET DE LA STATISTIQUE (1918). *Population et agriculture : Manitoba, Saskatchewan, Alberta 1916*, Ottawa, Labroquerie Taché, p. 252-259.

CÔTÉ, Luc (1998). « Modernité et identité : la chronique féminine dans le journal *La Liberté*, 1915-1930 », *Cahiers franco-canadiens de l'Ouest*, vol. 10, n° 1, p. 51-90.

LE CRITIQUE [pseudonyme] : voir FRÉMONT, Donatien.

DEGRÂCE, Éloi (1980). « *Le Courrier de l'Ouest* : 1905-1916 », dans Alice Trottier (dir.), *Aspects du passé franco-albertain*, Edmonton, Le salon d'histoire de la francophonie albertaine, p. 101-111.

DURIEUX, Marcel (1986). *Un héros malgré lui*, Saint-Boniface, Les Éditions des Plaines.

FRANÇOISE [pseudonyme] : voir BARRY, Robertine.

FRÉMONT, Donatien [pseudonyme : Le Critique] (1926). « *Comme jadis...*, roman albertain, par Magali Michelet », *La Liberté*, 27 janvier, p. 3.

FRÉMONT, Donatien (1932). *Sur le ranch de Constantin-Weyer*, Winnipeg, Éditions de la Liberté.

FRÉMONT, Donatien (2003). *Les Français dans l'Ouest canadien*, 3e éd., Saint-Boniface, Éditions du Blé.

GAGNON, Anne C. (1997). *En terre promise : The Lives of Franco-Albertan Women, 1890-1940*, thèse de doctorat, Ottawa, Université d'Ottawa.

GAULIN, Michel (1980). « *Comme jadis...*, roman de Magali Michelet », dans Maurice Lemire (dir.), *Dictionnaire des œuvres littéraires du Québec*, t. 2 : *1900 à 1939*, Montréal, Éditions Fides, p. 262-263.

HÉBERT, Pierre (1992). « Quand éditer, c'était agir : la bibliothèque de *l'Action française* (1918-1927) », *Revue d'histoire de l'Amérique française*, vol. 46, n° 2 (automne), p. 219-244.

HENDERSON'S DIRECTORY LIMITED (1915). *Winnipeg*, Henderson Directories Limited, sur le site *Peel's Prairies Provinces*, [http://peel.library.ualberta.ca/index.html] (17 octobre 2012).

HENDERSON'S DIRECTORY LIMITED (1916). *Winnipeg City Directory: 1916*, Henderson Directories Limited, sur le site *Peel's Prairies Provinces*, [http://peel.library.ualberta.ca/bibliography/921.3.17.html] (17 octobre 2012).

HENDERSON'S DIRECTORY LIMITED (1917). *Winnipeg City Street and Avenue Guide*, Henderson Directories Limited, sur le site *Peel's Prairies Provinces*, [http://peel.library.ualberta.ca/index.html] (17 octobre 2012).

HOULÉ, Léopold (1945). *L'histoire du théâtre au Canada*, Montréal, Éditions Fides.

JOLY, Bertrand (2005). *Dictionnaire biographique et géographique du nationalisme français : 1880-1900*, Paris, Honoré Champion.

LACROIX, Denis, et Sathya RAO (2011). « Histoires de pionniers français dans l'Ouest canadien : le cas d'*Un héros malgré lui* de Marcel Durieux », *Voix plurielles*, vol. 8, n° 2, p. 79-93, [En ligne], [http://www.brocku.ca/brockreview/index.php/voixplurielles/article/view/39628/10/2012] (octobre 2012).

LACROIX, Denis, et Sathya RAO (2012). « Un regard postcolonial sur les Français de l'Ouest : *La grande épinettière* d'Alex Michelet », présentation dans le cadre du colloque CEFCO /ARUC-IFO, Saint-Boniface, Université de Saint-Boniface.

MAGALI [pseudonyme] : voir MICHELET, Magali.

MATURIÉ, Pierre (2011). *Athabasca, terre de ma jeunesse*, 2e éd., Edmonton, University of Alberta Press et Institut pour le patrimoine de la francophonie de l'Ouest canadien.

MICHELET, Alex ([1975 ?]). « La grande épinettière », manuscrit non publié, Edmonton, Archives provinciales de l'Alberta, Fonds Alexandre Michelet, SL 2666.

MICHELET, Magali [pseudonyme : Magali] (1906). « Chronique de la mode », *Le Courrier de l'Ouest*, 4 janvier, p. 3.

MICHELET, Magali [pseudonyme : Magali] (1910). « Chronique », *Le Courrier de l'Ouest*, 10 février, p. 3.

MICHELET, Magali (1922a). *Contre le flot : pièce en trois actes,* Montréal, Bibliothèque de l'Action française.

MICHELET, Magali (1922b). *Marraine de guerre*, New York, The MacMillan Company.

MICHELET, Magali (1925a). *Comme jadis...*, Montréal, Bibliothèque de l'Action française.

MICHELET, Magali (1925b). « La vie de l'Action française », *L'Action française*, décembre 1925, vol. 14, n° 6, p. 387-388.

MORCOS, Gamila, *et al.* (1998). *Dictionnaire des artistes et des auteurs francophones de l'Ouest canadien*, Québec, Les Presses de l'Université de Laval.

L'OBSERVATEUR DU SUD (1911). « Où s'établir : Libreval et la rivière Blanche (Sask.) », *Le Courrier de l'Ouest*, 15 juin, p. 3.

PAINCHAUD, Robert (1986). *Un rêve français dans le peuplement de la Prairie*, Saint-Boniface, Les Éditions des Plaines.

RINFRET, Édouard G. (1975). *Le théâtre canadien d'expression française : répertoire analytique des origines à nos jours*, t. III, Montréal, Leméac éditeur.

ROY, Max (1980). « *Contre le flot*, drame de Magali Michelet », dans Maurice Lemire (dir.), *Dictionnaire des œuvres littéraires du Québec*, t. 2 : *1900 à 1939*, Montréal, Éditions Fides, p. 291-293.

SULLEROT, Évelyne (1963). *La presse féminine*, Paris, Armand Colin.

Recensions

Jacques Paquin (dir.), ***Nouveaux territoires de la poésie francophone au Canada 1970-2000*****, Ottawa, Les Presses de l'Université d'Ottawa, 424 p., coll. « Archives des lettres canadiennes », tome XV.**

La collection « Archives des lettres canadiennes », inaugurée en 1961, a proposé jusqu'ici des bilans critiques sur quelques mouvements littéraires, mais surtout une cartographie générique de la littérature « canadienne-française » (jusqu'à 1976), puis « québécoise » (jusqu'à 2006). Le tome IV de la série, paru en 1969, était consacré à la poésie. Le tome XV reprend là où s'arrêtait le tome IV, en proposant un bilan critique sur la « poésie francophone au Canada » de 1970 à 2000. Il était encore possible, en 1969, de proposer une synthèse méthodique (études sur les principaux mouvements et auteurs, « témoignages » de poètes et bibliographie exhaustive depuis les origines jusqu'à 1967). Il n'est plus concevable aujourd'hui de circonscrire le domaine comme avait cherché à le faire l'équipe dirigée par Paul Wyczynski. Même si le nouveau tome ne couvre que trente années, le nombre de parutions annuelles a tellement augmenté que le bilan se voit condamné à l'incomplétude. Devant cette difficulté, Jacques Paquin a demandé à des spécialistes de la poésie du Québec et du Canada français de proposer librement un sujet d'étude, et il a organisé l'ensemble *a posteriori*. La « part d'aléatoire », que Jacques Paquin souligne lui-même (p. 11), est atténuée par une construction habile. L'ouvrage est conçu en quatre parties : « Les aînés majeurs », « Enjeux contemporains », « Figures du poète » et « La diffusion de la poésie ».

La première partie réunit deux études seulement : la première sur Anne Hébert, la seconde sur Gaston Miron. Il s'agit certainement d'« aînés majeurs », comme l'indique le titre de la section, mais il est assez surprenant de voir réunis deux auteurs dont les poèmes postérieurs à 1970 sont des œuvres mineures en regard de leurs écrits des années antérieures. À mon avis, cette section aurait dû être étoffée, pour inclure des études sur des « aînés » qui ont renouvelé leur écriture de façon significative, qu'il s'agisse, par exemple, de Rina Lasnier ou de Paul-Marie Lapointe. L'étude d'André Brochu sur les poèmes tardifs d'Anne Hébert et celle de Claude Filteau sur les derniers poèmes de Miron sont très riches, mais la première section laisse malgré tout l'impression d'un vide.

La deuxième section, « Enjeux contemporains », est de loin la plus étoffée. Elle réunit sept études, qui rendent compte, à partir d'approches très différentes, de plusieurs aspects complémentaires. On lit d'abord une étude de Rosalie Lessard sur « L'imaginaire féministe de la théorie ». Cette analyse propose un bilan très bien étayé de l'un des mouvements ayant le plus marqué la poésie québécoise des années 1970 et 1980. On ne trouve pas, dans l'ouvrage, l'équivalent pour le formalisme ou pour l'avant-garde de façon plus globale; cependant, Nicoletta Dolce propose une brève description de la tendance intimiste, illustrée par les œuvres de Paul Chamberland, Louise Dupré et Hélène Dorion. L'inclusion de Chamberland permet d'établir des liens avec la poésie québécoise antérieure, comme c'est le cas dans l'étude qui suit, de Jonathan Lamy, sur le langage exploréen et la glossolalie dans la poésie québécoise, où la figure de Claude Gauvreau est centrale. Luc Bonenfant établit, pour sa part, des liens entre les premiers textes de Lucien Francoeur et le phénomène de la « démocratisation » de la poésie dans le Québec actuel. Abordant, lui aussi, la poésie québécoise du point de vue de son évolution chronologique, Pierre Popovic s'intéresse à la présence de Montréal dans la poésie québécoise de langue française, de Gaston Miron à Jean-Sébastien Huot, en passant par plusieurs autres œuvres, dont celle de Nadine Ltaif. Bien qu'elle soit limitée à l'imaginaire montréalais, c'est peut-être cette étude qui explore le plus profondément les transformations de l'imaginaire poétique québécois, en évoquant une « décomposition » (p. 175) qui fait voir le versant plus noir des « nouveaux territoires » désignés par le titre du tome. Mais ceux-ci correspondent aussi à un redécoupage de la poésie francophone au Canada, en raison de l'émergence de deux institutions littéraires en particulier : celles de l'Acadie et de l'Ontario français, qui sont abordées dans les deux dernières études, par Pénélope Cormier et Louis Bélanger. Ces deux études font très bien voir la prégnance de la référence collective, tantôt levier, tantôt repoussoir, dans les littératures de l'Acadie et de l'Ontario français au cours des années 1970 et 1980. Ces observations auraient pu être complétées par l'étude de la poésie au Manitoba et dans la culture amérindienne. Par ailleurs, l'absence de perspective d'ensemble sur la poésie québécoise révèle une sorte de hiatus entre le Canada français et le Québec, qui tend toutefois à s'effacer à partir des années 1990.

En effet, c'est la « poésie francophone au Canada » dans son ensemble qui paraît correspondre de plus en plus à une mosaïque d'œuvres. On le perçoit très bien dans la troisième section, intitulée « Figures du poète ». Trois articles seulement constituent cette partie : le premier sur le poète franco-ontarien Patrice Desbiens, par François Ouellet, le deuxième sur le poète acadien Herménégilde Chiasson, par Raoul Boudreau, et le troisième sur trois « ateliers », ceux des poètes Robert Melançon, Marie Uguay et Louise Warren, par Antoine Boisclair. Dans ces trois études, le contexte national apparaît comme une sorte d'adversaire et la poésie se présente avant tout comme un mouvement de « retrait », pour reprendre un motif récurrent observé par Antoine Boisclair.

La dernière section, intitulée « La diffusion de la poésie », est à la fois lacunaire et répétitive. Elle regroupe quatre articles. Les deux premiers portent sur des éditeurs : Thierry Bissonnette étudie le cas des Éditions du Noroît et Jacques Paquin celui des Écrits des Forges. Il est dommage que deux maisons d'édition seulement soient ici abordées. Le cas des transformations de l'Hexagone, entre autres, aurait mérité une analyse. Comme dans la première partie, l'effet de vide est ici très présent. S'y ajoute un effet de répétition, car les deux derniers articles, portant sur les anthologies québécoises, reprennent en bonne partie les mêmes constats, qui sont davantage appuyés sur des données précises dans l'analyse de Nelson Charest, et plutôt de l'ordre du mouvement d'humeur dans la contribution de Robert Yergeau. Le ton acerbe de Robert Yergeau à l'égard des concepteurs d'anthologies détonne dans l'ensemble du volume, où l'on cherche plutôt à comprendre qu'à régler des comptes. Cette rupture de ton dans le tout dernier texte est d'autant plus surprenante que l'article précédent, de Nelson Charest, avait déjà présenté de façon critique les principaux aspects et, en particulier, le « recul de la tradition et du canon dans le paysage québécois de notre période, au profit d'une valorisation des réseaux et des relations » (p. 371). À quoi sert-il d'enfoncer le clou par des attaques personnelles dans un texte supplémentaire, alors même que plusieurs aspects n'ont été nulle part abordés ?

Malgré ses lacunes, cette synthèse offre des analyses et des aperçus éclairants. Elle illustre, par ailleurs, le caractère morcelé de la « poésie francophone au Canada », qui n'aura jamais été aussi éparse.

François Dumont
Université Laval

Gérard Bouchard, Gabriella Battaini-Dragoni, Céline Saint-Pierre, Geneviève Nootens et François Fournier (dir.), *L'interculturalisme : dialogue Québec-Europe, Actes du Symposium international sur l'interculturalisme (Montréal, 25-27 mai 2011)*, 2011, [En ligne], [http://www.symposium-interculturalisme.com/pdf/livre_complet_FINAL_hyperliens.pdf].

L'interculturalisme : dialogue Québec-Europe, Actes du Symposium international sur l'interculturalisme (Montréal, 25-27 mai 2011), sous la direction de Gérard Bouchard et collaborateurs, a les forces de ses faiblesses. On retient les textes de Gérard Bouchard qui expose les bases de l'interculturalisme québécois fondé sur la rencontre entre un groupe majoritaire et des groupes minoritaires. Ce dualisme va permettre d'aider les immigrants à intégrer les valeurs du groupe majoritaire francophone qui doit se protéger, dans le contexte canadien, nord-américain et mondialisé, face à la majorité anglophone. Les remarques de Bouchard sur les rapports entre la laïcité de l'État québécois et les valeurs religieuses de certains groupes minoritaires font preuve d'une volonté de dialogue. Les articles de Bouchard se retrouvent, d'ailleurs, mis en contexte et développés dans son récent livre intitulé *L'interculturalisme : un point de vue québécois* (Montréal, Éditions du Boréal, 2012). Il faut reprendre le titre de ce livre pour souligner ce que l'ouvrage *Dialogue Québec-Europe* n'explicite pas. Ainsi, en Europe, on critique le multiculturalisme, qui est une « approche périmée » (p. 5), selon Gabriella Battaini-Dragoni, coordonnatrice du dialogue interculturel du Conseil de l'Europe. On propose de le remplacer par l'interculturalisme. Mais ce qu'on appelle multiculturalisme en Europe n'a rien à voir avec le multiculturalisme théorisé par Will Kymlicka dans *Multicultural Odysseys* (Oxford, Oxford University Press, 2007) et tel qu'il a été mis en place par une progression non dualiste, comme l'expose Kymlicka dans le livre de ce colloque. Il rappelle qu'en 1971, le multiculturalisme s'est fondé sur la valorisation des différences ethniques liées au grand mouvement de rénovation des valeurs canadiennes, de plus en plus ouvertes sur le libéralisme et les droits humains, puis que, dans les années 1980, vu que l'immigration était de plus en plus non européenne, on s'est consacré à l'antiracisme, mais sans oublier les ancrages ethniques. Désormais, on repense ces approches en y ajoutant la question de la religion. Le multiculturalisme en Europe a des fonctionnements extrêmement différents en Angleterre et en Allemagne, par exemple. Toutefois, selon nous, il n'y a pas eu de multiculturalisme en Allemagne car les immigrants, principalement Turcs et Kurdes, n'ont jamais été perçus comme désirant s'installer, mais comme des travailleurs qui retourneraient dans leur pays. La perspective n'a donc rien à voir avec le Canada, les États-Unis ou l'Australie. L'interculturalisme québécois a été pensé, lui aussi, en fonction d'immigrants qui s'implantent au Québec, ce qui a permis de mettre en place des théorisations, des lois, des procédures et des règlements depuis déjà fort longtemps. Voilà qui n'est pas le cas de l'Europe, où les deux guerres mondiales, la Shoah et les récentes guerres dans l'ex-Yougoslavie, n'ont pas montré une grande capacité à reconnaître la différence et à conjuguer différence et égalité. Certes, le *Livre blanc* du Conseil de l'Europe ([En ligne], [www.coe.int/t/dg4/intercultural/whitepaper_interculturaldialogue_2_FR.asp]) sur le dialogue interculturel est intéressant, mais on aurait souhaité voir une approche plus comparative, incluant d'autres perspectives, notamment la canadienne et la québécoise, plutôt que de présenter des travaux centrés sur leur propre point de vue. Ainsi Gabriella Battaini-Dragoni affirme que « le concept de "multiculturalisme" est basé sur une opposition schématique de majorité et de minorité » (p. 5). Ce n'est pas le cas pour Kymlicka, car le multiculturalisme est conçu au Canada comme un monde sans majorité, uniquement avec des rencontres de minorités. Ainsi, il reste du travail à faire, notamment à ne pas oublier que dans tous les pays neufs, la participation des immigrants à la société d'accueil est très différente de ce qui se passe en Europe où des ressentiments fondés sur la colonisation travaillent négativement les rencontres.

Frank Lechner montre bien que, en Europe, les rapports sont devenus de plus en plus conflictuels, mais que les dynamiques d'exclusion qui se manifestent dans les médias ou chez des élus sont très différentes d'un pays à un autre, car l'intégration est la résultante d'héritages très divers. Plusieurs intervenants soulignent que le quotidien de l'école et de la rue a un impact important sur l'adaptation des immigrants à la société d'accueil et de la société d'accueil aux immigrants. Mais, ici, il y a peu d'exemples concrets qui parlent de la rue comme rencontre économique. On retient toutefois le texte d'Irena Guidikova qui s'intéresse aux services créés par les villes. On aurait pourtant aimé voir des références à Doug Saunders et à son livre *Arrival City* (Toronto, Knopf, 2010). Ce dernier souligne qu'en Angleterre, vu les petites maisons avec magasins et appartements à l'étage, les immigrants peuvent créer un monde économique et culturel, tout en étant proches de la famille. Par contre en France, où les HLM dominent les banlieues, cela est impossible, car la rue est loin et il n'est pas possible de créer une vie économique à proximité.

Plusieurs textes proposent de réfléchir aux changements dans les sociétés d'accueil et chez les groupes immigrants comme celui d'Emilio Santoro qui « *advocate an open cultural tradition that can help manage differences and novelties (which do not stem from cultural pluralism alone, but also from scientific innovation and cultural industry)* » (p. 3). De ce point de vue, le texte de Stephan Reichhold est intéressant car il souligne des lacunes dans le passage de la théorie à la pratique ou du culturel à l'économique dans l'interculturalisme au Québec. Une bonne partie de l'insertion active à la société d'accueil passe par l'obtention d'un emploi en lien avec les compétences acquises. Mais il reste du travail à faire de la part des instances gouvernementales, des employeurs, des associations professionnelles et des syndicats qui manifestent des lacunes dans la reconnaissance des capacités professionnelles et des diplômes ou dans la mise en place de mécanismes qui permettent aux immigrants de s'intégrer au monde du travail. Comme le soulignent Gérard Bouchard, Céline Saint-Pierre, Geneviève Nootens, François Fournier et d'autres, nous avons besoin de plus de connaissances empiriques, de plus de théorisations comparatives, et nous ajouterions de plus de volonté à penser le culturel avec le désir des gens de fonctionner, dans le présent et l'avenir, dans l'économique et le technoscientifique propres à un monde où s'accélèrent les changements et où se répand la légitimité des déplacements géographiques et symboliques.

Patrick Imbert
Université d'Ottawa

Gaétan Gervais et Jean-Pierre Pichette (dir.), *Dictionnaire des écrits de l'Ontario français 1613-1993*, Ottawa, Les Presses de l'Université d'Ottawa, 2010, XXXIV-1097 p.

Le *Dictionnaire des écrits de l'Ontario français 1613-1993* (*DEOF*), dirigé par Gaétan Gervais et Jean-Pierre Pichette[1], est colossal : 952 pages, dans lesquelles sont recensés 2 537 « écrits » de 1 000 auteurs ou de coauteurs au cours d'une période de 380 ans de publication. Commencé en 1982 et publié vingt-huit ans plus tard aux Presses de l'Université d'Ottawa, ce

[1] Jean-Pierre Pichette a remplacé Fernand Dorais en 1985.

travail est la « première bibliographie générale des écrits franco-ontariens et le premier répertoire des auteurs de l'Ontario français » qui vise à faire « mieux connaître à tous la nature et l'ampleur du patrimoine des écrits de la francophonie ontarienne » (p. VII).

Environ 200 personnes, dont les noms figurent dans l'Appendice B (« Collaborateurs et collaboratrices ») et dans les Remerciements (« Auxiliaires de recherche »), ont rédigé une ou plusieurs notices pour le *DEOF*. Il s'agit de professeurs, de bibliothécaires, d'étudiants, de directeurs de musée ou d'éditeurs qui représentent ensemble plus de vingt disciplines (littérature, histoire, linguistique, ethnologie, études cinématographiques, commerce, phonétique, sciences de l'activité physique, sciences religieuses, pour ne nommer que quelques-unes d'entre elles). Signalons aussi que plus de quarante étudiants de premier, deuxième ou troisième cycle figurent parmi les collaborateurs, ce qui atteste l'importance que la direction a accordée au départ à la relève formée par de futurs « spécialistes des écrits de l'Ontario français » (p. XXIV), dont Michel Bock, qui a fait ses études à l'Université Laurentienne.

Les « écrits » présentés dans le *DEOF* « [...] prov[iennent] de toutes les disciplines des sciences humaines » (p. XXIII). Ils sont 1) imprimés, 2) autonomes, 3) rédigés en français et 4) franco-ontariens, l'Ontario étant considéré comme le lieu de naissance, de résidence ou de travail des auteurs retenus, et l'Ontario français comme le sujet principal de leurs écrits. À titre d'exemple, le Franco-Manitobain Paul Savoie, qui habite en Ontario, fait partie des auteurs recensés, en plus de figurer dans l'*Anthologie de la poésie franco-manitobaine* (Saint-Boniface, Les Éditions du Blé, 1990) préparée par J. R. Léveillé. De fait, les directeurs du *DEOF* emploient le qualificatif « franco-ontarien » dans toute l'acception du terme pour « cerner une activité d'écriture de la façon la plus objective possible, de la reconnaître autant que possible dans toute sa complétude et de rendre à l'Ontario ce qui lui revient » (p. XVIII). Le dictionnaire inclut aussi des « auteurs de passage » qui ont vécu en Ontario pendant au moins deux ans.

Par ailleurs, les journaux français de l'Ontario comptent parmi les écrits franco-ontariens du *DEOF*, qui en inclut plus de 110, dont *Le Droit* d'Ottawa et *Le Voyageur* de Sudbury, publiés entre l'année du lancement du premier journal français de l'Ontario, *Le Progrès* (fondé en 1858), et 1993. Les notices qui leur sont consacrées incluent les dates et lieu(x) de publication, les noms des fondateurs et des directeurs, les régions desservies, la périodicité des numéros, les genres littéraires publiés (roman-feuilleton, poésie) et l'orientation idéologique respective des journaux. Parmi les titres dénombrés, nous trouvons des journaux fondés par des femmes, tels *Le Goût de vivre* et *L'Étoile de Cornwall*, des journaux étudiants, des journaux bilingues (*Françario*, *Image*), et des journaux qui se sont succédé tour à tour (*La Nation*, *L'Interprète* et *Le Ralliement*). Parmi les écrits franco-ontariens figurent aussi des textes trouvés dans des périodiques, dont des recettes publiées à l'origine dans le journal *Le Nord* (p. 106), et des travaux sur la presse (p. 118, 464, 465 et 692).

Étant donné que le *DEOF* se veut « à la portée de toute la population ontarienne » (p. XXIV), il y a lieu de se demander si des non-spécialistes des écrits franco-ontariens peuvent consulter facilement le dictionnaire. À première vue, la taille et le contenu détaillé du *DEOF* risquent de les décourager, et même le lecteur averti doit le feuilleter beaucoup avant d'en profiter pleinement. Heureusement, le classement des écrits par titre est soigneusement expliqué dans la « Notice d'emploi » au début du dictionnaire. Toutefois, une personne qui ne connaît pas de titres exacts aura de la difficulté à en repérer dans le dictionnaire, un défi que posent d'ailleurs les dictionnaires en général quand on ne sait pas épeler un mot...

La table des matières est simple et indique les divisions de l'ouvrage. Des illustrations représentant des écrits ou des auteurs marquent la répartition alphabétique des matières, tandis que quatre appendices – « Répertoire des auteurs et de leurs écrits », « Collaborateurs et collaboratrices », « Table bibliographique » et « Index onomastique » – facilitent la consultation du dictionnaire. Des appendices supplémentaires pour aider au repérage des titres par genre, à la manière des sections déjà établies par les directeurs du *DEOF* (par exemple, « périodiques », « voyages » et « éducation »), et par période (par exemple, les écrits publiés de 1613 à 1699, et ainsi de suite), auraient toutefois été utiles à la compréhension du patrimoine franco-ontarien dans sa diversité et son étendue.

Soulignons enfin la coopération, la persévérance et la coordination nécessaires à la réalisation de ce projet colossal. Une lecture de l'« Introduction » est obligatoire pour comprendre ce travail et s'y repérer. Si le *Dictionnaire des œuvres littéraires du Québec* (*DOLQ*) a influencé les directeurs du *DEOF*, il est certain que ce dernier inspirera à son tour d'autres projets de cette envergure et aidera au développement de champs de recherche émergents, telles les études journalistiques en milieu minoritaire francophone.

Michelle Keller
Université du Manitoba

André Corten, *L'État faible : Haïti et République dominicaine*, 3e éd., Montréal, Mémoire d'encrier, 2011, 360 p.

André Corten, professeur au Département de science politique de l'Université du Québec à Montréal et directeur du Groupe de recherche sur les imaginaires en Amérique latine (GRIPAL), a dédié une grande partie de sa carrière universitaire à l'étude de la politique sud-américaine. Anciennement professeur à la Universidad Autónoma de Santo Domingo et auteur de nombreuses publications sur le sujet, aussi bien sous forme de monographies, de chapitres d'ouvrages collectifs que d'articles scientifiques, Corten représente une référence en ce qui concerne l'évolution politique de ce sous-continent. C'est sur un aspect de cette évolution que porte son livre *L'État faible.* Dans ce dernier, il tente de déterminer les causes de la faiblesse des appareils étatiques. Adressée à ceux qui sont avides d'information sur la République dominicaine et Haïti, la troisième édition revue et augmentée du volume comprend une nouvelle introduction de l'ouvrage par l'auteur ainsi que de nouveaux textes d'« éminents intellectuels haïtiens et dominicains » (p. 9). Corten a été l'un des premiers auteurs francophones à se pencher sur la question de la République dominicaine en 1989.

Dans *L'État faible,* Corten énonce l'hypothèse selon laquelle la classe supérieure de la société n'arrive pas à diriger le pays de manière cohérente. Ce phénomène serait causé par l'incompréhension de cette classe dirigeante envers la division de la société, combinée à l'impuissance d'un État basé sur un modèle colonialiste. L'auteur reconnaît tout de même que la situation a beaucoup changé en République dominicaine depuis la première édition du livre (1989), l'accumulation de capital ayant aujourd'hui remplacé le système rentier, mettant ainsi fin au processus de prolétarisation toujours en action dans le pays voisin.

Selon Corten, deux facteurs expliquent la situation d'État faible de ces pays, soit l'indifférenciation sociale et le fait que l'État ne soit pas le destinataire des demandes de la population. Afin d'exposer ces arguments, l'auteur combine une étude de l'histoire des deux États, des statistiques et des exemples empiriques. L'approche générale de l'ouvrage ainsi que de nombreux concepts tirent leur origine de la théorie marxiste, mais empruntent parfois à d'autres courants de pensée, comme l'École de Francfort, le marxisme ne pouvant expliquer à lui seul la faiblesse de l'État, vu le faible développement des classes sociales.

L'intérêt de cette réédition réside surtout dans la seconde moitié de l'ouvrage. Intitulée « Regards croisés », cette partie rassemble des écrits de deux acteurs importants qui ont marqué les relations entre les deux États. L'ambassadeur dominicain à Port-au-Prince, Rubén Silié, apporte sa contribution avec son essai « La faiblesse historique de l'État haïtien et son impact sur la régulation de la migration vers la République dominicaine ». Silié jette un regard plus optimiste sur les relations entre les deux États, attribuant les actes de violence envers les Haïtiens en République dominicaine à des fanatiques isolés. En effet, les relations officielles entre les deux États seraient en fait bien plus amicales que ne pourraient le laisser croire les « actions honteuses » (p. 263) de certains Dominicains. Guy Alexandre, ancien ambassadeur haïtien en République dominicaine, s'intéresse pour sa part aux relations entre les deux États dans son texte intitulé « Quelques aspects de l'évolution de l'État dominicain entre 1989 et 2011 : matériaux pour une analyse ». Alexandre étudie l'évolution de l'État dominicain et des rapports que ce dernier entretient avec son voisin haïtien. Plusieurs éléments indiquent que les gouvernements des deux pays disposent de tout ce qu'ils ont besoin pour renforcer leurs liens.

Dans la troisième partie, intitulée « Haïti », le sociologue haïtien Laënnec Hurbon examine les changements subis par son pays depuis le séisme dans son article « L'État haïtien avant et après le 12 janvier 2010 : l'instrumentalisation de l'État faible ». Hurbon accuse la classe dirigeante haïtienne de maintenir le pays dans un « désastre » (p. 285) qui ne favorise pas l'accession du pays au statut d'État de droit. La féministe et politologue haïtienne Sabine Manigat porte un regard sur la politique de son pays dans son étude intitulée « Système de partis et État faible en Haïti ». Manigat reprend la thèse de Corten en insistant sur l'absence de partis politiques forts dans le pays. Le manque d'efficacité des institutions d'Haïti fait perdre la confiance de la population dans le processus démocratique. En conséquence, de moins de moins d'importance est accordée au processus démocratique au profit « de la pression de la rue » (p. 299), qui gagne en importance. Les Haïtiens finissent par contester l'existence même des institutions qui ne réussissent pas à gouverner efficacement.

Les sociologues et auteurs Wilfredo Lozano et Franc Báez Evertsz proposent le point de vue de l'étranger sur cette question, dans leur texte « Politiques migratoires de la globalisation : le cas de l'immigration haïtienne en République dominicaine ». Ils soutiennent que la question des travailleurs migrants représente une occasion pour la République dominicaine de s'affirmer en tant qu'État de droit. En effet, le poids démographique des Haïtiens suscite beaucoup de réactions négatives du côté dominicain. Le gouvernement du pays devrait alors agir de manière à maintenir l'ordre et à protéger les droits de toute la population, conformément aux pressions de la communauté internationale. Pourtant, les travailleurs d'origine haïtienne font face au risque de déportation et à l'exclusion du reste de la société. Reste à savoir si la proximité entre le mouvement conservateur et l'État dominicain l'emportera sur le respect des droits humains. Une coopération dans le but d'améliorer la situation en Haïti pourrait freiner le mouvement migratoire et ainsi assurer un développement stable des deux pays. Bridget Wooding, consultante britannique en développement, expose une perspective internationale sur la question, dans son article « L'essor international et national de la défense des droits des Haïtiens et des Dominicains-Haïtiens : un regard critique ». Wooding est d'avis que le gouvernement et les principaux partis dominicains doivent désormais se défendre devant la communauté internationale et la société civile dominicaine, ce qui représente un gain non négligeable. Toutefois, la situation est critique à plusieurs niveaux : la population agit de manière hostile envers les migrants haïtiens, le respect des droits de la personne laisse à désirer et la question migratoire reste ignorée dans les plans de développement dominicains. En effet, les Haïtiens se voient exploités et leurs descendants demeurent privés de toute nationalité. La société civile locale et internationale devrait jouer un rôle clé dans la réalisation de leurs droits.

Dans *L'État faible*, Corten ne mentionne que très brièvement l'absence de la société civile et la militarisation de la société haïtienne, deux facteurs clés pour expliquer la faiblesse de l'État. D'ailleurs, une explication des origines du système de rente agricole aurait été la bienvenue. Corten a choisi de republier son livre de 1989 avec quelques ajouts. La situation a bien évolué depuis et l'auteur se penche dans l'introduction sur l'écart qui se creuse entre les deux États en matière de développement. Toutefois, le reste du livre, qui porte principalement sur la situation de 1989, contient peu d'explications sur la situation actuelle, si bien que l'intérêt de la réédition se situe surtout dans les nouveaux textes.

En général, le livre est d'accès difficile et ne permet pas toujours de comprendre tout à fait les propos de l'auteur. Combinant le très général et le très particulier, l'ouvrage porte à confusion au point où il devient parfois ardu de déterminer ce que l'auteur essaie de montrer par ses exemples. Il est incontestable que la lecture de *L'État faible* permet d'en apprendre beaucoup sur les faiblesses institutionnelles d'Haïti et de la République dominicaine, bien que les nombreuses nuances apportées aux arguments et la complexité de certains concepts puissent constituer des obstacles à la compréhension de la visée générale de l'ouvrage. Par exemple, le chapitre trois est entièrement consacré à deux biographies sociales d'ouvriers des industries du café et du tabac. Cependant, il est ardu de déterminer ce que Corten a voulu montrer à travers celles-ci. De nombreuses affirmations pourraient indiquer quel objectif poursuivait l'auteur dans ce chapitre. Cependant, aucune ne le fait de manière claire, laissant le lecteur perplexe.

Philippe Michaud-Simard
Université du Québec à Montréal

Jacques Ferron, Madeleine Ferron et Robert Cliche, *Une famille extraordinaire : correspondance 1 : 1946-1960*, édition préparée par Marcel Olscamp et Lucie Joubert, Montréal, Leméac, 2012, 429 p.

Marcel Olscamp, le biographe de Ferron, et Lucie Joubert nous livrent le premier volume de la correspondance entre Jacques Ferron et sa sœur et écrivaine Madeleine Ferron et son beau-frère, l'avocat et homme politique Robert Cliche. L'ensemble regroupe 179 lettres, dont seule une dizaine a été publiée antérieurement. L'édition a été minutieusement et efficacement annotée afin de guider le lecteur dans le dédale familial. En revanche, la lecture ne se fait pas sans heurt, puisque la correspondance est incomplète, des lettres ayant été égarées ou perdues, et que, par ailleurs, il a fallu à Olscamp et Joubert rétablir approximativement la séquence des échanges, les lettres étant la plupart du temps sommairement datées.

Qu'à cela ne tienne, ce livre de lettres se dévore comme un roman (familial). L'ouvrage couvre les années 1946 à 1960, période pendant laquelle les épistoliers ont entre vingt-quatre et trente-neuf ans. Ce sont les années où Jacques Ferron, d'abord médecin en Gaspésie puis à (ou en banlieue de) Montréal, fait ses premières armes littéraires, ici dédiées au théâtre et au conte; déjà il polémique en publiant des lettres ouvertes dans les journaux. De son côté, Robert Cliche, installé en Beauce avec sa femme, se fait une réputation comme avocat et milite activement au sein du Parti libéral du Québec. Quant à Madeleine Ferron, si elle n'est pas encore l'écrivaine qu'elle deviendra, elle est une véritable associée pour son mari et ne se prive pas d'être en désaccord avec son frère, à qui, avec affection mais lucidité, elle reproche de se comporter comme un grand enfant et dit ses quatre vérités.

Ce sont sans doute les lettres entre le frère et la sœur qui donnent lieu aux échanges les plus substantiels. Entre eux, la relation amicale reste presque toujours tendue, Jacques Ferron apparaissant comme un personnage aux idées bien arrêtées, déjà formé par ce ton ironique, espiègle, facétieux, spirituel, moqueur, sentencieux, qu'on lui connaît comme conteur et romancier. Il peut être aussi d'une méchanceté ironique, un peu crue : « De quoi serais-je fâché? Je n'ai jamais eu à me plaindre de toi. C'est sans doute pour cela qu'on t'oubliera plus vite que les autres. Tu seras à ta place dans la mort comme tu l'auras été dans la vie. Mais je pense quand même que tu seras à ton mieux dans la vieillesse, sèche et sans larmes » (p. 294). La famille est souvent un objet de discorde, aussi bien sur le plan pratique (par exemple, les soucis à la suite de la succession paternelle) que sur le plan intellectuel, Jacques Ferron ayant une forme de rapport à son père que sa sœur considère comme méprisante, cependant que l'écrivain expose une conception filiale des choses qui oblige les descendants à un progrès social et amène le fils à « continuer » le père au lieu de se camper dans l'admiration (posture qui annonce le fameux appendice aux *Confitures de coings*). Pendant cette période, Jacques Ferron fréquente les Automatistes, partage les idées marxistes et milite au sein du Parti social-démocrate. Il écrit cette phrase étonnante : « Si je me donne au PC ce sera avec le but de le rendre révolutionnaire au sens magnifique du mot, d'en élargir la discipline afin qu'il puisse reprendre les prophètes, les fous » (p. 153). En réalité, c'est la vision de son œuvre littéraire à venir qu'il présente ici. Si Madeleine Ferron encourage l'action politique de son mari, elle engage son frère à se concentrer sur la littérature : « Tu en fais inconsciemment comme monsieur Jourdain faisait de la prose, mais ce n'est pas assez. Fais de la littérature, Jacques, ne te gaspille pas ailleurs » (p. 319).

Entre Jacques Ferron et Robert Cliche, les relations sont très fraternelles, même s'ils ont des tempéraments opposés et que les milieux dans lesquels ils vivent tendent à accentuer des différences d'idées qui, en réalité, ne sont qu'apparentes, comme le pense Cliche. Alors que les échanges des premières années tournent autour de la famille, la question idéologique et le débat d'idées occupent l'essentiel des lettres des années 1950, quoique celles de Cliche se fassent plus rares dans les dernières années. La littérature reste aussi centrale, ne serait-ce que parce que Ferron ne cesse, dans les premières années, de demander avis et conseils à son beau-frère quand il travaille à ses premières pièces. Si Cliche est d'abord mitigé, il prend nettement conscience, avec les années, de la valeur de l'écrivain, l'encourageant dans une vocation littéraire dont il ne doute pas, pas plus que Madeleine d'ailleurs. En janvier 1953, Cliche lui écrira : « Je dois aussi t'écrire parce que je suis ton débiteur, que tu ne m'écris plus, avec raison, et que je voudrais que tu continuasses à me faire parvenir ces lettres qui pour nous étaient comme des "premières" ou des "pré-vernissages" d'œuvres littéraires que nous lisons plus tard ici et là » (p. 235-236). De fait, dans de nombreuses lettres, comme le soulignent d'ailleurs Olscamp et Joubert dans les notes en bas de page, on voit poindre certaines anecdotes qui, plus tard, donneront lieu à telle ou telle scène chez Jacques ou Madeleine Ferron.

L'ouvrage, qui ne forme que le premier volume de cette correspondance, s'ajoute donc aux échanges épistolaires plus récemment publiés entre Jacques Ferron et, respectivement, Victor-Lévy Beaulieu (aux Éditions Trois-Pistoles en 2005), Pierre Baillargeon (chez Lanctôt éditeur en 2004) et André Major (chez Lanctôt éditeur en 2004), sans compter l'ouvrage qui regroupe les lettres de l'écrivain à ses sœurs (chez le même éditeur en 1998). C'est une pierre de plus à l'édification d'une œuvre absolument majeure de la littérature québécoise, et dont les nombreux travaux qu'elle a générés depuis une vingtaine d'années ne cessent de redire l'actualité.

François Ouellet
Université du Québec à Chicoutimi

Stéphanie Tésio, *Histoire de la pharmacie en France et en Nouvelle-France au XVIIIe siècle*, Québec, Les Presses de l'Université Laval, 2009, 362 p.

Ce livre, issu d'une thèse de doctorat, est à certains égards fascinant. Si les monographies sur l'histoire de la médecine sont fort nombreuses, il n'en est pas de même pour celle de la pharmacie. En outre, l'histoire de la pharmacie en Nouvelle-France est quasi inexplorée. Enfin, dans ce dernier domaine, personne ne s'est soucié de comparer la colonie et la métropole. L'impression favorable que dégage le titre de l'ouvrage est confirmée par le traitement de la matière : une lecture sociale, économique et matérielle de la pharmacie au XVIIIe siècle des deux côtés de l'Atlantique. Pendant longtemps les histoires des sciences se sont contentées d'aligner les découvertes qui ont mené au paysage scientifique tel qu'il existe de nos jours. Vu l'originalité du sujet pour la Nouvelle-France, l'auteure aurait pu choisir cette voie de la facilité. Or le cadre théorique de l'*Histoire de la pharmacie* prolonge les avancées critiques qui ont marqué l'histoire des sciences (je songe ici aux études pionnières de George Sebastian Rousseau, Roy Porter ou de Mirko Grmek) et les élargit par cette perspective comparative. Ainsi tout au long de ce livre, l'auteure nous invite à voir défiler les liens qui existent entre la pharmacie de France (de Basse-Normandie, tout particulièrement) et celle de la vallée du Saint-Laurent. Dans le champ de la pharmacie, la Nouvelle-France, il faut le dire, garde son visage de colonisé, subissant comme ailleurs les pratiques de la métropole, sans qu'il soit possible de parler véritablement d'un échange de connaissances.

L'*Histoire de la pharmacie* est divisée en trois parties. La première examine l'« organisation des apothicaires » : d'une part, du point de vue de leur fonctionnement institutionnel et, d'autre part, sous l'angle de l'exercice du métier. Il en ressort que l'encadrement juridique de la profession est nettement plus complexe en Basse-Normandie qu'en Nouvelle-France où il existe moins d'institutions supervisant la profession, surtout dans le domaine de la formation. Parallèlement à ce constat, il apparaît clairement qu'en Nouvelle-France les limites du métier d'apothicaire sont floues. Les apothicaires qui pratiquent en Nouvelle-France étendent leur expertise au métier connexe qu'est la chirurgie, contrairement à leurs collègues de Basse-Normandie. La deuxième partie du livre, intitulée « Au cœur de la pharmacie », débute par une histoire des connaissances médicales. L'auteure décrit ensuite la façon dont les apothicaires accèdent aux savoirs pratiques nécessaires à l'exercice de leur métier. Une incursion « à l'intérieur des apothicaireries » fournit de précieux renseignements sur la fabrication des remèdes et sur les matières premières utilisées. Sur ce plan, il existe peu de différences entre la colonie et le continent, car le même savoir existe de part et d'autre de l'Atlantique, et les décalages renvoient surtout à l'organisation des officines, à la qualité des instruments et à la quantité de substances dont dispose l'apothicaire. En Basse-Normandie, le matériel est plus dispendieux, plus spécialisé et plus abondant. L'auteure termine par un chapitre dans lequel elle présente des exemples de soins et une analyse des relations entre les praticiens et les patients. La dernière partie de l'ouvrage est consacrée au « réseau social et [au] niveau de vie » des pharmaciens. L'auteure réussit à peindre un tableau de la vie privée des apothicaires de la Nouvelle-France et de la Basse-Normandie. Plusieurs faits permettent de voir, pour ainsi dire, le pharmacien sous un éclairage intime (âge au mariage, nombre d'enfants et stratégies de parrainage sont des exemples). Le lecteur peut aussi mesurer l'aisance financière des apothicaires et comprendre la façon dont ils gagnent leur vie au quotidien. Les mœurs des apothicaires canadiens et des pharmaciens français sont fort semblables. Toutefois, deux différences frappantes peuvent être soulignées : l'absence d'utilisation de la contraception chez les praticiens canadiens (leurs collègues bas-normands limitent leur famille à trois enfants en moyenne dans la deuxième partie du XVIIIe siècle) et le fait que la population canadienne s'endette plus pour les soins médicaux.

Dans l'ensemble, l'enquête de Stéphanie Tésio semble tout à fait unique en son genre. Aucun aspect de l'art de la pharmacie ne lui a échappé. Mais peut-être est-ce là le défaut de ce livre. En voulant tout couvrir, l'auteure n'a pas pu procéder à une analyse approfondie de son domaine. Le lecteur voit défiler une suite d'informations, sans qu'il puisse véritablement comprendre ce qui les lie entre elles. Je songe, par exemple, à la section consacrée à « la situation du livre dans les bibliothèques des apothicaires et des médecins au Moyen Age et au début de l'époque moderne ». Quels nœuds existent-ils entre cette « situation » et « la manière dont les praticiens se procurent des livres »? De plus, quelles raisons ont poussé l'auteure à remonter aussi loin que le Moyen Âge? Le lecteur est quelque peu dérouté. Je verrais une lacune dans les références bibliographiques, d'autant plus surprenante que la plume de l'auteure est précise. En effet, il devient quelquefois difficile de séparer les conclusions de l'auteure de celles de ses sources. Par exemple, l'auteure discute la notion de maladie en s'appuyant, pour commencer son propos, sur l'historien Robert Hudson, mais puisqu'il n'y a aucun appel de note on se demande dans quelle mesure ce qui suit appartient aux cogitations de l'auteure. Par ailleurs, je n'ai pas pu retrouver le nom de l'historien dans la bibliographie. À propos de celle-ci, il faut mentionner qu'une partie importante de l'ouvrage (« Les études des professions de santé au Canada ») est basée sur un mémoire de maîtrise. Il est vrai que le sujet est neuf; il est donc difficile de s'appuyer sur des études plus solides. Ce défaut est contrebalancé par les nombreux documents de première main (bien que tous les fonds ne soient pas clairement identifiés) qui tracent la voie à d'autres recherches dans le même domaine.

Armelle St-Martin
Université du Manitoba

Janine Gallant et Maurice Raymond (dir.), *Dictionnaire des œuvres littéraires de l'Acadie des Maritimes du XXe siècle,* Sudbury, Éditions Prise de parole, 2012, 319 p.

La littérature acadienne a connu un essor important depuis les années 1970 et a su s'imposer dans le paysage littéraire de la francophonie canadienne. Grâce au talent de ses auteurs – dont Antonine Maillet, Herménégilde Chiasson, Gérald Leblanc, Jacques Savoie, France Daigle ou Georgette LeBlanc – et à la richesse de leurs œuvres, la littérature acadienne a effectivement connu un rayonnement, tant sur la scène nationale qu'internationale. Or, si certains écrivains parviennent à se démarquer, d'autres sont plus ou moins passés sous silence et risquent de sombrer dans l'oubli. Ce manque de visibilité de certains textes acadiens n'a souvent rien à voir avec leurs qualités littéraires, mais tient plutôt à la fragilité des institutions en contexte minoritaire, particulièrement sur le plan de la diffusion. Aussi existe-t-il encore peu d'ouvrages de référence permettant de naviguer à travers la production littéraire qui s'est faite en Acadie depuis la fin du XIXe siècle – période qu'on a nommée la Renaissance acadienne. Outre pour les ouvrages récents de David Lonergan (*Tintamarre : chroniques de littérature dans l'Acadie d'aujourd'hui*, en 2008, et *Paroles d'Acadie : anthologie de la littérature acadienne (1958-2009)*, en 2010) ou de Serge Patrice Thibodeau (*Anthologie de la poésie acadienne*, en 2009) – qui n'offrent pas un regard exhaustif sur la littérature acadienne –, il faut remonter à la fin des années 1970 et au début des années 1980 pour trouver des ouvrages de référence couvrant l'ensemble de la production littéraire acadienne, soit en 1979 pour l'*Anthologie de textes littéraires acadiens* de Marguerite Maillet, Gérard LeBlanc et Bernard Émont et en 1983 pour l'*Histoire de la littérature acadienne : de rêve en rêve* de Marguerite Maillet. Bien que ces ouvrages aient pu faire l'objet de rééditions, ils n'en sont pas moins tombés en désuétude puisqu'ils ne tiennent pas compte de la richesse des textes publiés dans les dernières décennies du XXe siècle. La parution du *DOLAM*, le *Dictionnaire des œuvres littéraires de l'Acadie des Maritimes : XXe siècle,* dirigé par Janine Gallant et Maurice Raymond, vient donc combler un vide important au sein de la littérature acadienne en donnant accès à la recension d'un large répertoire d'œuvres littéraires publiées au siècle dernier.

La préparation d'un dictionnaire littéraire représente un projet colossal, qui demande beaucoup de temps et de ressources afin d'en rassembler et d'en colliger les informations pertinentes. Aussi les auteurs mettent-ils d'emblée en garde le lecteur sur l'absence possible de certaines œuvres qui pourraient être jugées importantes. Ils précisent effectivement qu'ils ont dû faire un choix en laissant de côté certaines œuvres, souvent « faute de collaborateurs immédiats » (p. VI). Malgré cela, on trouve dans le *DOLAM* près de 200 entrées qui présentent et analysent des œuvres littéraires – tous genres confondus – qui ont contribué à la construction d'un imaginaire propre à l'Acadie au cours du XXe siècle. Ces entrées sont généralement d'une grande qualité et donnent un bon aperçu des œuvres qu'elles abordent. Bien que les auteurs précisent que certaines recensions peuvent être plus substantielles que d'autres, variant « en fonction de l'importance attribuée aux œuvres littéraires répertoriées » (p. VI), on constate que quelques-unes ne dépassent guère la courte description qu'on retrouve généralement en quatrième de couverture. C'est le cas notamment des descriptions de *Le guetteur* de Louis Haché, de *Je n'en connais pas la fin* de Gérald Leblanc ou de *Margot la folle* d'Antonine Maillet, qui ne font que quelques lignes. Il est à noter que ces courtes descriptions sont généralement anonymes, contrairement aux recensions plus longues et plus riches qui sont attribuées à des collaboratrices et des collaborateurs de renom. Ce sont d'ailleurs ces dernières qui font la grande force de l'ouvrage puisqu'elles ne se limitent pas à une brève description des œuvres, mais qu'elles en proposent également une courte analyse qui permet au lecteur de mieux situer les œuvres dans leur contexte sociohistorique, d'en comprendre les enjeux littéraires et d'en retracer les principaux thèmes. C'est ainsi que, par la lecture des recensions de *Cri de terre* de Raymond LeBlanc, *Mourir à Scoudouc* d'Herménégilde Chiasson ou de *Pélagie-la-Charrette* d'Antonine Maillet (pour donner quelques exemples), on arrive à mieux saisir les raisons qui font de la publication de ces œuvres des moments marquants dans l'histoire de la littérature acadienne, d'une part, et de la société acadienne, d'autre part.

S'il faut souligner une faiblesse à l'ouvrage de Janine Gallant et de Maurice Raymond, mentionnons une introduction qui est plutôt courte et qui renvoie souvent à de longues citations d'articles portant sur l'histoire littéraire de l'Acadie. Notons cependant que le *DOLAM* n'a aucunement la prétention de suppléer à une histoire littéraire de l'Acadie et que le survol historique proposé par Raymond pose de manière efficace les bases historiques sur lesquelles se fonde la littérature acadienne. Dans l'introduction, Maurice Raymond trace effectivement un portrait rapide du contexte dans lequel s'inscrivent les œuvres présentées dans le dictionnaire. Il présente d'abord l'histoire et les mythes qui ont marqué la mémoire et l'imaginaire des Acadiens depuis la fondation de la colonie en 1604 à aujourd'hui, en passant par le traumatisme qu'ont représenté pour le peuple acadien les événements entourant la déportation de 1755. Sur le plan littéraire, l'auteur rappelle comment la littérature acadienne de la première moitié du XXe siècle s'est constituée, dans le sillage de la Renaissance acadienne du XIXe siècle, autour d'un projet de « ré-identification collective et de réappropriation de la mémoire » (p. X) nationale. Pour les écrivains de l'époque, la production littéraire doit répondre à une mission non équivoque : « celle de défendre la langue, les traditions et la religion d'un peuple qu'on a voulu effacer mais qui refuse résolument de disparaître » (p. XI). La deuxième moitié du XXe siècle est, pour sa part, marquée par l'entrée du discours acadien dans la modernité, particulièrement avec la parution en 1958 de *Silences à nourrir le sang* de Ronald Després et de *Pointe-aux-Coques* d'Antonine Maillet : « Ces œuvres inaugurent [...] la littérature acadienne contemporaine et enclenche un processus de *démythification* de l'Acadie [...] » (p. XIII. En italique dans le texte). Ainsi, il est possible de retracer assez nettement, au fil de l'introduction, l'évolution de la littérature acadienne et de placer les œuvres recensées dans leur contexte.

Janine Gallant et Maurice Raymond nous offrent donc, avec le *Dictionnaire des œuvres littéraires de l'Acadie des Maritimes : XXe siècle,* un ouvrage solide qui contribuera sans aucun doute au rayonnement de la littérature acadienne. Cet outil de référence intéressera non seulement un public de chercheurs et d'étudiants, mais également de professeurs de tous les niveaux scolaires ainsi que les amateurs de littérature acadienne.

Jimmy Thibeault
Université Sainte-Anne

Carol J. Harvey (dir.), *Paroles francophones de l'Ouest et du Nord canadiens*, avec la collaboration de Lise Gaboury-Diallo et François Lentz, Winnipeg, Centre d'études franco-canadiennes de l'Ouest et Presses universitaires de Saint-Boniface, 2012, 221 p.

Paroles francophones de l'Ouest et du Nord canadiens est à la fois une anthologie à but didactique – visant particulièrement les élèves de 11e et de 12e années – et un testament mnémonique du patrimoine francophone, une véritable trace de la richesse littéraire et culturelle qui cible le carrefour géographique de l'Ouest et du Nord du Canada et sa langue française protéiforme. Cette dernière, comme le titre de l'ouvrage l'indique, se manifeste surtout à travers l'oralité, là où les « paroles » émanent de poèmes, de récits, d'extraits de roman, de pièces de théâtre et se lient harmonieusement avec des images, peintures et autres documents iconographiques. L'ouvrage souligne ainsi la polyphonie du français dans cet espace, mais aussi à travers le temps. Il s'agit, en effet, d'une expression singulière et d'un témoignage collectif, répertoire vivant de « l'époque des explorateurs au monde contemporain, d'un pays qui s'ouvre à la colonisation [jusqu']au monde des fusées et des satellites », en passant « du Bouclier canadien dans l'est du Manitoba à l'océan Pacifique, et de la baie d'Hudson au nord à la frontière avec les États-Unis » (Harvey, p. XI-XII).

L'ouvrage se divise thématiquement en sept chapitres, qui recouvrent les notions d'identité, de communauté et d'altérité depuis la colonisation jusqu'à l'ère moderne. Dans ces chapitres, thèmes et auteurs sont clairement classés, présentés et contextualisés, et les principaux termes sont définis, en partant du générique littéraire tel que le « sonnet » (p. 4) jusqu'au vocable identitaire et ethnique « Métis » (p. 94). Soixante-cinq écrivains ainsi que treize artistes et photographes – outre les nombreux documents d'archives – s'unissent dans cette captivante collection qui représente un survol linéaire et authentique du milieu francophone de l'Ouest et du Nord canadiens.

Le premier chapitre, « L'espace de l'Ouest et du Nord canadiens », comme d'ailleurs tous les chapitres subséquents, regroupe une multiplicité de textes (haïkus, extraits de romans et de livres illustrés) et d'auteurs tels que Gabrielle Roy, Eileen Lohka, J. Roger Léveillé et Jean Pariseau. Cette section, qui montre de manière explicite le lien spéculaire et intrigant entre l'espace et l'individu – que ce soit la terre, le cycle des saisons, de la vie des habitants ou de la remontée des saumons, et les périls à surmonter tels que les avalanches ou, tout simplement, la rudesse de l'hiver –, englobe des territoires aussi vastes que les Prairies, « ce recueil d'étoiles / sous un même horizon » ou encore « cette voûte / qui dilue la lumière » (François-Xavier Eygun, p. 3), le Bouclier canadien, les Rocheuses, cette « barrière infranchissable! » (Maurice Constantin-Weyer, p. 10), sans oublier la côte de Tofino où « les lames déferlent / le vent erre et hurle / ses désirs discordants » (Carlo Toselli, p. 16). Ces terres, lacs, montagnes ainsi que l'océan sont imprégnés d'une « esthétique naturelle » ancestrale et contemporaine, des lieux « d'énergie exceptionnelle » (Léveillé, p. 32).

« Les relations à l'autre » constituent le deuxième chapitre : on y décrit non seulement l'hospitalité des autochtones, mais également l'hostilité des échanges entre autochtones et Européens, aussi bien qu'entre ces derniers, désormais installés, et « les vagues successives d'immigrants » (Harvey, p. 39). Les témoignages de ces rencontres apparaissent sous forme de journaux, celui de La Vérendrye, par exemple, qui, entre 1733 et 1734, narre les conflits des Monsonis et des Cris contre les Sioux, alors que La Potherie découvre et décrit le « Calumet », symbole de paix, « quelque chose de fort misterieux [*sic*] parmi les Sauvages du Nord » (p. 42). Les lecteurs découvriront également l'évolution de la dénomination « indien » et les enjeux politiques, culturels et identitaires de l'assimilation linguistique attribuable surtout à l'interdiction de l'usage de la langue autochtone, un phénomène assez récent dans l'histoire du Canada, et ce, grâce au journal intime de Maguy Duchesne. Alors que le poème « Réserves » de Lise Gaboury-Diallo sert de commentaire sur le problème récurrent des réserves et, en conséquence, sur la dynamique entre cohabitation culturelle et dominance, la poésie de Thuong Vuong-Riddick et de Tchitala Kamba offre deux exemples antithétiques de l'immigré, de l'exilé, pour lequel l'accueil est synonyme de « chaleur humaine » et de protection (p. 67), mais se colore aussi souvent d'ambiguïté :

> Partir ou rester, tel fut mon dilemme.
> Mais partir où et pourquoi ?
> Je suis d'ici, je suis d'ailleurs.
> Ma culture est d'ici et d'ailleurs.
> Elle est ma source d'inspiration et ma force (p. 69).

Le troisième chapitre, « La colonisation », largement historique, narre l'établissement des pionniers et leur « lutte contre la nature avec ses défaites et ses succès » à la fin du XIXe et au début du XXe siècle (p. 71). Les textes – pour la plupart extraits de romans ou de mémoires – de Nancy

Huston et de France Levasseur Ouimet, par exemple, sont descriptifs et réalistes, éclipsant toute image romantique et idéalisée de l'Ouest. Dans le quatrième chapitre, « Les Métis », le métissage l'emporte sur l'assimilation et c'est en grande partie « le Père fondateur du Manitoba », Louis Riel, qui est célébré, notamment par le poète Claude Dorge, sans oublier un des poèmes de Riel lui-même, « C'est au champ de bataille » (p. 99). La cinquième partie du livre, qui s'intitule « Langue et identité », met en lumière ce que dénonce cet ouvrage : l'assimilation, l'acculturation et, finalement, la perte du français dans l'Ouest et le Nord canadiens. C'est bien ce qu'évoque la chanson « Assimilé » de Michel Marchildon, dont la dernière strophe pose la question cruciale et révèle le choix du poète :

> Ferons-nous un jour
> Partie de ces ethnies
> Un « melting pot »
> de maintes patries
> ... pas moi (p. 142)

Le chapitre pénultième, « La vie moderne », reprend de manière diachronique les questions reliées à la francophonie, celles en relation avec la technologie, le progrès, l'urbanisation et l'industrialisation. Les écrivains et artistes de cette section, de Charles Leblanc, Rhéal Cenerini, Jean Chicoine à Laurent Poliquin, traitent souvent le sujet de la vie moderne de manière humoristique, voire ironique. La transcription de la langue parlée – un renouvellement linguistique – à maints registres polyphoniques de Chicoine le montre par l'exemple du dialogue entre la mère et son fils : « y a ben l'air neuf, c'te liv'-là », remarqua-t-elle, en l'ouvrant, « pis y sent neuf, où c'est qu'tu l'as pris, tu dis ? » (p. 152).

Le dernier chapitre, « Famille, amour et amitié » sert de développement à la « Vie moderne », qui voit une redéfinition du nucléus familial et de l'amour, tout en revisitant les grands thèmes qui nourrissent la littérature depuis toujours. Cette dernière section regroupe, en quelque sorte, tous les thèmes de l'anthologie, tout en soulignant la raison d'être de cette dernière : assurer la survie du français, comprendre les cycles de l'histoire et la place qu'y occupent l'individu et l'humanité. Charles Leblanc, dans son poème « 1 + 1 = 2 et parfois plus », résume en quelques strophes ces problématiques, en passant en revue les notions d'abus de pouvoir, d'égocentrisme, de subjectivité moderne, de temps transitoire et éphémère ainsi que de poids de la tradition orale et écrite d'une langue à l'égard de l'individu :

certaines espèces ont oublié
qu'elles pouvaient disparaître
comme on efface une virgule
les dinosaures et d'autres bestioles
se sont tus pour nous le dire

et nous
nous ne sommes qu'un point-virgule
qui a su se placer dans le texte de la vie
et qui se prend parfois pour un point final (p. 190)

L'emploi de la ponctuation métaphorique permet de juxtaposer l'espace textuel et l'espace géographique, là où existaient encore les dinosaures et le mont Agassiz. Encore une fois, la notion de partage et de continuité à travers le temps est soulignée, et la parole orale – celle qui transmet des histoires, des chansons, des mœurs – aussi bien que la parole écrite – la virgule, le point-virgule et le point final, des symptômes d'une temporalité subjective – courent le risque d'être vouées à l'entropie si l'humanité ne comprend pas la nature cyclique de l'histoire et la nécessité de s'engager pour assurer la pérennité de la langue et de la culture francophone, que ce soit dans l'Ouest ou le Nord canadiens, ou ailleurs. L'anthologie *Paroles francophones de l'Ouest et du Nord canadiens*, bien qu'elle cible une spatio-temporalité bien précise, contient un certain universalisme qui fait fi des barrières linguistiques et culturelles, et incite les élèves d'horizons divers à découvrir cette histoire par l'intermédiaire de textes séduisants et uniques.

Antonio Viselli
Université de Toronto

Mourad Ali-Khodja et Annette Boudreau (dir.), *Lecture de l'Acadie : une anthologie de textes en sciences humaines et sociales, 1960-1994,* suivi de *Réflexions sur les savoirs en milieu minoritaire,* Montréal, Éditions Fides, 2009, 640 p.

L'anthologie préparée par Mourad Ali-Khodja et Annette Boudreau, respectivement sociologue et sociolinguiste à l'Université de Moncton, vise à offrir un aperçu de la production scientifique acadienne en sciences humaines de 1960 à 1994. L'ouvrage renferme 29 textes précédés d'un avant-propos et clos par une postface substantielle (« Réflexions sur les savoirs en milieu minoritaire ») signés par les deux éditeurs. Cette entreprise imposante (plus de 600 pages) d'exhumation et d'actualisation d'articles, de chapitres de livres et de conférences déjà anciens s'insère dans un courant émergent qui cherche à dresser le bilan des traditions disciplinaires du point de vue de l'épistémologie (voir, par exemple, au Québec, l'anthologie de la sociologie québécoise préparée par Gilles Gagné et Jean-Philippe Warren en 2005, ou celle de l'histoire québécoise par Éric Bédard et Julien Goyette en 2006). C'est le signe que nous sommes rendus à un moment où il est possible de faire retour sur des décennies de connaissances objectives pour nous interroger, sans nostalgie ni suffisance, sur le chemin parcouru.

Dans le cas de *Lecture de l'Acadie*, le résultat est impressionnant. Nous avons droit, de la part d'Ali-Khodja et Boudreau, à un « *travail de réhabilitation* de la mémoire savante d'une communauté » et à un « *travail de réappropriation* d'un patrimoine scientifique et intellectuel » qui ne laissent pas d'enrichir, par la présentation en un seul bloc d'un corpus assez disparate, notre compréhension de l'Acadie. Pour ce faire, il a fallu procéder à des choix. Par exemple, les textes rassemblés par les deux professeurs de Moncton concernent d'abord le Nouveau-Brunswick, au détriment des autres communautés acadiennes (de Terre-Neuve, de Louisiane, etc.). Ensuite, le découpage chronologique signifie que les études qui précèdent l'élection de Robichaud et celles qui suivent le Congrès mondial acadien n'ont pu être citées. Les éditeurs ont préféré se concentrer sur la période dite de la « modernisation » de la communauté acadienne, et n'ont pas voulu s'aventurer vers la période plus récente, de crainte de dévier de leur objectif premier, qui était de redonner vie à des analyses souvent méconnues (certaines sont publiées ici pour la première fois). Enfin, la sélection des contributions suscite en soi un long débat sur l'inclusion ou l'exclusion de tels ou tels travaux ou de tel ou tel chercheur. Ce type de polémique est inhérent au genre, et il est probable que l'exclusion des textes d'Adrien Bérubé, de Pierre Trépanier, de Jean Daigle, d'André Leclerc, de Fernand Arsenault, de Gérald Boudreau, de Philippe Doucet, de Michel Doucet, de Pierre Foucher, de Jean-Marie Nadeau ou de Clément Cormier, pour ne nommer que ceux-là, suscitera bien des commentaires.

Une des déceptions que j'ai éprouvée à la lecture du livre vient des maigres présentations qui chapeautent chaque texte. Les notices (environ une demi-page) qui coiffent les contributions retenues ne situent pas assez, selon moi, la parution des travaux dans leur contexte respectif. On ne sait à peu près rien des débats qui ont présidé à la rédaction des textes, ni des trajectoires personnelles des auteurs, à part les biographies à mes yeux trop sommaires insérées à la fin de l'ouvrage (pour ne citer que cet exemple, il n'est pas même mentionné que Jean-Paul Hautecoeur fut coopérant français). Cela rend difficile la lecture de cette anthologie passablement diversifiée, d'autant plus qu'on ne connaît pas l'impact éventuel des textes sur les discussions savantes ou publiques.

Ces réserves faites, il n'en demeure pas moins que la traversée de trente-quatre années de recherche sur les francophones du Nouveau-Brunswick et d'ailleurs s'avère passionnante. Il y en a pour tous. On passe ainsi d'une étude sur la poésie acadienne à une autre sur le fait français, à une autre encore sur le développement régional. Il est évident que cette anthologie est promise à devenir un ouvrage de référence pour les étudiants et les professeurs. On prend plaisir à lire pour la première fois, ou à relire dans certains cas, des textes qui offrent aussi bien des bilans critiques que des questionnements toujours actuels.

Au milieu de cette hétérogénéité des sujets et des perspectives, on trouve pourtant, par la force des choses et non seulement à cause des spécialisations des directeurs de l'anthologie, deux dominantes, à savoir la question nationale et la question linguistique. Comme l'Acadie, pour la période étudiée, se présente comme un peuple distinct, et que ce peuple se définit d'abord par sa langue, il est normal de constater que l'ensemble des contributions gravite, d'une manière ou d'une autre (voir, par exemple, « *L'Évangéline* de Longfellow : naissance et réception d'une légende », par Naomi Griffiths, ou « Regards sur l'antibilinguisme », par Marc L. Johnson), autour de ces préoccupations fondamentales.

Plutôt que d'adopter un découpage par thème ou par discipline, les éditeurs ont choisi de présenter les textes par ordre chronologique. Le lecteur ne peut pas ne pas remarquer que les premiers textes de l'anthologie entreprennent un procès très véhément d'un passé considéré comme avilissant et misérabiliste. Au sortir de la Seconde Guerre mondiale, une Acadie « anomique » et « sans projet » (*dixit* Camille-Antoine Richard) cherche à se réapproprier le sens de l'histoire alors que s'écroulent les vieilles certitudes et que peine à s'imposer un nouveau discours libérateur (libéral ou socialisant). Au moment où les Acadiens s'assurent une place grandissante dans les affaires publiques (avec l'élection de Louis

Robichaud en 1960, la fondation de l'Université de Moncton en 1963, etc.), il est paradoxal de constater que l'idée de l'Acadie devient de plus en plus problématique et évanescente, jusqu'à se trouver carrément niée dans le fameux *L'Acadie perdue* de Michel Roy, publié en 1978. Pour les praticiens des sciences sociales, le discours nationaliste d'autrefois s'appuyait sur une homogénéité factice, dont l'artificialité a éclaté au grand jour dans les années 1960, et ils souhaitent donc formuler sur ses ruines une nouvelle cohérence, à la fois scientifique et politique. Cet effort de totalisation est clair chez maints auteurs, à commencer par Joseph Yvon Thériault qui, dans un texte très stimulant (« Domination et protestation : le sens de l'acadianité »), invite, en 1980, à « faire sens » de l'Acadie. Il y a eu ainsi, pendant quelques années au moins, une tentation de refondation sociétale partagée par plusieurs universitaires ayant voulu, chacun à leur manière, retraduire la visée de l'historiographie nationale (lire « L'Acadie, ou le culte de l'histoire », par Patrick D. Clarke) dans le langage des sciences sociales, lesquelles étaient promises à devenir la nouvelle conscience de soi de la communauté acadienne. Cette utopie en quelque sorte comtienne, jamais tout à fait explicite, s'est essoufflée dès le milieu des années 1980, et il semble bien que les derniers textes de l'anthologie pointent vers une spécialisation et une professionnalisation des sciences sociales qui suivent des tendances qui affectent le reste du monde universitaire en Amérique du Nord. J'en veux pour exemple le texte de Maurice Beaudin et Donald J. Savoie (1988) ainsi que celui de Greg Allain et Serge Côté (1985) qui parlent de développement régional, ou encore le texte d'Isabelle McKee-Allain et Huguette Clavette (1983) qui s'intéresse aux femmes comme catégorie sociale.

L'évolution des thèmes et des démarches des chercheurs choisis pour cette anthologie illustre, il me semble, des inflexions générales de la recherche universitaire. D'ailleurs, comment pourrait-on croire que l'anthologie évoque seulement le sort des sciences humaines au sein des « petites nations » quand une part non négligeable des contributeurs n'a pas été formée dans les Maritimes, et n'y a séjourné que quelques années seulement ? C'est pourquoi tout autant ceux qui cherchent une occasion de mieux connaître (principalement) les francophones du Nouveau-Brunswick que ceux qui s'intéressent au devenir des savoirs durant la période cruciale de 1960 à 1994 trouveront dans l'anthologie préparée par Ali-Khodja et Boudreau de riches pistes de réflexion.

Jean-Philippe Warren
Université Concordia

Résumés / Abstracts

Michel Bock et Serge Miville

Participation et autonomie régionale : l'ACFO et Ottawa face à la critique des régions (1969-1984)

Cet article analyse la problématique des régionalismes identitaires en Ontario français dans le contexte de la montée de l'idéologie de la participation des années 1970 et du début des années 1980. En 1969, l'adoption, par l'Association canadienne-française de l'Ontario (ACFO), d'un vaste programme d'animation socioculturelle contribua, à certains égards, à exacerber les fractures régionales qui traversaient la collectivité franco-ontarienne. Si l'objectif de l'animation était de permettre aux régions de prendre leur propre destin en main, tout en suscitant leur participation au grand projet d'autonomisation institutionnelle de l'ACFO, dans certains cas, les dirigeants locaux en vinrent à formuler une critique cinglante à l'endroit de l'élite ottavienne, qui souffrait, à leurs yeux, d'un déficit de « représentativité ». L'étude permet de cerner quelques-unes des difficultés liées à la création d'une référence franco-ontarienne commune et capable de transcender les clivages régionaux.

This article examines the issue of regional identities in Francophone Ontario within the context of the emergence of a participation ideology during the 1970's and the beginning of the 1980's. In 1969, the adoption of a vast sociocultural development program by the Association of French Canadians in Ontario (ACFO) contributed to and in some respects exacerbated the regional fractures that spanned the Franco-Ontarian community. If the objective of this development program was to allow regions to choose their own destiny while instigating their participation in ACFO's larger scheme of institutional empowerment, in some cases, the local leaders proceeded to formulate a scathing criticism of the place of the Ottawa elite, who, in their opinion, suffered from a lack of "representativeness". This study allows the identification of some of the difficulties related to the creation of a common Franco-Ontarian reference capable of transcending regional divisions.

Hélène Beauchamp

Hommes d'affaires et hommes de cœur : Edmond Beauchamp (1887-1964) et Aurèle Beauchamp (1911-1999)

Edmond Beauchamp a œuvré au sein de la Cour Sainte-Anne des Forestiers catholiques et a été actif en politique municipale ; Aurèle Beauchamp a tenu une épicerie-boucherie dans son quartier pendant plus de trente ans, contribuant par sa constance au bien-être de sa communauté. Ces hommes, ce sont le grand-père et le père de l'auteure. Ils ont vécu dans la Basse-Ville Est d'Ottawa, y ont travaillé et élevé leurs enfants. Hélène Beauchamp veut leur rendre hommage et dire leur contribution à l'histoire des francophones d'Ottawa. Elle a tiré l'information nécessaire à cet article dans des documents d'archives et des documents légaux, ce qui situe son récit entre mémoire et histoire.

Edmond Beauchamp worked within the Catholic Foresters' Cour Ste-Anne and was active in municipal politics; Aurèle Beauchamp ran a grocery store and butchery for more than 30 years, contributing to the welfare of his community through his steadfastness. They are the author's grandfather and father, and they lived in the East Lower Town in Ottawa, where they worked and raised their children. Hélène Beauchamp wanted to pay homage to them, and describe their contribution to the francophone narrative of Ottawa. She drawn the necessary information for this article from archival and legal documents, situating this article between memory and history.

E.-Martin Meunier et Jean-François Nault

L'archidiocèse catholique d'Ottawa et sa francophonie : portrait statistique, comparaison et analyse sociohistorique (1968-2008)

Cet article cherche à mieux comprendre la spécificité de la catholicité francophone de l'archidiocèse d'Ottawa à travers l'examen de données statistiques inédites portant sur les pratiques et l'appartenance catholique de l'archidiocèse (1968-2008). À partir de données et de résultats d'une recherche plus large sur le catholicisme au Québec et au Canada et de données statistiques canadiennes inédites à l'échelle diocésaine, cet article contribue à une meilleure compréhension des dynamiques propres qui traversent la catholicité francophone de l'Ontario, et surtout d'Ottawa, en examinant l'évolution de divers indicateurs touchant le catholicisme et les francophones de l'archidiocèse. Naviguant entre deux structures distinctes, soit une à dominance francophone et une à dominance plutôt anglophone / allophone, le catholicisme de l'archidiocèse d'Ottawa est ici exploré dans toute son originalité au sein du contexte ontarien. De plus, diverses variables sociodémographiques sont utilisées afin de comprendre les particularités du catholicisme en contexte ottavien.

This article seeks to better understand the specificity of Francophone catholicity of the Archdiocese of Ottawa through the analysis of unpublished statistics on the practice of and affiliation to the Catholic Archdiocese (1968-2008). Using the statistics of a larger study on Catholicism in Québec and in Canada, and unpublished Canadian statistics on the diocesan scale, this article grants a greater understanding of the dynamics that span the Francophone catholicity of Ontario, and above all, of Ottawa, by examining the evolution of diverse indicators that touch both Catholicism and the Francophones of the archdiocese. Navigating between two distinct organisations, one of a Francophone dominance and one of a more Anglophone / Allophone dominance, the Catholicism of the Archdiocese of Ottawa is explored in all of its originality within its Ontarian context. Diverse socio-demographic variables are used to in order to understand the distinctive features of Catholicism in an Ottawa context.

Linda Cardinal et Anne Mévellec

La représentation politique des francophones d'Ottawa : la situation des élus francophones au conseil municipal, 2000-2010

Ce texte porte sur la représentation politique des francophones à la Ville d'Ottawa de 2000 à 2010 et questionne, de façon exploratoire, les rapports de force existant à l'Hôtel de ville. Pour ce faire, les auteures présentent un portrait de la situation démo-géographique des francophones à Ottawa, permettant de définir quatre types de quartiers : populeux, francophones, linguistiquement variés et anglophones. Cette typologie est ensuite utilisée pour présenter et discuter les données électorales qui permettent de conclure à une forte territorialisation et à une grande stabilité de la représentation politique francophone. Ces résultats permettront de mieux comprendre comment les intérêts francophones sont portés au conseil municipal et par la suite traités.

This text focuses on the political representation of Francophones in the city of Ottawa from 2000 to 2010, and questions, in an exploratory fashion, the current power relations at City Hall. The authors present a portrait of the demo-geographic situation of Francophones in Ottawa, allowing the identification of four types of neighbourhood: populous, Francophone, linguistically varied, and Anglophone. This classification is then used to present and discuss the electoral statistics that allow the conclusion of a strong territorialisation and stability of Francophone political representation. These results grant a better understanding of how francophone interests are brought to and dealt with by the municipal council.

Ariane Brun del Re

À la croisée de *La Côte de Sable* et de *King Edward* : Ottawa, capitale littéraire de l'Ontario français?

Dans le sillon des travaux de Pascale Casanova et de Raoul Boudreau sur les capitales littéraires, cet article s'interroge sur le rôle joué par Ottawa au sein de l'espace littéraire franco-ontarien. À plusieurs égards, Ottawa rappelle Moncton, capitale littéraire de l'Acadie aujourd'hui bien instituée. Cependant, malgré sa forte concentration de ressources littéraires et sa mise en récit dans des textes qui visent à lui rendre hommage, la capitale fédérale n'est pas parvenue à devenir une capitale littéraire pour l'Ontario français. L'étude des stratégies d'écriture employées par Daniel Poliquin dans *La Côte de Sable* et par Michel Ouellette dans *King Edward* pour mettre cette ville en scène permettra de cerner les limites du mythe ottavien, pourtant nécessaire à la transformation de la ville en capitale littéraire.

In the same vein as the works of Pascale Casanova and Raoul Boudreau on literary capitals, this article investigates the role played by Ottawa within the field of Franco-Ontarian literature. In many respects, Ottawa calls Moncton, the well-established literary capital of Acadia, to mind. However, despite a high concentration of literary resources and its usage in texts that aim to pay it tribute, the federal capital has not established itself as the literary capital of Francophone Ontario. The study of writing strategies employed by Daniel Poliquin in La Côte de Sable *and Michel Ouellette in* King Edward *to stage this city permit the identification of the limits of the Ottawa myth, which is necessary for the city's transformation into a literary capital.*

Anne Gilbert

La signature frontalière de l'identité franco-ontarienne

Dans la région de la capitale nationale du Canada, les Québécois et les Franco-Ontariens sont non seulement voisins, mais ils partagent aussi un riche historique de liens et d'échanges. Cependant, cette frontière qui les rapproche aurait à la fois le pouvoir de les éloigner, les occasions étant nombreuses de constater que les uns et les autres ne parlent pas tout à fait la même langue et ne s'abreuvent pas à la même culture. C'est la thèse que l'auteure propose, en s'appuyant sur le témoignage d'une trentaine de Franco-Ontariens de la région sur leur vie quotidienne, à cheval sur la frontière. La première partie du texte porte sur ce que ressentent les Franco-Ontariens lorsqu'ils traversent à Gatineau. Le fait d'y côtoyer les Québécois sur leur territoire offre, chez nos interlocuteurs, de nombreuses occasions de s'identifier comme Franco-Ontariens et de consolider leur fierté. La seconde partie du texte décrit les sentiments que suscite, au contraire, la présence de Québécois dans les institutions francophones et bilingues d'Ottawa. Elle fait état de l'exclusion que ressentent les Franco-Ontariens lorsque les Québécois s'amènent sur leur propre terrain, révélant un côté moins lumineux de l'effet de frontière sur l'identité franco-ontarienne. Citations à l'appui, Anne Gilbert montre que, dans les deux cas, le discours identitaire franco-ontarien puise dans cette dernière des arguments agrégatifs fort convaincants.

In the region of Canada's national capital, the Québécois and the Franco-Ontarians are not only neighbours, but share a rich history of connections and exchanges as well. However, this border that draws them closer conversely has the power to push them apart, and opportunities to observe that the two do not quite speak the same language or participate in the same culture are numerous. This is the thesis that the author proposes, based on the discourse of thirty Franco-Ontarians of the region in their daily life, straddling the border. The first part of the text discusses what Franco-Ontarians feel when they cross to Gatineau. The ability to rub shoulders with the Québécois in their territory offers, to our contacts, a chance to self-identify as Franco-Ontarians and to strengthen their pride. The second part of the text describes in turn the feelings evoked by the presence of Québécois in francophone and bilingual institutions in Ottawa. It acknowledges the exclusion felt by Franco-Ontarians when the Québécois bring themselves onto their soil, revealing a darker side of the border's effect on the Franco-Ontarian identity. Anne Gilbert will show that in both cases, the discourse of Franco-Ontarian identity draws extremely convincing aggregative arguments for the latter.

Michael Poplyansky

Unilinguisme québécois et bilinguisme acadien : les politiques linguistiques du Parti québécois et du Parti acadien, 1970-1978

Le présent article compare la politique linguistique du Parti québécois (PQ) avec celle du Parti acadien (PA) pendant les années 1970. Ces deux formations partagent le même objectif fondamental : fonder un État national. Pourtant, le PQ voue une attention considérable à la politique linguistique, ce qui n'est pas du tout le cas pour son homologue acadien. Selon nous, cela traduit une mentalité de minoritaires qui persiste chez les militants du PA. Même s'ils veulent que les Acadiens forment une majorité démographique au sein d'un État national, ils sont entièrement tournés vers la survie de leur propre groupe ethnoculturel. Ils ne peuvent accepter le fait qu'ils constituent une « majorité » normale, capable d'imposer sa langue à l'Autre.

This article compares the linguistic policy of the Parti québécois (PQ) with that of the Parti acadien (PA) during the 1970's. These two organisations shared the same fundamental objective: found a nation-state. However, the PQ devoted considerable attention to linguistic policies, which was not at all the case for its Acadian counterpart. We would posit that this comes back to a minority mentality, which persists among PA campaigners. Even if they wish for the Acadians to form a majority demographic within a nation-state, they are completely preoccupied by the survival of their own ethno-cultural group. They cannot accept the notion that they make up, for all intents and purposes, a normal "majority", capable of imposing their own language on Others.

Sathya Rao et Denis Lacroix

Sur la piste de Magali Michelet, femme de lettres et chroniqueuse de l'Ouest canadien

Cet article pose les jalons pour l'analyse de l'œuvre méconnue de Marie Louise (Magali de son nom de plume) Michelet, femme de lettres d'origine française ayant vécu une dizaine d'années en Alberta. En plus d'avoir signé une pièce de théâtre ainsi qu'un roman épistolaire, Magali est l'auteure d'une chronique intitulée « Le Coin féminin », qui a paru pendant près de dix ans dans l'hebdomadaire francophone *Le Courrier de l'Ouest.* Ayant correspondu avec des journalistes québécoises de renom comme Robertine Barry (alias Françoise), Magali s'est imposée comme une référence incontournable de la vie littéraire franco-albertaine du début du XXe siècle. Attirée par le milieu en pleine effervescence des lettres québécoises, Magali a épousé la cause canadienne-française tout en assumant pleinement ses origines françaises. Ainsi au fil de ses chroniques, Magali est parvenue à jeter un pont unique entre la France, le Québec et l'Alberta.

This article paves the way for the analysis of the lesser-known works of Marie Louise (pen name Magali) Michelet, a female writer of French origins, who lived in Alberta for ten years. In addition to having written a play as well as an epistolary novel, Magali is the author of a column entitled "Le Coin féminin", *which appeared for more than ten years in the weekly francophone paper,* Le Courrier de l'Ouest. *Having corresponded with renowned female Québécois journalists such as Robertine Barry (alias Françoise), Magali established herself as a staple of Franco-Albertan life of the beginning of the twentieth century. Attracted by the effervescent environment of Québécois writing, Magali embraced the French-Canadian cause all the while upholding her French origins. Through her columns, Magali was able to uniquely bridge the gap between France, Québec, and Alberta.*

Notices biobibliographiques

Hélène Beauchamp, historienne et analyste, s'est intéressée à l'évolution du théâtre professionnel au Québec et au Canada français. Elle a enseigné à l'Université d'Ottawa, puis à l'École supérieure de théâtre de l'Université du Québec à Montréal, qui lui a conféré le statut de professeure émérite. Ses publications ont porté sur le théâtre jeune public, la pédagogie artistique, la dramaturgie et la scénographie au Québec et au Canada français. Elle contribue présentement, à l'Université d'Ottawa, aux travaux du Chantier Ottawa : Construction d'une mémoire française à Ottawa, projet pluridisciplinaire. Elle coordonne la rédaction des *Cahiers* du Théâtre Denise-Pelletier (Montréal).

Michel Bock est professeur agrégé au Département d'histoire de l'Université d'Ottawa, titulaire de la Chaire de recherche sur l'histoire de la francophonie canadienne et spécialiste de l'histoire intellectuelle du Québec et du Canada français. Ses travaux portent sur les facteurs qui ont contribué à l'essor et au déclin du Canada français en tant que référence identitaire et réalité institutionnelle ainsi que sur l'origine et la portée des divers projets qui y ont succédé au sein de la francophonie canadienne. Il est aussi directeur de recherche au Centre interdisciplinaire de recherche sur la citoyenneté et les minorités (CIRCEM) et directeur de la collection « Amérique française » aux Presses de l'Université d'Ottawa.

Ariane Brun del Re est étudiante au doctorat en lettres françaises à l'Université d'Ottawa. Elle est titulaire d'une maîtrise en littérature de l'Université McGill, dans le cadre de laquelle elle a rédigé une thèse sur les villes de Moncton et d'Ottawa en tant que capitales littéraires de l'Acadie et de l'Ontario français. Au cours des dernières années, elle a fait paraître des textes dans *Voix plurielles*, *Liaison*, *Nouvelles études francophones* et *La Relève*. Ses recherches portent sur les littératures francophones du Canada.

Francophonies d'Amérique, n° 34 (automne 2012), p. 227-232

Linda Cardinal, professeure à l'École d'études politiques, est titulaire de la Chaire de recherche sur la francophonie et les politiques publiques de l'Université d'Ottawa. Ses recherches portent sur les minorités linguistiques, les thèmes du conflit, de l'identité et de la citoyenneté au Canada et au Québec. Elle a publié de nombreux articles sur ces questions et dirigé : *Minorités, langue et politique* (numéro spécial de la revue *Politique et Sociétés*, 2010), *Le conservatisme : le Canada et le Québec en contexte* (Presses de la Sorbonne, 2009), *Le fédéralisme asymétrique et les minorités linguistiques et nationales* (Éditions Prise de parole, 2008) et *Managing Diversity* (Les Presses de l'Université d'Ottawa, 2007).

François Dumont est professeur titulaire au Département des littératures de l'Université Laval. Il a publié des études portant principalement sur la poésie et sur l'essai, dont *L'éclat de l'origine* (L'Hexagone, 1989), *Usages de la poésie* (Les Presses de l'Université Laval, 1993), *La poésie québécoise* (Éditions du Boréal, 1999), *Approches de l'essai* (Éditions Nota bene, 2003) et *Le poème en recueil* (Éditions Nota bene, 2010). Il est l'auteur de poèmes, dont *Brisures* (Le Noroît, 2005), et de chansons, dont *Détours* (L'Atelier volant, 2013). Il a aussi coécrit, avec Michel Biron et Élisabeth Nardout-Lafarge, *Histoire de la littérature québécoise* (Éditions du Boréal, 2007).

Anne Gilbert est directrice du Centre de recherche en civilisation canadienne-française de l'Université d'Ottawa. Spécialiste reconnue des minorités francophones du Canada, elle mène divers travaux sur leurs espaces et leurs territoires. Elle est rattachée au Département de géographie et son enseignement porte sur les francophonies minoritaires. Elle dirige le Chantier Ottawa, vaste projet pluridisciplinaire qui porte sur la présence française dans la capitale nationale, au cours de cette période tumultueuse que furent les années 1970 sur le plan de la vie intellectuelle, institutionnelle et communautaire. Avec Joseph Yvon Thériault et Linda Cardinal, elle a coordonné en 2008 la production d'un ouvrage phare sur les nouveaux enjeux du développement de la francophonie canadienne. Elle a publié en 2010 une synthèse des travaux de son équipe de recherche sur la vitalité des communautés francophones du pays.

Lucie Hotte est vice-doyenne à la recherche à la Faculté des arts de l'Université d'Ottawa. Elle est aussi titulaire de la Chaire de recherche sur les cultures et les littératures francophones du Canada et professeure titulaire au Département de français. Ses recherches portent sur ces trois principaux champs d'intérêt : les théories de la lecture, les littératures minoritaires et l'écriture des femmes. Elle s'intéresse aussi à la réception critique des œuvres d'écrivains marginaux. Elle a beaucoup publié sur les littératures franco-canadiennes et les enjeux institutionnels propres aux littératures minoritaires.

Patrick Imbert est professeur titulaire au Département de français de l'Université d'Ottawa où il est également titulaire de la Chaire de recherche intitulée Canada : défis sociaux et culturels dans une société du savoir. Il a été directeur exécutif de l'International American Studies Association (2005-2009) et président de l'Académie des arts et des sciences humaines de la Société royale du Canada de 2009 à 2011. Il a publié 28 livres et 300 articles concernant les littératures québécoise et française, la sémiotique et le transculturalisme.

Michelle Keller termine sa maîtrise en français à l'Université du Manitoba. Son mémoire porte sur la presse en milieu minoritaire francophone au Manitoba et, plus particulièrement, sur les discours journalistiques de *La Liberté* et du *St. Boniface Courier = Le Courrier de Saint-Boniface* relatifs à la place accordée aux anglophones, aux francophones et aux Métis. Depuis septembre 2011, elle est aussi chargée de cours à l'Université du Manitoba. Elle a obtenu son baccalauréat (*Double Honours*) en français et en psychologie à la même université en 2009.

Denis Lacroix est bibliothécaire de langues romanes, d'études latino-américaines et d'histoire de l'Europe de l'Ouest à l'Université de l'Alberta. Outre sa maîtrise en bibliothéconomie, il détient aussi des diplômes en éducation et en langues et littératures française et espagnole. Il a publié dans les domaines du développement des collections et de la littératie informationnelle au Canada, en République dominicaine et en Allemagne (voir [http://guides.library.ualberta.ca/denislacroix]). Il souhaite faire connaître les Français de l'Ouest canadien et, pour ce faire, il collabore avec Sathya Rao à la recherche sur Alexandre et Magali Michelet.

E.-Martin Meunier est professeur agrégé au Département de sociologie et d'anthropologie de l'Université d'Ottawa et titulaire de la Chaire de recherche Québec, francophonie canadienne et mutations culturelles. Il est également directeur du Centre interdisciplinaire de recherche sur la citoyenneté et les minorités (CIRCEM) de l'Université d'Ottawa. Ses recherches portent sur différents sujets, allant de la sociologie de la société québécoise à la sociologie des religions, en passant par l'analyse sociale et historique du Canada français. Il dirige un chantier de recherche subventionné par le Conseil de recherches en sciences humaines du Canada (CRSH), « Vers une sortie de la religion culturelle des Québécois? Enquête quantitative et qualitative au Québec et au Canada (1968-2014) ».

Anne Mévellec est professeure agrégée à l'École d'études politiques de l'Université d'Ottawa. Ses recherches portent sur la sociologie des élus municipaux au Québec et en Ontario. Dans le cadre d'une recherche sur l'état de la démocratie locale au Québec, financée par le Conseil de recherches en sciences humaines du Canada (CRSH), elle a publié, avec Manon Tremblay, « Truly More Accessible to Women than the Legislature? Women in Municipal Politics » (dans Jane Arscott, Linda Trimble et Manon Tremblay (dir.), *Stalled: The Representation of Women in Canadian Governments*, University of British Columbia Press, p. 19-35) ainsi que « Les partis politiques municipaux : la "westminsterisation" des villes du Québec? » (*Recherches sociographiques*, 2013, p. 325-347).

Philippe Michaud-Simard est étudiant en droit à l'Université du Québec à Montréal (UQAM) où il a obtenu un baccalauréat en relations internationales et droit international. Il prend maintenant part à l'édition du journal des étudiants du module des sciences juridiques de l'UQAM, *L'Affidavit*, tout en participant au développement du Projet migrant. Cette organisation étudiante vise la défense et la promotion des droits des travailleurs haïtiens en République dominicaine par la sensibilisation de la population, la recherche scientifique et l'activisme. Dans cette perspective, le Projet migrant produit diverses publications sur ce thème (voir le site Web [www.projetmigrant.org]).

Serge Miville est doctorant en histoire à l'Université York. Il s'intéresse à la construction et à l'évolution des discours nationalistes véhiculés par les intellectuels publics au Canada français et au Canada anglais durant la période de l'après-guerre. Sa thèse de maîtrise, portant sur l'identité et la mémoire canadienne-française dans la presse franco-ontarienne, a remporté le prix René-Lupien de la Faculté des études supérieures et postdoctorales de l'Université d'Ottawa en 2012.

Jean-François Nault est candidat au doctorat en sociologie à l'Université de Toronto. Dans le cadre de sa thèse de maîtrise intitulée *Le choix des parents : éducation, identité et religion en Ontario français : le cas d'Orléans*, présentée à l'Université d'Ottawa, il a cherché à comprendre le lien entre l'identité franco-ontarienne et l'héritage catholique du Canada français en étudiant la question du choix scolaire en Ontario français. Il se spécialise présentement en sociologie de la culture et en méthodes quantitatives à l'Université de Toronto et s'intéresse particulièrement à la dimension culturelle du choix scolaire.

François Ouellet est professeur titulaire de littérature à l'Université du Québec à Chicoutimi, où il est également titulaire d'une Chaire de recherche du Canada sur le roman moderne. Il a publié une quinzaine d'ouvrages et de très nombreux articles sur les littératures française, québécoise et franco-ontarienne. Son dernier livre, *La fiction du héros : l'œuvre de Daniel Poliquin*, a paru en septembre 2011 aux Éditions Nota bene. Il dirige, par ailleurs, la collection « Grise » chez ce même éditeur. Il termine actuellement la rédaction d'un livre sur Victor-Lévy Beaulieu et Jacques Ferron.

Michael Poplyansky est professeur à l'Université Sainte-Anne. Sa thèse de doctorat s'intitule *Devenir majoritaires : les destins divergents des nationalismes québécois et acadien, 1960-1985*. Il a publié dans plusieurs revues dont *Argument* et la *Revue d'histoire de l'Amérique française*.

Sathya Rao est professeur agrégé au Département de langues modernes et d'études culturelles à l'Université de l'Alberta. Il est l'auteur de nombreuses publications dans les domaines de la théorie de la traduction et des études francophones. En 2006, il a été récipiendaire du prix Vinay-et-Darbelnet, décerné par l'Association canadienne de traductologie. Ses projets de recherche portent sur l'histoire de la presse francophone en contexte minoritaire et sur l'œuvre de Magali Michelet.

Armelle St-Martin est enseignante-chercheure à l'Université du Manitoba. Ses publications portent sur l'histoire de la médecine au XVIIIe siècle et ses liens avec la fiction romanesque.

Jimmy Thibeault est professeur adjoint au Département d'études françaises de l'Université Sainte-Anne, où il est titulaire de la Chaire de recherche du Canada en études acadiennes et francophones. Il y enseigne les littératures acadienne, québécoise, franco-ontarienne et francophone de l'Ouest canadien. Ses recherches portent principalement sur la représentation des enjeux identitaires individuels et collectifs, sur la représentation et l'interprétation des traces de la mémoire et de l'imaginaire francophones dans les fictions de l'américanité et de la franco-américanité ainsi que sur la place qu'occupe le discours migrant dans la reconfiguration identitaire des espaces francophones. Il a publié de nombreux articles et chapitres de livres abordant ces problématiques.

Antonio Viselli termine une thèse de doctorat au Centre de littérature comparée à l'Université de Toronto sur les enjeux musicaux – notamment la fugue – dans le symbolisme français et dans le modernisme européen. Il a publié des articles dans ce domaine ainsi que sur la subjectivité moderne, sur l'intertextualité et l'adaptation, et sur la notion d'hospitalité, particulièrement chez Tristan Corbière, Jean-Jacques Rousseau, Oscar Wilde, James Joyce, Cesare Pavese, entre autres. Il prépare actuellement deux ouvrages collectifs, *An Iconoclasm Dictionary* et *(An)Aesthetic of Absence = Une esthétique de l'absence.*

Jean-Philippe Warren est titulaire de la Chaire d'études sur le Québec à l'Université Concordia. Auteur de plus de 200 articles parus dans des revues scientifiques et intellectuelles, il s'intéresse au développement de la société québécoise au XXe siècle.

Politique éditoriale

Francophonies d'Amérique est une revue pluridisplinaire dans le domaine des sciences humaines et des sciences sociales. Elle paraît deux fois l'an. La direction de la revue favorise non seulement la représentation équitable des diverses disciplines, mais elle encourage également les croisements disciplinaires. L'Ontario, l'Acadie, l'Ouest canadien, les États-Unis et les Antilles (Haïti, Martinique, Guadeloupe) y sont représentés. Le Québec peut aussi y être conçu comme un objet d'étude dans son histoire et sa présence continentales. Les diverses facettes de la vie française dans ces régions font l'objet d'analyses et d'études à la fois savantes et accessibles à un public qui s'intéresse aux « parlants français » en Amérique du Nord. On y retrouve aussi des comptes rendus et une bibliographie des publications récentes en langue française issues de ces collectivités. La direction de la revue privilégie la représentation des régions tant par les textes que par les auteurs et encourage les études comparatives et les perspectives d'ensemble. *Francophonies d'Amérique* vise à refléter un secteur de recherche en pleine croissance et constitue ainsi une source de renseignements des plus utiles pour quiconque s'intéresse à la francophonie nord-américaine dans toute sa vitalité.

Procédure d'évaluation des articles

Tous les articles soumis à la revue, y compris les textes sollicités par la direction, les membres du conseil d'administration ou du comité de rédaction, doivent faire l'objet d'une évaluation par au moins deux personnes compétentes. La revue fera appel le plus souvent possible aux membres du comité de rédaction pour assurer l'évaluation des textes. La sollicitation d'un article ou d'un compte rendu n'en signifie donc pas l'acceptation automatique.

Francophonies d'Amérique ne publie que des articles inédits, c'est-à-dire qui n'ont fait l'objet d'aucune publication antérieure, sous quelque forme que ce soit, incluant le site Web de l'auteur, celui du centre de recherche ou celui de l'institution à laquelle il est rattaché.

Numéros thématiques – textes choisis de colloques

Francophonies d'Amérique accueille volontiers des articles provenant de colloques portant sur des sujets pertinents. Un seul numéro par année est normalement consacré à ce type de publication.

La préparation des textes est confiée au responsable du numéro thématique. Tous les articles doivent être remis en un seul dossier, en format Word. La présentation du numéro par le responsable scientifique et les notices biobibliographiques (100 mots) des collaborateurs et des collaboratrices ainsi que les résumés (en français et en anglais) des articles (100 mots) doivent être compris dans le dossier remis à la direction de la revue. Les textes doivent être conformes aux normes et au protocole de rédaction de la revue.

Les manuscrits doivent faire l'objet d'une évaluation normale par les pairs.

En consultation avec les coordonnateurs des différents dossiers, la direction de *Francophonies d'Amérique* est responsable du choix final des articles, et elle avisera les auteurs de sa décision.

Nombre de pages

Les numéros de *Francophonies d'Amérique* comptent au maximum 200 pages, incluant la table des matières, l'introduction, les articles, les comptes rendus, les notices biobibliographiques et les pages se rapportant à la revue.

Longueur des articles

Les textes soumis pour publication comptent entre 15 et 20 pages, à interligne double. Les tableaux, les graphiques et les illustrations doivent être limités à l'essentiel ; chaque numéro comprend au maximum 26 tableaux et illustrations.

Présentation des articles

La revue utilise le système de renvoi à l'intérieur du texte, suivi d'une bibliographie des ouvrages cités. Les notes doivent être réduites au minimum, et seules celles qui sont essentielles à la cohésion et à la compréhension de l'article seront publiées. De même, la revue ne publiera que la bibliographie des ouvrages cités.

Présentation des comptes rendus

Les comptes rendus comprennent la référence complète de l'ouvrage recensé en guise de titre, suivie du nom de l'auteur du compte rendu ainsi que ses coordonnées complètes. Nombre de mots : entre 1 000 et 1 200.

Protocole de rédaction

Le protocole de rédaction est disponible dans le site Web de la revue, à l'adresse suivante : [http://www.crccf.uottawa.ca/francophonies_ amerique/protocole.pdf].

Accès libre aux articles

Deux ans après la parution de son article en format imprimé et électronique dans le portail Érudit, l'auteur qui le désire pourra diffuser librement son article après en avoir obtenu l'autorisation de *Francophonies d'Amérique* et en s'assurant que la source de l'article est clairement indiquée.